O
MILAGRE

O MILAGRE

EMMA DONOGHUE

Tradução
Vera Ribeiro

1ª edição
Rio de Janeiro-RJ / Campinas-SP, 2018

VERUS
EDITORA

Editora
Raïssa Castro

Coordenadora editorial
Ana Paula Gomes

Copidesque
Katia Rossini

Revisão
Maria Lúcia A. Maier

Capa
Joanna Thomson, Picador Art Department

Projeto gráfico e diagramação
André S. Tavares da Silva

Título original
The Wonder

ISBN: 978-85-7686-621-3

Copyright © Emma Donoghue Ltd., 2016
Todos os direitos reservados.
Edição publicada mediante acordo com Little, Brown and Company, Nova York, Nova York, Estados Unidos.

Tradução © Verus Editora, 2018
Direitos reservados em língua portuguesa, no Brasil, por Verus Editora. Nenhuma parte desta obra pode ser reproduzida ou transmitida por qualquer forma e/ou quaisquer meios (eletrônico ou mecânico, incluindo fotocópia e gravação) ou arquivada em qualquer sistema ou banco de dados sem permissão escrita da editora.

Verus Editora Ltda.
Rua Benedicto Aristides Ribeiro, 41, Jd. Santa Genebra II, Campinas/SP, 13084-753
Fone/Fax: (19) 3249-0001 | www.veruseditora.com.br

CIP-BRASIL. CATALOGAÇÃO NA FONTE
SINDICATO NACIONAL DOS EDITORES DE LIVROS, RJ

D74m

Donoghue, Emma, 1969-
 O milagre / Emma Donoghue ; tradução Vera Ribeiro. - 1. ed. - Campinas [SP] : Verus, 2018.
 23 cm.

Tradução de: The wonder
ISBN 978-85-7686-621-3

1. Romance irlandês. I. Ribeiro, Vera. II. Título.

18-51239
CDD: 828.99153
CDU: 82-31(415)

Meri Gleice Rodrigues de Souza - Bibliotecária CRB-7/6439

Revisado conforme o novo acordo ortográfico

Seja um leitor preferencial Record.
Cadastre-se no site www.record.com.br e receba informações sobre nossos lançamentos e nossas promoções.

Atendimento e venda direta ao leitor:
mdireto@record.com.br ou (21) 2585-2002

Para nossa filha, Una, uma antiga bênção irlandesa:

Nár mille an sioc do chuid prátaí,
Go raibh duilleoga do chabáiste slán ó chnuimheanna.

Que não haja geada em suas batatas
nem vermes no seu repolho.

SUMÁRIO

1. DESVELO   9
2. VIGILÂNCIA   61
3. JEJUM   107
4. VIGÍLIA   157
5. VIRADA   202
EPÍLOGO   260
NOTA DA AUTORA   262
NOTA DA TRADUTORA   263

1
DESVELO

CUIDAR
amamentar um bebê
criar uma criança
tratar dos enfermos

A viagem não foi pior do que ela esperava. Um trem de Londres a Liverpool; o trajeto para Dublin durante a noite, no paquete a vapor; um trem lento de domingo para o oeste, rumo a uma cidade chamada Athlone.

Havia um cocheiro à espera:

— Sra. Wright?

Lib conhecera muitos irlandeses, soldados. Mas isso fazia alguns anos, de modo que, nesse momento, seu ouvido se esforçou para discernir as palavras do cocheiro.

O homem carregou-lhe a mala para o que chamou de cabriolé jeitoso. Nome irlandês equivocado; não havia nada de cabriolé nem de jeitoso naquela charrete sem capota. Lib acomodou-se no único banco, instalado no meio, com as botas que calçava penduradas mais perto da roda direita do que ela gostaria. Abriu o guarda-chuva de armação de aço para se proteger da garoa. Ao menos isso era melhor que o trem abafado.

Do lado de lá do banco, tão arriado que suas costas quase encostavam nas dela, o cocheiro estalou o chicote.

— Vam'bora!

O pônei peludo se mexeu.

As poucas pessoas na estrada de macadame que saía de Athlone tinham a aparência abatida, o que Lib atribuiu à dieta infame de batatas e pouco mais. Talvez isso também fosse responsável pelos dentes que faltavam no cocheiro.

Ele teceu um comentário qualquer sobre um meneio.

— Desculpe, o que disse?

— Bem no meio, moça.

Lib esperou, escorando-se contra os solavancos da carroça. Ele apontou para baixo.

— Aqui nós estamos exatamente no centro do país.

Campos planos, riscados por uma folhagem escura. Mantas de turfa marrom-avermelhada; os charcos não eram conhecidos por abrigar doenças? Ocasionais resquícios cinzentos de chalés, quase cobertos pelo mato. Nada que parecesse pitoresco a Lib. Estava claro que a região central irlandesa era uma depressão em que a água empoçava como a rodinha no meio de um pires.

A charrete irlandesa saiu da estrada para uma via mais estreita, coberta de cascalho. O tamborilar no pano do guarda-chuva tornou-se um martelar contínuo. Cabanas sem janelas; Lib imaginou uma família com seus animais em cada uma, aconchegando-se fora da chuva.

A intervalos, uma ou outra viela levava a um aglomerado de telhados que deviam constituir um vilarejo. Mas nunca o vilarejo certo, evidentemente. Lib deveria ter perguntado ao cocheiro qual seria a duração provável da viagem. Não lhe formulou a pergunta nesse momento, para o caso de a resposta ser "Ainda falta muito".

Tudo o que lhe dissera a enfermeira-chefe, no hospital, era que precisavam de uma enfermeira experiente por duas semanas, para um trabalho particular. O custeio das despesas de subsistência e da viagem de ida e volta da Irlanda seria fornecido, assim como uma remuneração diária. Lib não sabia nada sobre os O'Donnell, exceto que só poderiam ser uma família de posses, se eram sofisticados a ponto de mandarem vir da longínqua Inglaterra uma enfermeira de melhor qualidade. Só nessa hora lhe ocorreu questionar como eles poderiam saber que o paciente necessitaria de seus serviços por uma quinzena, nem mais, nem menos. Talvez Lib fosse a substituta temporária de outra enfermeira.

De qualquer modo, ela seria muito bem paga pelo incômodo, e a novidade da coisa trazia certo interesse. No hospital, a formação de Lib tanto era causa de ressentimento quanto de apreciação, e apenas suas qualificações mais básicas eram solicitadas: alimentar, trocar os curativos, fazer as camas.

Ela resistiu ao impulso de enfiar a mão no casaco e tirar o relógio; isso não faria o tempo andar mais depressa e talvez entrasse chuva no dispositivo.

Agora, mais uma cabana sem telhado, de costas para a estrada, com as paredes de extremidade triangular acusando o céu. O mato ainda não conseguira cobrir essa ruína. Lib vislumbrou uma mancha enegrecida através do buraco em forma de porta; um incêndio recente, portanto. (Mas como é que alguma coisa conseguia pegar fogo nessas terras alagadas?) Ninguém se dera o trabalho de tirar os caibros carbonizados, muito menos de refazer a armação e cobrir com colmo um novo telhado. Seria verdade que os irlandeses eram insensíveis às melhorias?

Uma mulher com uma touca franzida imunda postava-se à beira da estrada, com um magote de crianças na cerca atrás dela. O chacoalhar da charrete os fez avançar, com as mãos levantadas em concha, como que para colher a chuva. Lib desviou os olhos, constrangida.

— A estação da fome — resmungou o cocheiro.

Mas era alto verão. Como podia haver escassez de comida, justamente nessa época?

As botas de Lib estavam salpicadas da lama e cascalho espirrados pela roda. Em vários momentos, a charrete irlandesa havia entrado aos solavancos em poças pardacentas, tão fundas que ela tivera de se agarrar ao banco para não ser lançada lá de cima.

Outras cabanas, algumas com três ou quatro janelas. Celeiros, galpões. Uma sede de fazenda de dois andares, depois outra. Dois homens que faziam o carregamento de uma carroça viraram-se, e um disse alguma coisa ao outro. Lib se examinou, baixando os olhos. Haveria algo de estranho em sua roupa de viagem? Talvez a gente do lugar fosse tão indolente que se dispunha a interromper o trabalho para espiar qualquer estranho.

Mais adiante, paredes caiadas ofuscaram a visão numa construção de telhado pontiagudo, com uma cruz no alto, o que significava uma capela católica romana. Só quando o cocheiro puxou as rédeas foi que Lib se deu conta de haverem chegado ao vilarejo, embora, pelos padrões ingleses, ele não passasse de um amontoado de construções de aspecto lamentável.

Neste ponto, ela consultou o relógio: quase nove da noite, e o sol ainda não se pusera. O pônei baixou a cabeça e mastigou um maço de capim. Essa parecia ser a única rua.

— A senhora vai ficar na mercearia dos espíritos.

— Como disse?

— A do Ryan. — O cocheiro meneou a cabeça para uma construção sem nenhuma placa, à esquerda.

Não podia estar certo. Toda enrijecida da viagem, ela deixou o homem ajudá-la a descer. Sacudiu o guarda-chuva com o braço estendido, enrolou bem a lona encerada e abotoou a presilha. Enxugou a mão na parte interna da capa e entrou na loja de vigas baixas.

Foi atingida em cheio pelo odor forte e desagradável da turfa queimando. Afora as brasas em lenta combustão sob uma chaminé enorme, apenas um par de lâmpadas iluminava o aposento, onde uma moça encaixava uma lata em sua fileira numa prateleira alta.

— Boa noite — disse Lib. — Creio que talvez eu tenha sido trazida para o lugar errado.

— A senhora deve ser a inglesa — disse a garota, um pouquinho alto demais, como se Lib fosse surda. — Quer dar um pulo lá nos fundos para comer alguma coisa?

Lib controlou a irritação. Se não havia nenhuma hospedaria adequada, e se a família O'Donnell não podia ou não queria hospedar a enfermeira que havia contratado, reclamar seria inútil.

Ela cruzou a porta ao lado da lareira e se viu numa salinha sem janelas, com duas mesas. Uma era ocupada por uma freira cujo rosto era quase invisível sob as camadas engomadas da touca e do véu que lhe adornavam a cabeça. Se Lib se contraiu um pouco, foi por fazer anos que não via alguém assim; na Inglaterra, as irmãs religiosas não desfilavam com essa indumentária, por medo de provocarem sentimentos anticatólicos.

— Boa noite — cumprimentou-a, educadamente.

A freira respondeu curvando muito a cabeça. Talvez os membros de sua ordem fossem dissuadidos de falar com quem não era da sua religião, ou até fizessem voto de silêncio, quem sabe?

Lib sentou-se à outra mesa, de costas para a freira, e aguardou. Seu estômago roncou — não alto o bastante para ser ouvido, esperou ela. Havia um clicar leve que só poderia estar vindo de baixo das dobras pretas do hábito da mulher: as famosas contas do rosário.

Quando a moça, finalmente, trouxe a bandeja, a freira baixou a cabeça e murmurou algo; dava graças antes da refeição. Estava na casa dos quarenta ou cinquenta, calculou Lib, com olhos ligeiramente esbugalhados e mãos carnudas de camponesa.

Um estranho sortimento de pratos: pão de aveia, repolho, um tipo de peixe.

— Eu esperava que houvesse batatas — Lib disse à garota.

— Vai esperar por elas mais um mês.

Ah, então Lib entendeu por que essa era a estação da fome na Irlanda; as batatas só seriam colhidas no outono.

Tudo tinha gosto de turfa, mas ela tratou de limpar o prato. Desde Scutari, onde as rações das enfermeiras eram tão escassas quanto às dos soldados, Lib tinha-se descoberto incapaz de desperdiçar uma garfada.

Barulho na mercearia e, em seguida, um grupo de quatro pessoas espremeu-se na sala de jantar.

— Deus abençoe todos aqui — disse o primeiro homem.

Sem saber a resposta apropriada, Lib meneou a cabeça.

— E a vós também.

Foi a freira quem murmurou isso, fazendo o sinal da cruz, com um toque na testa, no peito e nos ombros esquerdo e direito. Em seguida, retirou-se da sala — se foi por ter comido tudo o que queria de sua magra porção, ou para ceder a segunda mesa aos recém-chegados, Lib não soube dizer.

Formavam um grupo barulhento, esses lavradores e suas mulheres. Será que já tinham passado a tarde inteira de domingo bebendo em outro lugar? *Mercearia dos espíritos*, agora ela entendeu a expressão do cocheiro. Não uma mercearia assombrada, mas uma mercearia-taberna, que servia bebidas alcoólicas.

Pela conversa dos quatro, em que se falava de uma *extraordinária maravilha* em que eles mal conseguiam acreditar, embora a tivessem visto com os próprios olhos, Lib concluiu que deveriam ter ido a uma exposição.

— Eu digo que é o povo encantado que está por trás disso — declarou um homem barbudo. Sua mulher deu-lhe uma cotovelada, mas ele insistiu: — Fazendo todas as vontades dela!

— Sra. Wright?

Lib virou a cabeça.

O estranho parado à porta deu um tapinha no colete.

— Dr. McBrearty.

Era o nome do médico dos O'Donnell, recordou Lib. Levantou-se para apertar a mão dele. Suíças brancas meio ralas, pouquíssimo cabelo no alto. Paletó surrado, ombros salpicados de caspa e bengala de cabo arredondado. Setenta anos, talvez?

Os lavradores e suas mulheres os observavam com interesse.

— Foi gentileza sua ter vindo de tão longe — comentou o médico, como se Lib estivesse fazendo uma visita, e não assumindo um emprego. — Foi terrível a viagem? Se já houver terminado aqui... — prosseguiu ele, sem lhe dar chance de responder.

Lib o acompanhou e entrou na loja. A garota, levantando um lampião, fez sinal para que os dois subissem a escada estreita.

O quarto era acanhado. O baú de Lib ocupou grande parte do piso. Esperava-se que ela tivesse uma conversa particular ali com o dr. McBrearty? Será que o lugar não tinha outro cômodo vago, ou a mocinha era bronca demais para tomar providências com mais polidez?

— Muito bem, Maggie — disse ele à garota. — Como vai a tosse de seu pai?

— Melhor, quase.

— Bem, sra. Wright — disse o médico, assim que a moça se retirou, fazendo um gesto para que ela ocupasse a cadeira solitária de junco.

Lib teria dado muito para, primeiro, dispor de dez minutos sozinha, a fim de usar o urinol e o lavatório. Os irlandeses eram famosos por negligenciar as boas maneiras e os gestos de cortesia.

O médico apoiou-se na bengala.

— Qual é a sua idade, se me permite perguntar?

Então, ela teria de se submeter a uma entrevista bem ali, embora lhe tivessem dado a entender que o emprego já era seu.

— Ainda não completei trinta, doutor.

— Viúva, certo? Passou a se dedicar à enfermagem quando se viu, *hmm*... entregue a seus próprios recursos?

Estaria McBrearty verificando a descrição que a enfermeira-chefe tinha fornecido a seu respeito? Ela assentiu com a cabeça.

— Menos de um ano depois de eu me casar.

Ela havia se deparado com uma reportagem sobre os milhares de soldados que sofriam com ferimentos a bala ou com cólera, sem ninguém para lhes prestar cuidados. O *Times* anunciara que tinham sido angariadas sete mil libras para enviar um grupo de inglesas à Crimeia como enfermeiras. *Isto*, pensara Lib, com medo, mas também com um sentimento de ousadia, *isto eu acho que poderia fazer*. Já havia perdido tanta coisa que ficara imprudente.

De momento, porém, tudo o que disse ao médico foi:

— Eu tinha vinte e cinco anos.

— Uma Nightingale! — deslumbrou-se o homem.

Ah, então a enfermeira-chefe tinha-lhe contado isso. Lib sempre ficava acanhada ao introduzir na conversa o nome da grande dama, e detestava o título extravagante que passara a se associar a todas as que tinham sido treinadas pela srta. N., como se fossem bonecas criadas a partir daquela heroica matriz.

— Sim, tive a honra de servir sob a chefia dela em Scutari.

— Um trabalho nobre.

Parecia perverso responder que não, arrogante dizer que sim. Nesse momento, ocorreu a Lib que o nome de Nightingale tinha sido a razão de a família O'Donnell se dar o trabalho de trazer uma enfermeira lá do outro lado do mar da Irlanda. Era visível que o velho irlandês gostaria de saber mais sobre a beleza, a severidade, a proba indignação da mestra de Lib.

— Eu era uma das damas da enfermagem — foi só o que disse a inglesa.

— Uma voluntária?

Ela tivera a intenção de esclarecer, mas o médico a havia entendido mal, e o rosto de Lib enrubesceu. Mas, na verdade, por que sentir o menor embaraço? A srta. N. sempre lhes havia lembrado que o fato de serem remuneradas não lhes diminuía o altruísmo.

— Não, eu quis dizer que fui uma das damas cultas da enfermagem, não uma enfermeira comum. Meu pai era aristocrata — acrescentou, com certa tolice. Não tinha fortuna, mas, ainda assim...

— Ah, muito bem. Há quanto tempo trabalha no hospital?

— Completarei três anos em setembro.

Isto era notável por si só, já que a maioria das enfermeiras não ficava mais do que alguns meses; faxineiras irresponsáveis, verdadeiras sra. Gamps à moda antiga, choramingando por suas rações de cerveja preta. Não que Lib fosse particularmente apreciada no hospital. Tinha ouvido a enfermeira-chefe descrever como *metidas a sebo* as veteranas de campanha da srta. N. na Crimeia.

— Depois de Scutari, trabalhei para diversas famílias — acrescentou —, e cuidei de meus pais em suas doenças terminais.

— Já cuidou de alguma criança, sra. Wright?

Lib foi apanhada de surpresa, mas isso só a afetou por um momento:

— Imagino que os princípios sejam os mesmos. Meu paciente é uma criança?

— *Hmm*, Anna O'Donnell.

— Não fui informada sobre as queixas dela.

O médico deu um suspiro.

Então, alguma coisa fatal, deduziu Lib. Lenta o bastante, porém, para ainda não ter matado a criança. Tuberculose, provavelmente, nesse clima úmido.

— Ela não está exatamente doente. Seu único dever será vigiá-la.

Verbo curioso. Como aquela enfermeira terrível de *Jane Eyre*, encarregada de cuidar da maluca escondida no sótão.

— Fui trazida até aqui para... montar guarda?

— Não, não, simplesmente para observar.

Mas a observação era apenas a primeira peça do quebra-cabeça. A srta. N. ensinara suas enfermeiras a observarem cuidadosamente, a fim de entender e suprir aquilo de que os enfermos precisavam. Não medicamentos — essa era a seara dos médicos —, mas as coisas que ela dizia serem igualmente cruciais para a recuperação: luz, ar, calor, limpeza, repouso, conforto, alimentação e conversa.

— Se bem o entendo...

— Duvido que já possa entender, e a culpa é minha. — McBrearty apoiou-se na beirada do lavatório, como se estivesse perdendo as forças.

Lib gostaria de lhe oferecer a cadeira, se pudesse fazê-lo sem insultar o ancião.

— Não quero induzi-la a nenhum tipo de preconceito — continuou ele —, mas o que posso dizer é que se trata de um caso sumamente inusitado. Anna O'Donnell afirma, ou melhor, seus pais afirmam que ela não ingere nenhum alimento desde que fez onze anos.

Lib franziu o cenho.

— Nesse caso, deve estar doente.

— Não de nenhuma doença conhecida. Conhecida por mim, quero dizer — acrescentou McBrearty, corrigindo-se. — Ela simplesmente não come.

— O senhor quer dizer que não ingere alimentos sólidos? — Lib ouvira falar dessa afetação das modernas mocinhas refinadas, que tinham a pretensão de viver de araruta cozida ou caldo de carne por dias a fio.

— Nenhum alimento de nenhuma espécie — o médico a corrigiu. — Ela não consegue ingerir nada senão água potável.

Não consegue significa *não quer*, como dizia o provérbio da enfermagem. A não ser...

— A pobre menina tem alguma obstrução gástrica?

— Não que eu tenha podido descobrir.

Lib ficou confusa:

— Náuseas intensas? — Ela havia conhecido grávidas que enjoavam demais para conseguir tragar algum alimento.

O médico abanou a cabeça.

— Ela é melancólica?

— Eu não diria isso. Uma menina calada, devota.

Ah, então talvez se tratasse de um entusiasmo religioso, não de um problema médico, em absoluto.

— Católica romana?

O modo como ele abanou a mão pareceu dizer *que mais?*

Lib supunha que, praticamente, todos fossem católicos, a essa distância de Dublin. Era bem possível que o próprio médico o fosse.

— Tenho certeza de que o senhor deve tê-la alertado sobre os perigos do jejum — disse Lib.

— Alertei-a, é claro. Os pais também o fizeram, no começo. Mas Anna é inflexível.

Teria Lib sido arrastada para o outro lado do oceano por causa disso, de um capricho infantil? Os O'Donnell deviam ter entrado em pânico, no primeiro dia em que a filha torcera o nariz para o desjejum, e disparado um telegrama para Londres, pedindo não uma enfermeira qualquer, mas uma do tipo novo e irrepreensível: "Mandem-nos uma Nightingale!"

— Há quanto tempo foi o aniversário dela? — perguntou.

McBrearty deu um puxãozinho nas suíças.

— Foi em abril. Está fazendo quatro meses.

Lib teria soltado uma gargalhada alta, não fosse sua formação profissional.

— Doutor, a esta altura a menina teria morrido.

Esperou por algum sinal de que os dois concordavam quanto ao absurdo da situação: uma piscadela de entendimento, um tapinha no nariz. Ele apenas assentiu com a cabeça:

— É um grande mistério.

Não era a palavra que Lib teria escolhido.

— Ela está... de cama, pelo menos?

McBrearty abanou a cabeça.

— Anna circula por aí como qualquer outra menina.

— Macilenta?

— Ela sempre foi uma coisinha miúda de nada, mas não, mal parece ter mudado desde abril.

O médico estava sendo sincero, mas a coisa era ridícula. Já estariam meio cegos os seus olhos remelentos?

— E ela está em plena posse de todas as faculdades mentais — acrescentou McBrearty. — Na verdade, a força vital arde com tanta intensidade em Anna que os O'Donnell estão convencidos de que ela é capaz de viver sem se alimentar.

— Inacreditável. — A palavra saiu cáustica demais.

— Não me surpreende o seu ceticismo, sra. Wright. Eu também o sentia.

Sentia?
— O senhor está me dizendo, com toda a seriedade, que..
Ele a interrompeu, erguendo as mãos ressequidas:
— A interpretação óbvia é que se trata de uma farsa.
— Sim — disse Lib, aliviada.
— Mas essa menina... ela não é como as outras crianças.
A enfermeira esperou para ouvir mais.
— Não posso lhe *dizer* nada, sra. Wright. Só tenho perguntas. Nos últimos quatro meses, tenho ardido de curiosidade, como estou certo de que lhe acontece neste momento.

Não, o desejo que ardia em Lib era o de encerrar essa conversa e tirar o homem do quarto.

— Doutor, a ciência nos diz que viver sem alimentação é impossível.
— Mas será que a maioria das novas descobertas na história da civilização não pareceu insólita, a princípio, quase mágica? — Sua voz estremeceu um pouco, de agitação. — De Arquimedes a Newton, todos os grandes homens chegaram a seus avanços inovadores examinando sem preconceito as provas oferecidas pelos sentidos. Por isso, tudo o que lhe peço é que mantenha a mente aberta amanhã, ao conhecer Anna O'Donnell.

Lib baixou os olhos, mortificada por McBrearty. Como era possível um médico se deixar apanhar no joguinho de uma menina e, em função disso, imaginar-se entre os "grandes homens"?

— Posso perguntar se a menina está unicamente sob os seus cuidados?
Ela formulou a frase em tom polido, mas o que queria saber era se alguma autoridade mais competente tinha sido chamada.
— Está, sim — respondeu McBrearty, tranquilizador. — Na verdade, fui eu que tive a ideia de redigir um relatório sobre o caso e enviá-lo ao *Irish Times*.
Lib nunca ouvira falar desse nome.
— Um jornal nacional?
— *Hmm*, o de fundação mais recente, e por isso tive esperança de que a visão de seus proprietários fosse um pouco menos embotada pelo sectarismo preconceituoso — acrescentou, em tom sonhador. — Mais receptiva ao novo e ao extraordinário, onde quer que ele surja. Pensei em compartilhar os fatos com um público maior, sabe como é, na esperança de que alguém pudesse explicá-los.
— E alguém explicou?
Um suspiro abafado.

— Houve diversas cartas fervorosas, proclamando que o caso da Anna é um perfeito milagre. E também umas sugestões intrigantes de que ela poderia estar-se beneficiando de qualidades nutritivas ainda não descobertas, digamos, do magnetismo, ou do olfato.

Do olfato? Lib mordeu a parte interna das bochechas para não rir.

— Um correspondente ousado propôs que ela estaria convertendo a luz solar em energia, como faz a flora. Ou até vivendo de ar, como algumas plantas — acrescentou, o rosto enrugado se iluminando. — Lembra-se daquela tripulação de um navio naufragado que disse ter subsistido por vários meses alimentando-se de tabaco?

Lib baixou a cabeça, para que ele não visse o desdém em seus olhos.

McBrearty retomou o fio da meada:

— Mas a vasta maioria das respostas consistiu em insultos pessoais.

— À menina?

— À menina, à família e a mim. Comentários não só no *Irish Times*, mas também em várias publicações britânicas que parecem ter-se interessado pelo caso, no intuito exclusivo de satirizá-lo.

Nesse momento, Lib compreendeu. Ela fizera uma longa viagem para prestar serviços como uma mescla de enfermeira e carcereira, tudo por causa do orgulho ferido de um médico provinciano. Por que não pressionara a enfermeira-chefe para obter mais detalhes, antes de aceitar o emprego?

— A maioria dos correspondentes acha que os O'Donnell são vigaristas que conspiram para alimentar a filha em segredo e fazer o mundo inteiro de bobo. — A voz de McBrearty soou estridente. — O nome do nosso vilarejo tornou-se sinônimo de credulidade retrógrada. Vários homens importantes desta região acham que a honra do condado, ou de toda a nação irlandesa, possivelmente, encontra-se em jogo.

Será que a credulidade do médico tinha-se alastrado como uma febre entre esses "homens importantes"?

— Por isso, criou-se uma comissão e foi tomada a decisão de montar uma vigília.

Ah, então não tinham sido os O'Donnell, afinal, que haviam mandado trazer Lib.

— Com o intuito de provar que a menina sobrevive por meios extraordinários? — perguntou ela, tentando retirar da voz o menor indício de ironia.

— Não, não — assegurou-lhe McBrearty —, apenas para trazer a verdade à luz, seja ela qual for. Duas acompanhantes escrupulosas ficarão ao lado da Anna, em turnos, dia e noite, durante uma quinzena.

Então, o que se fazia necessário ali não era a experiência de Lib com casos de cirurgia ou infecção, mas apenas o rigor de seu treinamento. Estava claro que, ao importar uma das integrantes escrupulosas da nova safra de enfermeiras, a comissão tinha esperança de dar alguma credibilidade à história maluca dos O'Donnell. De transformar aquele buraco primitivo de fim de mundo num assombro para o planeta. A raiva de Lib fez seu queixo estremecer.

E também o sentimento de solidariedade para com a outra mulher atraída para esse atoleiro.

— A segunda enfermeira, imagino que eu não a conheça, não é?

O médico franziu o sobrolho.

— A senhora não conheceu a irmã Michael no jantar?

A freira quase muda. Lib deveria ter adivinhado. Era estranho esse jeito de elas assumirem nomes de santos masculinos, como se abrissem mão da própria feminilidade. Mas por que a freira não se apresentara devidamente? Seria isso que havia pretendido expressar aquele gesto de curvar muito a cabeça: que ela e a inglesa estavam juntas nessa confusão?

— Ela também fez formação profissional na Crimeia?

— Não, não, acabei de chamá-la da Casa de Misericórdia, em Tullamore — respondeu McBrearty.

Uma das *freiras caminhantes*. Lib servira com outras integrantes dessa ordem religiosa em Scutari. Ao menos eram trabalhadoras de confiança, disse a si mesma.

— Os pais pediram que pelo menos uma das senhoras fosse da mesma, ahn...

Com que então, os O'Donnell tinham pedido uma católica romana.

— Religião.

— E nacionalidade — ele acrescentou, como que para atenuar a ideia.

— Estou bem ciente de que os ingleses não são benquistos neste país — disse Lib, exibindo um sorriso tenso.

McBrearty discordou:

— A senhora está sendo muito rigorosa.

É? E os rostos que tinham virado para a charrete a sua passagem pela rua do vilarejo? Só que, Lib percebeu nesse momento, aqueles homens tinham feito comentários a seu respeito por ela ser esperada. Não era apenas uma inglesa qualquer, era a que estava sendo despachada para cuidar do bichinho de estimação do grande senhor de todos eles.

— A irmã Michael proporcionará certa sensação de familiaridade à menina, só isso — declarou McBrearty.

Ora, que ridícula a ideia de que *familiaridade* fosse uma qualificação necessária ou mesmo útil para uma vigia! Quanto à outra enfermeira, porém, ele havia escolhido uma das integrantes da já famosa brigada da srta. N., pensou Lib, para fazer essa vigília parecer suficientemente *escrupulosa*, em especial aos olhos da imprensa britânica.

Lib pensou em dizer, em tom muito frio: Doutor, vejo que fui trazida para cá na esperança de que minha associação com uma grande senhora cobrisse com um verniz de respeitabilidade uma fraude ultrajante. Não participarei disso. Se partisse de manhã, poderia estar de volta ao hospital em dois dias.

Essa perspectiva encheu-a de tristeza. Imaginou-se tentando explicar que o trabalho na Irlanda se revelara objetável por questões de ordem moral. Como a enfermeira-chefe bufaria diante disso!

Assim, Lib reprimiu seus sentimentos, por ora, e se concentrou nos aspectos práticos. Simplesmente observar, dissera McBrearty.

— Se, em algum momento, a nossa pupila vier a expressar o mais leve desejo, mesmo em termos velados, de comer alguma coisa... começou.

— Então, dê-lhe o que ela pedir — disse o médico, parecendo chocado. — Não estamos aqui para matar crianças de inanição.

Lib assentiu com a cabeça.

— Então, nós, enfermeiras, deveremos apresentar-lhe nosso relatório daqui a duas semanas?

Ele abanou a cabeça.

— Como médico da Anna, e tendo sido arrastado para todo este aborrecimento nos jornais, eu poderia ser considerado parte interessada. Por isso, é perante a comissão reunida que as senhoras deverão depor, sob juramento.

Lib sentiu-se ansiosa por esse dia.

— A senhora e a irmã Michael, separadamente — acrescentou, erguendo um dedo ossudo —, sem nenhuma conversa entre si. Queremos saber a que visão chega cada uma das senhoras, uma independentemente da outra.

— Ótimo. Posso perguntar por que esse período de vigilância não está sendo conduzido no hospital local?

A menos que não haja nenhum, nesse *centro exato* da ilha.

— Ah, os O'Donnell rejeitaram a simples ideia de que sua menina fosse levada para o hospital do condado.

Isso matou a charada para Lib: o aristocrata rural e sua senhora queriam manter a filha em casa, para poderem continuar a lhe passar alimentos disfarçadamente. Não seriam necessárias duas semanas de supervisão para apanhá-los em flagrante.

Ela usou de tato ao escolher as palavras, pois era evidente que o médico sentia afeição pela jovem farsante:

— Se, antes de concluídas as duas semanas, eu viesse a encontrar provas de que Anna ingeriu alimentos em sigilo... deveria apresentar meu relatório à comissão, imediatamente?

As bochechas do médico, cobertas pelas suíças, arriaram.

— Nesse caso, suponho que seria perda do tempo e do dinheiro de todos levar a situação adiante.

Lib poderia estar no navio de volta à Inglaterra em questão de dias, portanto, mas com esse episódio excêntrico satisfatoriamente encerrado.

E mais, se os jornais de todo o reino viessem a reconhecer o mérito da enfermeira Elizabeth Wright por desmascarar essa farsa, toda a equipe do hospital teria de abrir os olhos e prestar atenção. Quem a chamaria de *metida a sebo* depois disso? Talvez pudessem advir daí coisas melhores. Uma posição mais adequada aos talentos de Lib, mais interessante. Uma vida menos tacanha. A mão dela subiu para cobrir um bocejo repentino.

— É melhor eu deixá-la agora — disse McBrearty. — Devem ser quase dez horas.

Lib puxou a corrente da cintura e virou o mostrador do relógio para cima:

— No meu são dez e dezoito.

— Ah, aqui nós estamos vinte e cinco minutos atrás. A senhora ainda está no fuso horário inglês.

༄

Lib dormiu bem, considerando a situação.

O sol saiu pouco antes das seis. A essa hora, ela já estava com o uniforme do hospital: vestido cinza de tweed, casaco de lã penteada, quepe branco. (Ao menos o uniforme servia. Uma das muitas indignidades de Scutari tinha sido o traje de tamanho padrão; as enfermeiras baixas nadavam nos delas, enquanto Lib parecia uma mendiga que houvesse crescido e ficado com as mangas curtas demais.)

Tomou o desjejum sozinha, na sala dos fundos da mercearia-taberna. Os ovos estavam frescos, com as gemas amarelas como o sol.

A moça da mercearia — Mary? Meg? — usava o mesmo avental manchado da noite anterior. Quando voltou para tirar a mesa, disse que o sr. Thaddeus estava esperando. Retirou-se da sala antes que Lib pudesse dizer que não conhecia ninguém com esse nome.

Lib entrou na loja.

— Deseja falar comigo? — perguntou ao homem que esperava de pé. Não soube ao certo se devia tratá-lo por senhor.

— Bom dia, sra. Wright, espero que tenha dormido bem. — Esse sr. Thaddeus era mais fluente do que ela podia esperar, a julgar pelo paletó desbotado. Rosto rosado, não muito jovem, nariz arrebitado; a cabeleira preta apareceu quando ele levantou o chapéu. — Vou levá-la agora à casa dos O'Donnell, se a senhora estiver pronta.

— Prontíssima.

Ele devia ter ouvido a indagação na voz de Lib, no entanto, porque acrescentou:

— O nosso caro doutor achou que talvez um amigo de confiança da família devesse fazer as apresentações.

Lib ficou confusa.

— Tive a impressão de que o dr. McBrearty seria esse amigo.

— E é — retrucou o sr. Thaddeus —, mas creio que os O'Donnell depositam uma confiança especial em seu padre.

Padre? Esse homem usava trajes civis.

— Queira me desculpar. Devo chamá-lo de padre Thaddeus?

Um dar de ombros.

— Bem, esse é o novo estilo, mas não nos preocupamos muito com essas coisas por aqui.

Era difícil imaginar esse sujeito amável como o confessor do vilarejo, o detentor dos segredos.

— O senhor não usa o colarinho clerical, nem... — Lib apontou para o peito dele, por não saber o nome da batina preta abotoada.

— Tenho o traje todo no meu baú para os dias santos, é claro — retrucou o sr. Thaddeus com um sorriso.

A mocinha voltou às pressas, enxugando as mãos.

— Pronto, aqui está o seu tabaco — disse ao padre, torcendo as pontas de um embrulho de papel e empurrando-o por cima do balcão.

— Deus lhe pague, Maggie; e também uma caixa de fósforos. Certo... e então, irmã?

Estava olhando para um ponto atrás de Lib, que se virou e deparou com a freira rondando por perto; quando teria entrado de fininho?

A irmã Michael meneou a cabeça para o padre, depois para Lib, com uma torção da boca que talvez pretendesse ser um sorriso. Tolhida pela timidez, presumiu a enfermeira.

Por que McBrearty não pudera chamar duas Nightingales, quando estava cuidando do assunto? Ocorreu então a Lib que talvez nenhuma das outras cinquenta e poucas, leigas ou religiosas, estivesse disponível, assim, tão em cima da hora. Seria Lib a única enfermeira da Crimeia que não conseguira encontrar seu nicho, passada já meia década? A única suficientemente sem compromisso para morder a isca envenenada deste trabalho?

Os três dobraram à esquerda na rua, caminhando sob um sol aguado. Pouco à vontade entre o padre e a freira, Lib segurou com força a sacola de couro.

As construções voltavam-se para direções diferentes, esnobando umas às outras. Numa janela, uma senhora sentada a uma mesa repleta de cestos — uma vendedora oferecendo algum tipo de produto agrícola em sua sala da frente? Não havia nada do corre-corre das manhãs de segunda-feira que Lib esperaria na Inglaterra. O trio passou por um homem que carregava um saco e trocou bênçãos com o sr. Thaddeus e a irmã Michael.

— A sra. Wright trabalhou com a srta. Nightingale — comentou o padre, dirigindo-se à freira.

— Foi o que eu soube. — Passado um momento, a irmã Michael disse a Lib: — A senhora deve ter uma experiência enorme com casos cirúrgicos.

Lib fez que sim com a cabeça, com toda a modéstia possível.

— Também lidamos com muitos casos de cólera, disenteria, malária. Geladuras no inverno, é claro.

Na verdade, as enfermeiras inglesas tinham passado grande parte do seu tempo estofando colchões, preparando mingaus e lavando roupa nos tanques, mas Lib não queria que a freira a confundisse com uma serviçal ignorante. Isso era o que ninguém entendia: muitas vezes, salvar vidas significava desentupir o cano de uma latrina.

Nem sinal de praça de mercado ou de parque, como possuiria qualquer vilarejo inglês. A capela, de um branco berrante, era a única construção com aparência de nova. O sr. Thaddeus passou direto por ela, seguindo por um caminho lamacento que contornava um cemitério. As lápides tortas e cobertas de musgo pareciam não ter sido plantadas em fileiras, mas ao acaso.

— A casa dos O'Donnell fica fora do vilarejo? — perguntou Lib, curiosa para saber por que a família não tivera a gentileza de mandar um cocheiro, sem falar em hospedar pessoalmente as enfermeiras.

— Fica um pouco distante — respondeu a freira, com sua voz sussurrada.

— O Malachy cria gado *shorthorn* — acrescentou o padre.

O sol fraco tinha mais força do que Lib teria suposto; ela estava transpirando por baixo da capa.

— São quantas crianças na família?

— Agora, só a menina, desde que o Pat se foi, Deus o abençoe — respondeu o sr. Thaddeus.

Foi para onde? Os Estados Unidos pareceram o mais provável para Lib, ou a Grã-Bretanha, ou as Colônias. A Irlanda, mãe imprevidente, parecia despachar metade da sua prole magricela para o exterior. Só dois filhos na família O'Donnell, portanto; pareceu a Lib um total insignificante.

Passaram por uma cabana decrépita, com fumaça saindo pela chaminé. Uma trilha curvava-se para fora da rua em direção a outro casebre. Os olhos de Lib perscrutaram o charco mais à frente, em busca de algum sinal da propriedade dos O'Donnell. Estaria ela autorizada a pedir ao padre algo além de fatos concretos? Cada enfermeira fora contratada para formar suas opiniões pessoais. Mas então lhe ocorreu que esta caminhada talvez fosse sua única chance de conversar com o tal *amigo de confiança da família*.

— Sr. Thaddeus, se me permite, o senhor pode atestar a honestidade dos O'Donnell?

Passou-se um momento.

— Não tenho razão para duvidar dela, com certeza.

Lib nunca tinha conversado com um padre católico romano e não soube interpretar o tom político deste.

Os olhos da freira continuaram pousados no horizonte verde.

— O Malachy é um homem de poucas palavras — prosseguiu o sr. Thaddeus. — É abstêmio.

Isso surpreendeu Lib.

— Nem uma gota desde que ele fez o juramento, antes do nascimento dos filhos. A esposa é o facho de luz da paróquia, muito atuante na Irmandade de Nossa Senhora.

Esses detalhes pouco significavam para Lib, mas ela captou a ideia geral.

— E Anna O'Donnell?

— Uma menina maravilhosa.

Em que sentido? Virtuosa ou excepcional? Estava claro que a garota deixava todos encantados. Lib olhou bem para o perfil curvo do padre.

— Alguma vez o senhor a aconselhou a recusar alimentos, talvez como uma espécie de exercício espiritual?

Ele abriu as mãos em sinal de protesto.

— Sra. Wright, creio que a senhora não partilha da nossa fé, pois não?

Escolhendo as palavras, Lib disse:

— Fui batizada na Igreja Anglicana.

A freira parecia observar uma gralha que passava. Estaria se colocando fora da conversa para evitar a contaminação?

— Bem — disse o sr. Thaddeus —, deixe-me assegurar-lhe que aos católicos só é pedido que jejuem por uma questão de horas: por exemplo, desde a meia-noite até receberem a Santa Comunhão, na manhã seguinte. Também nos abstemos de carne às quartas e sextas-feiras e durante a Quaresma. O jejum moderado refreia os anseios do corpo, entende? — acrescentou, com a desenvoltura de quem falasse do tempo.

— Refere-se ao apetite por alimentos?

— Entre outros.

Lib baixou os olhos para o chão lamacento diante de suas botas.

— Também expressamos pesar pelas agonias de Nosso Senhor, procurando compartilhá-las, nem que seja um pouquinho — continuou —, de modo que o jejum pode ser uma penitência útil.

— Quer dizer que, se a pessoa se castigar, seus pecados serão perdoados? — indagou Lib.

— Ou os de outras pessoas — disse a freira num sussurro.

— É como disse a irmã — respondeu o padre —, se oferecermos nosso sofrimento com espírito generoso, revertendo-o pelo bem de terceiros.

Lib imaginou um gigantesco livro-caixa com débitos e créditos rabiscados a tinta.

— Mas o segredo é que o jejum nunca deve ser levado a extremos, nem a ponto de prejudicar a saúde.

Difícil arpoar esse peixe escorregadio.

— Então, por que acha que Anna O'Donnell contrariou as regras de sua própria Igreja?

Os ombros largos do padre se encolheram.

— Muitas foram as vezes em que ponderei com ela, nestes últimos meses, em que lhe supliquei que comesse um pouquinho de alguma coisa. Mas ela está surda a qualquer tentativa de persuasão.

O que teria essa mocinha mimada para haver conseguido engajar nessa farsa todos os adultos que a cercavam?

— Chegamos — murmurou a irmã Michael, apontando para o final de uma trilha mal definida.

Com certeza, aquele não podia ser o destino deles, não é? A cabana necessitava de uma nova camada de cal. Um telhado pontudo de colmo aninhava três quadradinhos de vidro. No extremo oposto, um estábulo para vacas encolhia-se sob o mesmo telhado.

Lib percebeu de imediato a tolice de suas suposições. Se a comissão havia contratado as enfermeiras, é que Malachy O'Donnell não era necessariamente próspero. A julgar pelas aparências, tudo o que distinguia a família dos outros camponeses que batalhavam por seu sustento nessas paragens era a afirmação de que sua filhinha podia viver de brisa.

Lib fitou o telhado baixo da casa dos O'Donnell. Se o dr. McBrearty, ela percebeu nesse momento, não tivesse tido a precipitação de escrever para o *Irish Times*, a notícia nunca teria se espalhado além daqueles campos alagadiços. Quantos de seus amigos *importantes* estariam investindo dinheiro vivo, assim como seu bom nome, nessa empreitada bizarra? Estariam apostando que, passados os quinze dias, as duas enfermeiras jurariam obedientemente pelo milagre e fariam dessa aldeola insignificante uma maravilha da cristandade? Estariam pensando em comprar o endosso, a reputabilidade conjunta de uma irmã de Misericórdia e uma Nightingale?

Os três subiram a trilha — passando direto por um monte de esterco, como Lib notou, com um calafrio de reprovação. As paredes grossas da cabana inclinavam-se para fora ao se aproximarem do chão. Uma vidraça quebrada na janela mais próxima estava vedada por um trapo. Uma porta em duas metades abria-se na parte de cima, feito baia de cavalo. O sr. Thaddeus empurrou a parte inferior, abrindo-a com um rangido surdo, e fez sinal para que Lib entrasse primeiro.

Ela avançou para a escuridão. Uma mulher gritou algo numa língua que Lib não conhecia.

Seus olhos começaram a se adaptar. Piso de terra batida sob as botas. Duas mulheres, com aquelas toucas de babado que as irlandesas sempre pareciam usar, estavam esvaziando uma grelha de secagem de roupa colocada diante da lareira. Depois de empilhar as peças nos braços da mulher mais jovem e franzina, a mais velha correu para apertar a mão do padre.

Ele lhe respondeu na mesma língua — só podia ser gaélico — e passou para o inglês:

— Rosaleen O'Donnell, sei que ontem você conheceu a irmã Michael.

— Bom dia, irmã. — A mulher apertou a mão da freira.

— E esta é a sra. Wright, uma das famosas enfermeiras da Crimeia.

— Minha nossa! — A sra. O'Donnell tinha ombros largos e ossudos, olhos cinza-granito e um sorriso com buracos escuros. — Deus a abençoe por ter vindo lá daquela lonjura, dona.

Podia ela ser mesmo tão ignorante a ponto de achar que a guerra ainda campeava naquela península e que Lib acabara de chegar de lá, ensanguentada da frente de batalha?

— Era na sala boa que eu poria vocês agora mesmo — disse Rosaleen O'Donnell, apontando com a cabeça para uma porta à direita da lareira —, se não fossem as visitas.

Agora que escutava com atenção, Lib pôde discernir o som vago de vozes cantando.

— Para nós está ótimo aqui — o sr. Thaddeus lhe assegurou.

— Ao menos sentem até eu trazer uma xícara de chá — insistiu a sra. O'Donnell. — As cadeiras estão todas lá dentro, por isso só tenho os penitentes para oferecer. O marido está lá fora, escavando turfa para o Séamus O'Lalor.

Penitentes só podia ser o nome dos banquinhos de madeira que, nesse momento, a mulher estava praticamente empurrando para dentro das chamas, para servir seus convidados. Lib escolheu um deles e tentou afastá-lo um tantinho da lareira, mas a mãe pareceu ofendida. Estava claro que o lugar de honra era bem junto ao fogo. Assim, ela se sentou e pôs a bolsa do lado mais frio do chão, para que seus unguentos não virassem poças derretidas.

Rosaleen O'Donnell fez o sinal da cruz ao se sentar, e o mesmo fizeram o padre e a freira. Lib pensou em acompanhá-los. Mas não, seria ridículo começar a imitar a gente do vilarejo.

A cantoria da chamada "sala boa" pareceu aumentar. A lareira dava para as duas partes da cabana, percebeu Lib, de modo que os sons vazavam.

Enquanto a criada içava do fogo a chaleira sibilante, a sra. O'Donnell e o padre conversaram sobre o chuvisco da véspera e sobre como vinha sendo incomumente quente este verão, de modo geral. A freira escutava e, de vez em quando, murmurava seu assentimento. Nem uma palavra sobre a filha.

O uniforme de Lib estava grudando nos lados do corpo. Para uma enfermeira observadora, ela lembrou a si mesma, era preciso nunca desperdiçar tempo. Notou uma mesa simples, encostada na parede sem janelas ao fundo. Um aparador pintado cuja parte inferior era gradeada feito uma jaula. Umas portinhas encaixadas nas paredes — armários embutidos? Uma cortina de velhos sacos de farinha, presa com tachinhas. Tudo bem primitivo, porém limpo, pelo menos; não propriamente miserável. A coifa enegrecida da chaminé sobre a lareira e o fogão era de pau a pique. Havia um espaço quadrado e oco de cada lado do fogo e, dependurado no alto, algo que pareceu a Lib uma caixa de sal. Uma prateleira acima da lareira continha um par de castiçais de latão, um crucifixo e o que parecia ser um pequeno daguerreótipo, envidraçado numa moldura laqueada preta.

— E como está a Anna hoje? — finalmente perguntou o sr. Thaddeus, quando todos bebericavam o chá forte, inclusive a criada.

— Bastante bem, graças a Deus. — A sra. O'Donnell deu outra olhadela ansiosa para a sala boa.

Será que a menina estava lá, cantando hinos com essas visitas?

— Talvez a senhora possa contar a história dela às enfermeiras — sugeriu o sr. Thaddeus.

A mulher assumiu uma expressão vazia.

— Mas que história pode ter uma criança?

Lib e a irmã Michael se entreolharam e a inglesa tomou a iniciativa:

— Até este ano, sra. O'Donnell, como a senhora descreveria a saúde da sua filha?

Um piscar de olhos.

— Bem, ela sempre foi uma flor delicada, mas não chorona, nem rabugenta. Quando sofria um arranhão ou tinha um terçol, fazia disso uma pequena oferenda aos céus.

— E o apetite dela? — perguntou Lib.

— Ah, ela nunca foi comilona nem dada a pedir gulodices. Uma menina de ouro.

— E o humor dela? — perguntou a freira.

— Nenhum motivo de queixa — respondeu a sra. O'Donnell.

Essas respostas ambíguas não satisfizeram Lib.

— A Anna frequenta a escola?

— Ah, ela era a favorita do sr. O'Flaherty!

— Pois então não ganhou a medalha, ora? — A criada apontou tão de repente para o console da lareira que o chá balançou em sua xícara.

— Tem razão, Kitty — disse a mãe, meneando a cabeça como uma galinha ciscando.

Lib procurou e encontrou a medalha — um disquinho de bronze num estojo para presente, ao lado da fotografia.

— Mas, depois que ela pegou coqueluche, quando contagiou a escola inteira, no ano passado — prosseguiu a sra. O'Donnell —, achamos melhor ficar com a nossa *colleen* em casa, considerando a sujeira de lá, e as janelas que vivem sendo quebradas e deixando entrar correntes de ar.

Colleen: era assim que os irlandeses pareciam chamar todas as moças ou meninas.

— Afinal, então ela não estuda com o mesmo empenho em casa, cercada por todos os seus livros? O ninho é o quanto basta para o rouxinol, como dizem.

Lib não conhecia esse ditado. Seguiu adiante, porque lhe ocorreu que talvez a mentira absurda de Anna se enraizasse na verdade:

— Depois da coqueluche, ela sofreu de problemas de estômago?

Lib se perguntou se a tosse violenta teria causado alguma ruptura interna na menina. Mas a sra. O'Donnell abanou a cabeça, com um sorriso fixo.

— Vômitos, prisão de ventre, diarreia?

— Não mais que uma vez ou outra, no curso normal do crescimento.

— Quer dizer que, até ela fazer onze anos — perguntou Lib —, a senhora descreveria sua filha como delicada, e nada mais?

Os lábios rachados da mulher se comprimiram.

— Desde o dia 7 de abril; ontem fez quatro meses. Da noite para o dia, a Anna não quis mais comer nem beber nada, a não ser a santa água de Nosso Senhor.

Lib sentiu uma onda de antipatia. Se isso era mesmo verdade, que espécie de mãe relataria o fato com tamanha empolgação?

Mas é claro que não era verdade, lembrou a si mesma. Ou Rosaleen O'Donnell estava metida na farsa, ou a filha tinha conseguido ludibriar a mãe, mas, como quer que fosse, cínica ou crédula, a mulher não tinha razão alguma para temer pela filha.

— Antes do aniversário, será que ela se engasgou com algum alimento? Comeu alguma coisa rançosa?

A sra. O'Donnell espinhou-se.

— Não há nada rançoso na minha cozinha.

— A senhora pediu para ela comer? — indagou Lib.

— Bem que podia ter poupado o meu fôlego.

— E a Anna não lhe deu nenhuma razão para sua recusa?

A mulher inclinou o corpo, chegando um pouco mais perto, como quem contasse um segredo.

— Não foi preciso.

— Ela não precisou dar uma razão? — perguntou Lib.

— Ela não tem necessidade — disse Rosaleen O'Donnell, o sorriso exibindo a falta de dentes.

— De comida, a senhora quer dizer? — perguntou a freira, em tom quase inaudível.

— Nem de uma migalha. Ela é um milagre vivo.

Só podia ser uma encenação bem ensaiada. Exceto pelo fato de que, para Lib, o brilho nos olhos da mulher era incrivelmente parecido com uma convicção.

— E a senhora afirma que, nos últimos quatro meses, sua filha continuou com a saúde perfeita?

Rosaleen O'Donnell empertigou-se, e os poucos cílios que lhe restavam estremeceram.

— Nenhuma *falsidade*, nenhuma impostura vai ser encontrada nesta casa, sra. Wright. Esta é uma casa humilde, mas o estábulo também era.

Lib intrigou-se, pensando em cavalos, mas então se deu conta do que a mulher queria dizer: Belém.

— Somos gente simples, meu marido e eu — disse Rosaleen O'Donnell. — Não sabemos explicar, mas a nossa menina tem-se desenvolvido pela providência especial do Todo-Poderoso. É claro, para Ele tudo é possível, não é? — disse, apelando para a freira.

A irmã Michael assentiu com a cabeça. E disse, em voz tênue:

— Os Seus desígnios são misteriosos.

Era por isso que os O'Donnell haviam pedido uma freira, Lib teve quase certeza. E era por isso que o médico havia concordado com o pedido. Todos presumiam que uma solteirona dedicada a Cristo seria mais propensa que a maioria das pessoas a acreditar em milagres. Mais enceguecida pelos antolhos da superstição, diria Lib.

O sr. Thaddeus tinha o olhar vigilante.

— Mas você e o Malachy estão dispostos a deixar estas nossas caras enfermeiras passarem a quinzena inteira com a Anna, não é, Rosaleen, para elas poderem testemunhar perante a comissão?

A sra. O'Donnell abriu tanto os braços magrelos que o xale quadriculado quase caiu.

— Dispostos e mais do que dispostos, para provar o nosso caráter, que é tão bom quanto qualquer um, de Cork a Belfast.

Lib quase deu uma risada. Tão preocupada com a reputação, nessa cabana miserável, quanto se estivesse numa mansão...

— O que temos para esconder? — continuou a mulher. — Já não abrimos nossas portas para admiradores dos quatro cantos do mundo?

A grandiloquência dela fez Lib empertigar-se.

— Por falar nisso — disse o padre —, creio que suas visitas estão de saída.

A cantoria havia acabado sem que Lib notasse. A porta interna se entreabriu e introduziu no cômodo a corrente de ar. A enfermeira foi até lá e espiou pela fresta.

A sala boa distinguia-se da cozinha principalmente por seu despojamento. Afora um guarda-louça, com alguns pratos e jarros por trás da vitrina, e um punhado de cadeiras de corda, não havia nada no cômodo. Meia dúzia de pessoas estava virada para o canto da sala que Lib não conseguia ver, todas de olhos arregalados e cheios de brilho, como se fitassem uma deslumbrante exibição. Ela se esforçou por captar o que murmuravam.

— Obrigado, menina.

— Aqui estão dois santinhos para a sua coleção.

— Permita-me deixar-lhe este frasco de óleo sagrado que nosso primo conseguiu que fosse abençoado por Sua Santidade em Roma.

— Só umas flores, colhidas no meu jardim hoje de manhã.

— Mil vezes obrigada, e será que você daria um beijo no neném antes de irmos embora?

Esta última mulher correu até o canto com seu bebê de colo.

Lib sentiu uma grande tentação de ter um vislumbre da *extraordinária maravilha*— não fora essa a expressão usada na véspera pelos agricultores, na mercearia-taberna? Sim, devia ter sido com isso que estavam tão deslumbrados: não com um bezerro de duas cabeças, mas com Anna O'Donnell, o *milagre vivo*. Era evidente que hordas de visitantes eram admitidas ali todos os dias, para se prostrar aos pés da menina. Que vulgaridade!

Houvera aquele lavrador que tinha dito algo maldoso sobre *o povo encantado*, aquele dos que ficavam a serviço da menina, *fazendo todas as vontades dela*. Deveria ter pretendido referir-se aos visitantes ansiosos por bajulá-la. O que eles achavam estar fazendo, ao tratarem uma garotinha como santa, por imaginarem que ela se erguera acima das necessidades humanas mais comuns? Isso trouxe a Lib a lembrança das paradas na Europa continental — estátuas em trajes luxuosos sendo desfiladas pelas vielas fedorentas.

Só que, para ela, na verdade, todas as vozes dos visitantes pareceram irlandesas. A sra. O'Donnell só podia estar exagerando ao falar em *quatro cantos do mundo*. A porta se escancarou nesse momento, e Lib deu um passo atrás.

Os visitantes foram saindo.

— Minha senhora, pelo seu incômodo — disse um homem de chapéu redondo, oferecendo uma moeda a Rosaleen O'Donnell.

Arrá! A raiz de todos os males. Como aqueles turistas endinheirados que pagavam a camponeses para posarem com suas rabecas, já sem metade das cordas, à porta de casebres de barro. Os O'Donnell só podiam ser cúmplices dessa fraude, concluiu Lib, e pelo mais previsível dos motivos: dinheiro.

Mas a mãe pôs as duas mãos para trás.

— Hospitalidade não é incômodo nenhum.

— Para essa doçura de menina — disse o visitante.

Rosaleen O'Donnell continuou a abanar a cabeça.

— Eu insisto — disse ele.

— Então ponha na caixa dos pobres, se o senhor tanto insiste — fez ela, acenando com a cabeça para um cofre de ferro colocado sobre um banquinho junto à porta.

Lib se repreendeu por não ter visto aquilo antes.

Todos os visitantes enfiaram suas doações na abertura do cofre, na saída. Algumas dessas moedas pareceram pesadas a Lib. Era óbvio que aquela interesseira era uma atração paga, como qualquer cruz entalhada, ou qualquer monólito. Lib duvidava muito que os O'Donnell fossem passar um centavo aos ainda menos afortunados que eles.

Enquanto esperava a saída do grupo, a enfermeira viu-se perto o bastante do console da lareira para estudar o daguerreótipo. De tom meio fosco, fora tirado antes da emigração do filho. Lá estava Rosaleen O'Donnell, parecendo um totem imponente. O adolescente magricelo, com certa incongruência, recostado no colo dela. Uma garotinha sentada ereta no colo do pai. Lib apertou os olhos através do brilho ofuscante do vidro. Anna O'Donnell tinha o cabelo tão preto quanto o dela, caído até os ombros. Nada que a distinguisse de qualquer outra criança.

— Vão agora para o quarto dela enquanto eu a busco — disse Rosaleen O'Donnell, dirigindo-se à irmã Michael.

Lib ficou tensa. Como é que a mulher planejava preparar a filha para o minucioso exame a ser feito por elas?

De repente, não suportou o cheiro da turfa queimando na lareira. Resmungou qualquer coisa sobre precisar de ar puro e saiu para o terreiro.

Empertigando os ombros, respirou fundo e sentiu cheiro de esterco. Se ela ficasse, seria para aceitar o desafio: para desmascarar essa vigarice deplorável. O casebre não poderia ter mais de quatro cômodos; Lib duvidou que levasse mais de uma noite nele para flagrar a menina surrupiando comida, quer Anna o fizesse sozinha, quer tivesse ajuda. (Da sra. O'Donnell? Do marido? Da criadinha, que parecia ser a única empregada da família? Ou de todos, é claro.) Isto significava que a viagem inteira lhe renderia apenas um dia de salário. É claro que uma enfermeira menos honesta só se manifestaria depois de terminadas as duas semanas, para ter certeza de receber todos os catorze dias. Já a recompensa de Lib estaria em levar aquilo até o fim, para se certificar de que o bom senso prevalecesse sobre o absurdo.

— É melhor eu dar uma olhada em outros membros do meu rebanho — disse o padre de faces coradas atrás dela. — A irmã Michael se ofereceu para cumprir o primeiro turno, já que a senhora deve estar sentindo os efeitos da viagem.

— Não — retrucou Lib —, estou inteiramente pronta para começar.

Doida para conhecer a menina, na verdade.

— Como preferir, sra. Wright — disse a freira atrás dela, com sua voz sussurrada.

— Então, a senhora volta daqui a oito horas, irmã? — perguntou o sr. Thaddeus.

— Doze — Lib o corrigiu.

— Creio que o McBrearty propôs turnos de oito horas, que seriam menos cansativos — retrucou ele.

— Nesse caso, a irmã e eu ficaríamos indo e vindo em horários irregulares — assinalou Lib. — Na minha experiência em enfermarias, dois turnos são menos conducentes ao sono do que três.

— Mas, para cumprir os termos da vigília, as senhoras seriam obrigadas a ficar ao lado da Anna todos os minutos do dia — argumentou o sr. Thaddeus. — Oito horas me parecem suficientemente longas.

Nesse momento, Lib se deu conta de outra coisa: se as duas trabalhassem em turnos de doze horas e ela fizesse o primeiro, seria sempre a irmã Michael que estaria de serviço durante a noite, quando a menina teria mais oportunidades de furtar comida. Como poderia Lib confiar em que uma freira que havia passado a maior parte da vida num convento de província seria tão atenta quanto ela?

— Muito bem, oito horas, então. — Fez os cálculos de cabeça. — Poderíamos trocar, digamos, às nove da noite, às cinco da manhã e à uma da tarde, certo, irmã? Esses horários causariam bem menos inconvenientes à família.

— Então, até uma hora? — perguntou a freira.

— Ah, como só estamos começando agora, no meio da manhã, será um prazer ficar com a menina até as nove da noite — respondeu Lib. Um primeiro dia longo lhe permitiria preparar o quarto e estabelecer as regras da vigília a seu gosto.

A irmã Michael assentiu com a cabeça e se afastou, deslizando pela trilha que retornava ao vilarejo. Lib se perguntou onde as freiras aprendiam aquele andar característico. Talvez fosse apenas uma ilusão de óptica, criada por seus hábitos pretos roçando a grama.

— Boa sorte, sra. Wright — disse o sr. Thaddeus, levando a mão ao chapéu.

Sorte? Como se ela estivesse indo a uma corrida de cavalos.

Lib reuniu forças e tornou a entrar na casa, onde a sra. O'Donnell e a criada estavam levantando num gancho o que parecia ser um enorme anão cinzento. Os olhos de Lib decifraram o quebra-cabeça: um caldeirão de ferro.

A mãe girou o caldeirão sobre o fogo e meneou a cabeça para uma porta entreaberta à esquerda de Lib.

— Contei tudo à Anna a seu respeito.

Contara o quê: que a sra. Wright era uma espiã de além-mar? Instruíra a pirralha sobre a melhor maneira de engrupir a inglesa, como tinha feito com tantos outros adultos?

O quarto era um quadrado sem adornos. Uma garota miúda, de roupa cinza, sentava-se numa cadeira de espaldar reto entre a janela e a cama, como se ouvisse uma música particular. O cabelo era de um ruivo escuro que não aparecera na fotografia. Ao ranger da porta, ela levantou os olhos e um sorriso abriu seu rosto.

Tapeação, Lib lembrou a si mesma.

A menina levantou-se e lhe estendeu a mão.

Lib a apertou. Dedos gorduchos, frios ao contato.

— Como está passando hoje, Anna?

— Muito bem, moça — disse a menina, com uma vozinha miúda e clara.

— Enfermeira — Lib a corrigiu —, ou sra. Wright, ou senhora, se preferir.

Descobriu que não conseguia pensar em mais nada para dizer. Procurou dentro da bolsa a agenda em miniatura e a fita métrica. Começou a tomar notas, para impor algo de sistemático a essa situação incongruente.

Segunda-feira, 8 de agosto de 1859, 10h07min
Altura: 1,17 m
Envergadura: 1,19 m
Circunferência do crânio, medida acima das sobrancelhas: 56 cm
Cabeça, do topo ao queixo: 20 cm

Anna O'Donnell foi de uma cooperação perfeita. Postando-se muito ereta, com seu vestido simples e as botas curiosamente grandes, manteve todas as posições para que Lib as medisse, como quem aprendesse os passos de uma dança estrangeira.

Seu rosto quase poderia ser descrito como cheinho, o que punha fim, imediatamente, à história do jejum. Grandes olhos castanho-claros, um tantinho esbugalhados sob as pálpebras inchadas. O branco dos olhos parecia porcelana, as pupilas estavam dilatadas, embora isso fosse explicável pela luz fraca que entrava no quarto. (Pelo menos, a pequena vidraça estava aberta para o ar do verão. No hospital, não importava o que Lib dissesse, a enfermeira-chefe agarrava-se à ideia antiquada de que era preciso manter as janelas fechadas, para que houvesse proteção contra eflúvios nocivos.)

A menina era muito pálida, mas, afinal, assim costumava ser a pele dos irlandeses, especialmente dos ruivos, até ser curtida pelo clima. Bem, havia uma curiosidade: uma penugem muito fina e incolor em suas faces. E, afinal, a mentira da menina sobre não comer não impedia que ela tivesse algum distúrbio real. Lib anotou tudo.

A srta. N. achava que algumas enfermeiras confiavam demais em fazer anotações, o que prejudicava sua capacidade de recordar. Mas nunca chegara ao ponto de proibir um *aide-mémoire*.

Lib não desconfiava da própria memória, mas, nesta ocasião, mais fora contratada como testemunha do que como enfermeira, o que requeria notas impecáveis sobre o caso.

Outra coisa: os lóbulos das orelhas e os lábios tinham um toque azulado, assim como a base das unhas. O corpo da menina era frio ao contato, como se ela houvesse acabado de chegar, depois de caminhar numa tempestade de neve.

— Você sente frio? — perguntou Lib.

— Não especialmente.

Largura do peito no nível das mamas: 25,4 cm
Largura das costelas: 63,5 cm

Os olhos da menina a acompanharam.

— Como é seu nome?

— Como eu mencionei, é sra. Wright, mas você pode se dirigir a mim como enfermeira.

— O seu nome de batismo, quero dizer.

Lib ignorou essa pequena desfaçatez e continuou a escrever:

Quadris: 63,5 cm
Cintura: 53 cm
Braço: 12,5 cm

— Para que são os números?

— São... para nós termos certeza de que a sua saúde está boa — respondeu Lib.

Resposta absurda, mas a pergunta a deixara alvoroçada. Deveria ser uma quebra de protocolo, com certeza, discutir a natureza de sua supervisão com o objeto dela, não?

Até ali, como Lib havia esperado, os dados de sua agenda indicavam que Anna O'Donnell era uma figurinha falsa. Sim, era magra em alguns lugares, as omoplatas parecendo cotos de asas ausentes. Mas não magra como seria uma criança depois de um mês sem comida, muito menos quatro. Lib sabia qual era a aparência da fome; em Scutari, refugiados esqueléticos tinham sido carregados para o hospital com os ossos esticando a pele como estacas de barraca sob a lona. Não, a barriga dessa menina era arredondada, para dizer o mínimo. Nos dias atuais, as beldades da moda apertavam os espartilhos na esperança de chegar a quarenta centímetros de cintura, e Anna tinha treze centímetros mais que isso.

O que Lib realmente gostaria de saber era o peso da menina, pois, se ele aumentasse trinta gramas que fossem ao longo da quinzena, isso constituiria a prova da ingestão secreta de alimentos. Deu dois passos em direção à cozinha, para buscar uma balança, mas se lembrou de que era obrigada a ficar de olho nessa criança minuto a minuto, até as nove horas da noite.

Estranha sensação de aprisionamento. Pensou em chamar a sra. O'Donnell de dentro do quarto, mas não quis dar a impressão de ser autoritária, especialmente tão no início do seu primeiro plantão.

— *Cuidado com imitações enganosas* — Anna murmurou.

— Perdão, o que disse? — fez Lib.

Uma ponta de dedo arredondada deslizou sobre as palavras gravadas na capa de couro nervurado da agenda.

Lib lançou um olhar severo à menina. *Imitações enganosas*, sei...

— Os fabricantes dizem que o seu papel veludo não se parece com nenhum outro.

— O que é papel veludo?

— É um papel revestido para receber a impressão de um lápis metálico.

A menina alisou a página pequenina.

— Qualquer coisa escrita nele torna-se indelével, como a tinta — disse Lib. — Sabe o que significa "indelével"?

— Uma mancha que não sai.

— Correto.

Lib pegou de volta a agenda e tentou pensar em que outras informações precisava extrair da menina.

— Alguma dor a incomoda, Anna?

— Não.

— Tonteira?

— Talvez, uma vez ou outra — Anna admitiu.

— O seu pulso para, ou acelera?

— Há dias em que ele palpita um pouquinho.

— Você está nervosa?

— Nervosa com quê?

Ser desmascarada, sua trapaceira. Mas o que Lib disse foi:

— Com a irmã Michael e comigo, talvez. Estranhas na sua casa.

Anna abanou a cabeça:

— A senhora parece bondosa. Acho que não me faria nenhum mal.

— Certíssimo.

Mas Lib sentiu um desconforto, como se houvesse prometido mais do que devia. Não estava ali para ser bondosa.

Agora a menina estava com os olhos fechados e sussurrando. Após um momento, Lib se deu conta de que só podia ser uma oração. Uma mostra de devoção, para tornar mais plausível esse seu jejum?

A menina terminou e levantou os olhos, a expressão serena como sempre.

— Abra a boca, por favor — disse Lib.

Quase todos dentes de leite; um ou dois dentes grandes de adulta, e várias lacunas onde a reposição ainda não havia despontado. Como a boca de uma criança muito menor.

Várias cáries? Hálito um tanto azedo.
Língua limpa, bem vermelha e lisa.
Amígdalas ligeiramente aumentadas.

Nenhuma touca cobria o cabelo de Anna, castanho-avermelhado escuro, repartido ao meio e preso num pequeno coque atrás. Lib desfez o coque e deslizou os dedos pelas mechas, que eram secas e encrespadas. Apalpou o couro cabeludo, à procura de alguma coisa escondida, mas não encontrou nada, exceto um trecho escamado atrás de uma orelha.

— Pode prendê-lo de novo.

Os dedos de Anna se atrapalharam com os grampos.

Lib ia ajudar — mas se conteve. Não estava ali para cuidar da menina, nem para ser sua criada. Era paga apenas para olhar.

Meio desajeitada.
Reflexos normais, embora um pouco lentos.
Unhas bastante onduladas, com manchas brancas.
Palmas e dedos nitidamente inchados.

— Tire as botas para mim, por favor.

— Elas eram do meu irmão — disse Anna, enquanto obedecia.

"Pés, tornozelos e pernas muito inchados", anotou Lib; não era de admirar que Anna tivesse recorrido às botas descartadas do emigrante. Possível hidropisia, água acumulando-se nos tecidos?

— Há quanto tempo suas pernas estão assim?

A menina encolheu os ombros.

No ponto em que as meias tinham sido amarradas, abaixo dos joelhos, as marcas permaneciam côncavas. O mesmo na parte posterior dos calcanhares. Lib tinha visto esse tipo de edema em mulheres grávidas e num ou noutro soldado idoso. Pressionou a panturrilha da menina com o dedo, como um escultor que moldasse em barro uma criança. A depressão permaneceu quando ela retirou o dedo.

— Isso dói?

Anna abanou a cabeça.

Lib olhou para a perna com a marca côncava. Talvez não fosse muito grave, mas havia algum problema com essa criança.

Ela prosseguiu, começando a despir uma peça de roupa de cada vez. Mesmo que Anna fosse uma fraude, não havia necessidade de mortificá-la. A menina estremeceu, mas não como que embaraçada, apenas como se fosse janeiro, em vez de agosto. "Poucos sinais de maturidade", Lib anotou; Anna mais parecia ter oito ou nove anos do que onze. "Vacina contra sarampo na parte superior do braço." A pele, de um branco leitoso, estava ressecada, amarronzada e áspera em alguns pontos. Machucados nos joelhos, típicos nas crianças. Mas aquelas manchinhas nas canelas da menina, azul-avermelhadas, Lib nunca as tinha visto. Notou aquela mesma penugem fina nos antebraços, costas, barriga e pernas da criança; como um filhote de macaco. Seria essa pilosidade comum nos irlandeses, por acaso? Lib se lembrou de caricaturas na imprensa popular que os retratavam como pigmeus simiescos.

Lembrou-se de verificar de novo a panturrilha, a esquerda. Agora estava tão lisa quanto a outra.

Correu os olhos por suas anotações. Algumas anomalias inquietantes, sim, mas nada que desse peso às afirmações grandiloquentes dos O'Donnell sobre um jejum de quatro meses.

Ora, onde poderia a criança estar escondendo a comida? Lib comprimiu todas as costuras do vestido e da anágua de Anna, procurando apalpar bolsos. As roupas tinham sido cerzidas com frequência, mas, bem... um tipo de pobreza decente. Ela verificou todas as partes do corpo da menina que poderiam esconder a mais ínfima porção, desde as axilas até as reentrâncias (rachadas, em alguns pontos) entre os dedos inchados dos pés. Nem uma migalha.

Anna não fez objeções. Tinha voltado a murmurar consigo mesma, cílios pousados nas faces. Lib não conseguiu discernir nenhuma das palavras, a não ser uma que se repetia vez após outra e soava como... Dora...poderia ser isso? Os católicos romanos viviam implorando a diversos intermediários que defendessem suas causas insignificantes junto a Deus. Haveria uma santa Dora?

— O que é isso que você estava recitando? — perguntou Lib, quando a menina pareceu haver terminado.

Um abanar da cabeça.

— Ora, vamos, Anna, não é para sermos amigas?

Lib se arrependeu prontamente de sua escolha da palavra, porque o rostinho redondo se iluminou:

— Eu gostaria disso.

— Então, fale-me dessa oração que, volta e meia, eu a escuto resmungar.

— Essa é... não é para falar dela — disse Anna.

— Ah. Uma oração *secreta*.

— Particular — a menina a corrigiu.

As garotinhas — mesmo as honestas — gostavam mesmo de seus segredos. Lib lembrou-se de sua irmã, que escondia um diário embaixo do colchão. (Não que isso houvesse impedido Lib de ler todas as anódinas palavras dele.)

A enfermeira montou o estetoscópio, atarraxando as peças. Apoiou a base plana no lado esquerdo do peito da criança, entre a quinta e a sexta costelas, e pôs a outra ponta em seu ouvido direito. *Tum-tum, tum-tum*; ficou à escuta da mais ínfima variação nos sons do coração. Depois, durante um minuto inteiro, marcado no relógio pendurado em sua cintura, contou as batidas. "Pulso nítido", escreveu, "89 batimentos por minuto". Estava dentro da faixa esperável. Lib deslocou o estetoscópio para posições diferentes nas costas da menina. "Pulmões saudáveis, 17 respirações por minuto", registrou. Sem crepitações nem chiados; apesar dos sintomas estranhos, Anna parecia mais saudável do que metade de seus compatriotas.

Sentando-se na cadeira — a srta. N. sempre começava por fazer suas alunas romperem o hábito de se acocorar nos leitos dos pacientes —, Lib pôs o aparelho na barriga da menina. Ficou à escuta do menor ronco que deixasse transparecer a presença de alimento. Tentou outra posição. Silêncio. "Cavidade digestiva dura, timpânica, parecendo um tambor", escreveu. Percutiu de leve o abdômen da menina.

— Qual é a sensação disto?

— Cheia — respondeu Anna.

Lib a encarou. *Cheia*, quando a barriga soava tão vazia? Seria insubordinação dela?

— Cheia de uma forma incômoda?

— Não.

— Pode se vestir.

Anna assim fez, devagar e meio atrapalhada.

Informa dormir bem à noite, sete a nove horas.
Faculdades intelectuais parecem intactas.

— Sente falta de frequentar a escola, menina?

Um abanar da cabeça.

Aparentemente, não se esperava que o xodó dos O'Donnell ajudasse no serviço doméstico, notou Lib.

— Será que prefere ficar à toa, talvez?

— Eu leio e costuro e canto e rezo. — A voz da menina não foi defensiva.

A confrontação estava fora da alçada da enfermeira. Mas ela poderia ao menos ser franca, decidiu. A srta. N. sempre o havia recomendado, uma vez que nada era tão nocivo para a saúde do paciente quanto a insegurança. Lib poderia fazer um verdadeiro bem a essa farsantezinha, dando-lhe um exemplo de sinceridade, servindo-lhe de facho de luz a ser seguido, para que a menina saísse da selva tenebrosa em que se perdera. Fechando a agenda, Lib perguntou:

— Você sabe por que estou aqui?
— Para garantir que eu não coma.
Ora, de todas as maneiras distorcidas de apresentar a ideia...
— De modo algum, Anna. Meu trabalho é descobrir se é verdade que você *não tem comido*. Mas eu ficaria sumamente aliviada se você fizesse suas refeições como as outras crianças... as outras pessoas.
Meneio afirmativo de cabeça.
— Há alguma coisa de que você pudesse gostar? Uma sopa, um mingau de sagu, alguma coisa doce?
Lib só estava fazendo uma pergunta neutra à criança, disse a si mesma, não empurrando-lhe comida, de tal modo que influenciasse o resultado da vigília.
— Não, obrigada.
— Por que não, o que você acha?
Um leve sinal de sorriso.
— Não posso dizer, moça... senhora — Anna corrigiu-se.
— Por quê? Também é *particular*?
A menina devolveu-lhe um olhar manso. *Esperta que só ela*, Lib concluiu. Devia ter percebido que dar qualquer explicação a deixaria em dificuldade. Se ela afirmasse que seu Criador lhe dera ordens de não comer, isto seria comparar-se a uma santa. Mas, caso se gabasse de sobreviver por qualquer meio natural específico, seria obrigada a prová-lo de um modo que satisfizesse a ciência. *Vou abrir você como uma noz, mocinha.*
Lib olhou em volta. Até esse dia, para Anna, deveria ter sido brincadeira de criança surrupiar comida da cozinha ao lado, durante a noite, ou recebê-la de um dos adultos, sem que os outros ouvissem nada.
— A sua empregada...
— A Kitty? Ela é nossa prima.
Anna pegou um xale quadriculado na cômoda; os tons vivos de vermelho e marrom deram um pouco de cor a seu rosto.
Uma criada que também era uma parenta pobre, portanto; difícil uma subordinada dessas recusar-se a participar de uma trama.
— Onde ela dorme?
— No banco comprido — Anna meneou a cabeça em direção à cozinha.
É claro; era comum as classes inferiores terem mais parentes do que camas, por isso eram obrigadas a improvisar.
— E os seus pais?
— Eles dormem no puxado.
Lib não conhecia essa palavra.

— A cama que se projeta na parede da cabana, atrás da cortina — explicou a criança.

Lib tinha notado a cortina de sacos de farinha de trigo na cozinha, mas havia presumido que ela cobria uma espécie de despensa. Que ridículo os O'Donnell deixarem vazia a sala boa e dormirem num quarto improvisado... Lib achava que eles tinham respeitabilidade suficiente para aspirarem a um pouquinho mais.

A primeira coisa seria deixar esse quartinho apertado à prova de subterfúgios. Lib pôs a mão na parede e a cal descascou em seus dedos. Algum tipo de emboço úmido; não madeira nem tijolos ou pedra, como numa casa de campo inglesa. Bem, pelo menos isso significava que qualquer reentrância em que se pudessem esconder alimentos seria fácil de descobrir.

Ela também precisava certificar-se de não haver nenhum lugar em que a menina pudesse esconder-se de seus olhos. Aquele biombo velho e bambo de madeira teria de ir embora, para começar; Lib o fechou, dobrando as três partes, e o levou para a porta.

Olhou para fora, sem sair do quarto. A sra. O'Donnell estava mexendo uma panela de três pés sobre o fogo, enquanto a empregada amassava alguma coisa na mesa comprida. Lib apoiou o biombo logo na entrada da cozinha e disse:

— Não vamos precisar disto. Eu também gostaria de uma bacia de água quente e um pano, por favor.

— Kitty — disse a sra. O'Donnell à criada, sacudindo a cabeça.

Os olhos de Lib correram de relance para a menina, que novamente sussurrava suas orações.

Lib voltou para a cama estreita encostada na parede e começou a desfazê-la. A armação era de madeira e o colchão era de palha, forrado de uma lona cheia de manchas. Bem, pelo menos não era um colchão de penas; a srta. N. execrava penas. Um novo colchão de crina de cavalo seria mais higiênico, porém seria difícil Lib pedir que os O'Donnell fabricassem o dinheiro para comprá-lo. (Ela pensou no cofre cheio de moedas, nominalmente destinadas aos pobres.) E, depois, lembrou a si mesma, não estava ali para melhorar a saúde da menina, apenas para estudá-la. Apalpou todo o colchão, à procura de caroços ou lacunas nas costuras que pudessem revelar esconderijos.

Um tilintar estranho na cozinha. Uma sineta? Tocou uma, duas, três vezes. Chamando a família à mesa para o almoço, talvez. Mas é claro que Lib teria de esperar para ser servida nesse quartinho.

Anna O'Donnell pôs-se de pé, rondando.

— Posso ir rezar o Ângelus?

— Você precisa ficar onde eu possa vê-la — lembrou-lhe a enfermeira, enquanto testava com os dedos o travesseiro de flocos de lã.

Na cozinha, elevou-se uma voz. A da mãe?

A menina prostrou-se de joelhos, escutando com atenção.

— *E ela concebeu do Espírito Santo* — respondeu. — *Ave-Maria, cheia de graça, o Senhor é convosco...*

Lib pensou reconhecer essa. Claramente, não era uma oração *particular*; Anna entoou as palavras para que chegassem ao cômodo vizinho.

Atrás da parede, as vozes abafadas das mulheres se equipararam à da menina. Depois, uma pausa. De novo, a voz isolada de Rosaleen O'Donnell:

— *Eis a serva do Senhor.*

— *Faça-se em mim segundo a Tua palavra*— entoou Anna.

Lib afastou bem a armação da parede, para que, dali em diante, pudesse abordá-la por três lados. Deitou o colchão sobre o pé da cama, para arejá-lo, e fez o mesmo com o travesseiro. O ritual ainda prosseguia, com suas evocações, respostas, coros e o tilintar ocasional da sineta.

— *E vieste morar no meio de nós* — entoou a menina.

Agachando-se, alternadamente, junto a cada canto da cama, Lib passou a mão por baixo de cada ripa, apalpou cada saliência e ângulo, à procura de sobras. Deu tapinhas no chão em busca de algum trecho de terra batida que pudesse ter sido escavado para que se enterrasse alguma coisa.

As orações finalmente pareceram terminar, e Anna se pôs de pé.

— A senhora não reza o Ângelus, sra. Wright? — perguntou, meio sem fôlego.

— É esse o nome do que vocês acabaram de fazer? — indagou Lib, em vez de dar uma resposta.

Um meneio afirmativo, como se todos soubessem disso.

Lib sacudiu da saia o grosso da terra e esfregou as mãos no avental. Onde estava a água quente? Será que Kitty era apenas preguiçosa, ou estava desafiando a enfermeira inglesa?

Anna tirou da bolsa de trabalho uma coisa grande e branca e começou a fazer uma bainha, em pé no canto junto à janela.

— Sente-se, menina — Lib lhe disse, fazendo sinal para a cadeira.

— Estou muito bem aqui, senhora.

Que paradoxo! Anna O'Donnell era uma vigarista da pior espécie — mas com boas maneiras. Lib descobriu que não conseguia tratá-la com a rispidez que ela merecia.

— Kitty! — chamou. — Você pode trazer outra cadeira, além da água quente? Nenhuma resposta da cozinha.

— Fique com esta, por enquanto — ela insistiu com a menina. — Não a quero.

Anna se benzeu, sentou-se na cadeira e continuou a costurar.

Lib afastou um pouquinho a cômoda da parede, para ter certeza de que não havia nada oco atrás dela. Puxando as gavetas de uma em uma — a madeira estava empenada, por causa da umidade —, examinou o pequeno estoque de roupas da menina, apalpando todas as costuras e bainhas.

Em cima da cômoda havia um dente-de-leão já meio murcho. A srta. N. aprovava flores nos quartos dos doentes, desdenhando da crendice popular de que elas envenenariam o ar; dizia que o brilho das cores e a variedade das formas revigoravam não só a mente, mas também o corpo. (Na primeira semana de Lib no hospital, ela havia tentado explicar isso à enfermeira-chefe, que a chamara de pernóstica.)

Ocorreu-lhe que a flor talvez fosse uma fonte de nutrição, escondida bem à vista. E quanto ao líquido: seria mesmo água, ou algum tipo de caldo ou xarope transparentes? Lib cheirou o jarro, mas tudo que seu nariz registrou foi o conhecido aroma picante do dente-de-leão. Mergulhou o dedo no líquido e o levou à boca. Tão insípido quanto incolor. Mas existiria algum tipo de elemento nutritivo que tivesse essas características?

Mesmo sem olhar, Lib percebeu que a menina a observava. Ora, mas qual... estava caindo na armadilha dos delírios do velho médico! Aquilo era apenas água. Enxugou a mão no avental.

Ao lado do jarro, nada além de um pequeno baú de madeira. Nem sequer um espelho, ocorreu-lhe nesse momento; será que Anna nunca tinha vontade de se olhar? Abriu a caixa.

— Esses são meus tesouros — disse a menina, levantando-se de um salto.

— Ótimo. Posso olhar?

As mãos de Lib já estavam atarefadas dentro do baú, para a eventualidade de Anna dizer que isso também era *particular*.

— Com certeza.

Quinquilharias religiosas: um rosário — de sementes, será? — com uma cruz simples na ponta, e um castiçal pintado em forma da Madona com o Menino Jesus.

— Não é lindo? — Anna estendeu a mão para o castiçal. — A mamãe e o papai me deram no dia da minha crisma.

— Uma data importante — murmurou Lib. A estatueta era piegas demais para seu gosto. Ela a apalpou para ter certeza de que era mesmo porcelana, e não algo comestível. Só então deixou que a garota a pegasse.

Anna a estreitou junto ao peito.

— A crisma é o dia *mais* importante.

— Por quê?

— É quando a gente deixa de ser criança.

Era sinistramente cômico, pareceu a Lib, que esse fiapo de gente pensasse em si como uma mulher adulta. Em seguida, a enfermeira perscrutou o texto numa pequena oval de prata, não maior que a ponta do seu dedo.

— Esta é minha Medalha Milagrosa — disse Anna, tirando-a das mãos de Lib.

— Que milagres ela fez?

A pergunta soou insolente demais, porém a menina não se ofendeu:

— Nem sei dizer quantos —assegurou ela, afagando a medalha. — Quer dizer, não *esta* aqui, mas todas as medalhas milagrosas da Cristandade, juntas.

Lib não comentou. No fundo do baú, numa caixinha de vidro, encontrou um disco pequenino. Esse não era de metal, mas branco, com o desenho de um cordeiro carregando uma bandeira e um brasão. Não poderia ser o pão da Santa Comunhão, poderia? Com certeza, seria um sacrilégio guardar a hóstia numa caixinha de brinquedo, não é?

— O que é isto, Anna?

— Meu Agnus Dei.

Cordeiro de Deus, ao menos isto Lib sabia de latim. Abriu a tampa da caixa e arranhou o disco com a unha.

— Não o quebre!

— Não vou quebrar.

Não era pão, percebeu, mas cera. Pôs a caixa na mão em concha de Anna.

— Todos eles foram abençoados por Sua Santidade — a menina lhe garantiu, fechando a trava da tampa. — Os Agnus Dei fazem baixar as enchentes e apagam incêndios.

Lib ficou intrigada com a origem dessa lenda. Considerando-se a rapidez com que a cera derretia, quem imaginaria usá-la para combater o fogo?

Não restava nada no baú senão alguns livros. Ela inspecionou os títulos: todos devocionais. Um *Missal para uso dos leigos*; *A imitação de Cristo*. Lib tirou de um livro preto, o Livro de Salmos, um retângulo ornamentado, mais ou menos do tamanho de uma carta de baralho.

— Ponha isso de volta no lugar — disse Anna, agitada.

Ah, poderia haver comida escondida no livro?

— Só um minuto.

Lib folheou as páginas. Nada além de mais retangulinhos.

— Esses são meus santinhos. Cada um tem seu lugar.

O que Lib segurava era uma oração impressa, com uma borda recortada que parecia renda, e tinha outra daquelas medalhinhas, presa por uma fita. No verso, em tons pastel melosos, uma mulher abraçava uma ovelha. *Divine Bergère*, dizia no alto. Divina alguma coisa?

— Está vendo, esse combina com o Salmo 118: *Ando errante como uma ovelha que se perdeu* — Anna recitou, dando um tapinha na página, sem precisar conferir o que ela dizia.

Muito "Maria tinha um carneirinho", pensou Lib. Viu então que todos os livros do baú eram cravejados desses retângulos.

— Quem lhe deu esses santinhos?

— Uns foram prêmios na escola, ou na missão. Ou presentes de visitas.

— Onde fica essa missão?

— Agora ela acabou. Meu irmão me deixou alguns dos mais lindos — disse Anna, beijando o cartão da ovelha, antes de repô-lo em seu lugar e fechar o livro.

Que criança curiosa!

— Você tem um santo favorito?

Anna abanou a cabeça.

— Todos eles têm coisas diferentes para nos ensinar. Uns nasceram bons, mas outros eram muito maus, até Deus limpar seu coração.

— Ah, é?

— Ele pode escolher qualquer um para ser santo — Anna lhe assegurou.

Quando a porta se abriu com um safanão, Lib sobressaltou-se.

Kitty, com a bacia de água quente.

— Desculpe fazer a senhora esperar. Estava cuidando de levar a refeição dele — disse a moça, arfante.

Malachy O'Donnell, Lib presumiu. Estava cortando turfa para um vizinho, não é? Seria um favor?, ela se perguntou, ou um trabalho para complementar a ninharia que a fazenda ganhava? Ocorreu-lhe que, nesse lugar, talvez só os homens recebessem comida ao meio-dia.

— O que eu vou limpar pra senhora? — perguntou a criada.

— Eu faço isso — respondeu a enfermeira, pegando a bacia. Não podia deixar ninguém da família ter acesso àquele quarto. Kitty poderia estar escondendo comida para a menina no avental, neste exato momento, ao que Lib soubesse.

A empregada franziu o cenho; confusão ou ressentimento?

— Você deve estar ocupada — esclareceu Lib. — Ah, e será que posso lhe pedir outra cadeira, além de roupa de cama limpa?

— Um lençol? — perguntou Kitty.

— Um par deles — Lib a corrigiu —, e um cobertor limpo.

— Não temos nenhum — disse a empregada, abanando a cabeça.

Tão vaga era a expressão no rosto largo que Lib se perguntou se Kitty não seria muito certa da cabeça.

— Ela quer dizer que ainda não tem nenhum lençol limpo — interveio Anna. — O dia de lavagem é a próxima segunda, a menos que esteja muito úmido.

— Entendo — disse Lib, reprimindo a irritação. — Bem, nesse caso, só a cadeira, Kitty.

Acrescentou à água da bacia água sanitária de um vidro que levava na bolsa e esfregou todas as superfícies; o cheiro era acre, mas limpo. Tornou a fazer a cama da menina, com os mesmos lençóis surrados e o cobertor cinzento. Endireitando o corpo, perguntou a si mesma onde mais se poderia esconder um bocado de alimento.

Aquilo não se parecia nem um pouco com os atravancados quartos de doentes das altas classes. Afora a cama, a cômoda e a cadeira, havia apenas uma esteira no chão, com uma estampa de linhas mais escuras. Lib a levantou; nada embaixo. O quarto ficaria muito desanimado se ela tirasse a esteira, além de frio sob os pés. E, depois, o lugar mais provável para se esconder uma crosta de pão ou uma maçã era a cama, e a comissão certamente não pretendia fazer a menina dormir no estrado nu como uma prisioneira, não é? Não, Lib apenas teria que inspecionar o quarto, a intervalos frequentes e imprevisíveis, para ter certeza de que não havia entrado, furtivamente, nenhum alimento.

Kitty, finalmente, trouxe a cadeira e a arriou no chão com força.

— Talvez você possa levar essa esteira e sacudir o pó, quando tiver um momento — pediu Lib. — Diga-me, onde encontro uma balança para pesar a Anna?

Kitty abanou a cabeça.

— No vilarejo, talvez?

— Nós usamos os punhos — disse Kitty.

Lib franziu o cenho.

— Assim, mancheias de farinha e pitadas de sal. — A criada fez a mímica do que seria.

— Não estou falando de balanças caseiras — Lib lhe disse. — Alguma coisa grande o bastante para pesar uma pessoa, ou um animal. Talvez numa das fazendas vizinhas.

Kitty encolheu os ombros, com ar cansado.

Anna, que observava o dente-de-leão emurchecido, não deu sinal de ouvir nada disso, como se fosse o peso de outra menina que estivesse em questão.

Lib deu um suspiro:

— Então, uma jarra de água fresca, por favor, e uma colher de chá.

— A senhora queria uma bicada de alguma coisa? — perguntou Kitty, quando ia saindo.

A frase confundiu Lib.

— Ou pode esperar o almoço?

— Posso esperar.

Arrependeu-se destas palavras no instante em que a empregada se foi, porque estava com fome. Mas, por alguma razão, diante da Anna, não podia declarar que estava aflita para comer. O que era absurdo, relembrou-se, já que a menina não passava de uma impostora.

Anna estava murmurando de novo sua oração da Dora. Lib fez o melhor que pôde para ignorá-la. Já havia suportado hábitos muito mais irritantes. Houvera aquele menino com escarlatina de quem ela cuidara, que ficava escarrando no chão, e aquela velhota demente que se convencera de que o remédio era veneno e o tinha jogado longe, espirrando tudo na enfermeira.

Agora, a menina estava cantando com um fio de voz, as mãos cruzadas sobre a costura terminada. Nada de furtivo nesse hino; a oração da Dora era o único segredo que Anna parecia estar guardando. As notas agudas saíram meio entrecortadas, mas suaves:

A Ti, Pai Eterno, *toda a terra venera.*
A Ti, *todos os anjos;*
A Ti *os céus e todas as potestades;*
A Ti *querubins e serafins aclamam sem cessar...*

Quando Kitty trouxe a jarra com água, Lib indagou, batendo na cal descascada:

— O que é isto, se me permite perguntar.

— Uma parede — disse Kitty.

Um risinho escapou da menina.

— Digo, ela é feita de quê? — perguntou Lib.

O rosto da criada desanuviou-se.

— Lama.

— Só lama? É mesmo?

— Na base é pedra, de qualquer jeito, pra manter os ratos do lado de fora.

Depois que Kitty se retirou, Lib usou a colherinha de osso para provar a água da jarra. Nem sinal de qualquer sabor.

— Está com sede, menina?

Anna abanou a cabeça.

— Não seria melhor você tomar um gole?

Estava ultrapassando seus limites; os hábitos da enfermagem são difíceis de perder. Lib recordou a si mesma que, para ela, não fazia a menor diferença se essa vigaristinha bebia água ou não.

Mas Anna abriu a boca para a colher e engoliu sem dificuldade.

— *Ó, perdoa-me para que eu possa ter descanso* — murmurou.

Não falava com Lib, é claro, mas com Deus.

— Mais uma?

— Não, obrigada, sra. Wright.

Lib anotou: "13h13min, 1 c. chá de água". Não que a quantidade importasse, supôs, a não ser pelo fato de que ela queria poder fazer uma descrição completa de qualquer coisa que a criança ingerisse durante seus plantões.

E, agora, realmente não havia mais nada para fazer. Lib sentou-se na segunda cadeira. Estava tão perto da de Anna que as saias das duas quase encostavam, mas não havia outro lugar para colocá-la. Lib pensou nas longas horas que viriam, com uma sensação de constrangimento. Havia passado meses a fio com outros pacientes particulares, mas aquilo era diferente, porque ela estava vigiando essa criança como uma ave de rapina, e Anna sabia disso.

Uma leve batida na porta a fez levantar-se de um salto.

— Malachy O'Donnell, minha senhora. — O lavrador deu um tapinha no colete desbotado, no lugar onde ficavam os botões.

— Sr. O'Donnell — disse Lib, pondo a mão na dele, que era dura feito couro. Gostaria de agradecer ao homem pela hospitalidade, só que estava ali como uma espécie de espiã da família inteira, de modo que o agradecimento lhe pareceu longe de apropriado.

Ele era baixo e rijo, tão magro quanto a mulher, porém de estrutura muito mais estreita. Anna tinha saído ao lado paterno. Mas não havia carne sobrando em nenhum membro dessa família; uma trupe de marionetes.

Ele se inclinou para beijar a filha, num ponto perto da orelha.
— Como vai, filhota?
— Muito bem, papai. — Um sorriso luminoso para ele.
Malachy O'Donnell ficou parado ali, assentindo com a cabeça.

O desapontamento pesou sobre Lib. Ela havia esperado algo mais do pai. O majestoso produtor do espetáculo nos bastidores — ou, pelo menos, um coconspirador, irascível como sua mulher. Mas esse matuto...

— O senhor cria, *ahn*, gado *shorthorn*, não é, sr. O'Donnell?
— Bem, algumas cabeças, agora. Arrendo um par de campos irrigados para a pastagem. Eu vendo o..., a senhora sabe, como fertilizante.

Lib percebeu que ele se referia ao estrume.

— Agora, o gado, às vezes... — a voz de Malachy foi morrendo. — Com as cabeças se extraviando, e quebrando as pernas, e os filhotes ficando entalados quando saem na posição errada, sabe como é... a gente pode dizer que eles dão mais trabalho do que vale a pena.

O que mais Lib tinha visto na área externa da fazenda?

— O senhor também cria aves domésticas, não é?
— Ah, agora essas são da Rosaleen. Da sra. O'Donnell.

O homem fez que sim pela última vez, como se alguma coisa tivesse ficado resolvida, e afagou a cabeça da filha. Ia saindo, mas deu meia-volta.

— Ah, era para eu dizer. Aquele sujeito do jornal está aí.
— Desculpe, como?

Ele apontou para a janela. Pelo vidro cheio de manchas, Lib viu uma carroça fechada.

— Para tirar a Anna.
— Tirar para ir aonde? — rebateu ela. Francamente, onde é que aqueles homens da comissão estavam com a cabeça, montando a vigília nessa cabana apertada e sem higiene, para depois mudarem de ideia e despacharem a menina para outro lugar?

— Pra tirar só o rosto dela — disse o pai. — O retrato.

REILLY & FILHOS, FOTÓGRAFOS, dizia a carroça na lateral, em letras pomposas. Lib ouviu a voz de um estranho na cozinha. Ah, isso era demais! Ela deu alguns passos, antes de lembrar que não podia sair de perto da menina. Em vez de sair, trançou os braços em volta do corpo.

Rosaleen O'Donnell entrou, alvoroçada.

— O sr. Reilly está pronto para fazer o seu daguerreótipo, Anna.
— Isso é mesmo necessário? — perguntou Lib.

— É pra fazer a gravação e pôr no jornal.

Imprimir um retrato da jovem oportunista, como se fosse a rainha. Ou um bezerro de duas cabeças, melhor dizendo.

— A que distância fica o estúdio dele?

— Ora, ele faz tudo ali mesmo, na carroça — disse a sra. O'Donnell, espichando o dedo para a janela.

Lib deixou a menina sair à frente, mas a tirou do caminho de um balde destampado, pungente de produtos químicos. O álcool ela reconheceu, e... seria éter ou clorofórmio? Esses cheiros ativos e frutados a levaram de volta a Scutari, onde os sedativos sempre pareciam acabar no meio de uma série de amputações.

Enquanto ajudava Anna a subir a escadinha dobrável, Lib torceu o nariz para um mau cheiro mais complicado. Algo parecido com vinagre e pregos.

— O escrevedor já veio e já foi, não é? — perguntou o homem de cabelo escorrido e despenteado, dentro da carroça.

Lib espremeu os olhos.

— O jornalista que está escrevendo sobre a garota.

— Não sei de nenhum jornalista, sr. Reilly.

Ele usava uma sobrecasaca manchada.

— Fique ali perto das flores bonitas, sim? — pediu a Anna.

— Será que ela não pode ficar sentada, se vai ter que passar muito tempo na mesma posição? — perguntou Lib. Na única ocasião em que havia posado para um daguerreótipo — nas fileiras das enfermeiras da srta. N. —, ela achara cansativa a experiência. Depois dos primeiros minutos, uma das moças mais irrequietas tinha-se mexido e borrado a imagem, de modo que fora preciso começar tudo de novo.

Reilly soltou uma risadinha e manobrou a câmera, deslocando-a por alguns centímetros sobre o tripé com rodízios.

— A senhora está olhando para um mestre do moderno método de colódio úmido. Três segundos, apenas isso. A coisa toda não me leva mais que dez minutos, do disparador à chapa.

Anna ficou onde Reilly a havia colocado, ao lado de uma mesa comprida e estreita, com a mão direita pousada ao lado de um vaso de rosas de seda.

Ele inclinou um espelho sobre um suporte, de tal modo que um quadrado de luz incidisse sobre o rosto dela; depois se abaixou atrás da cortina preta que cobria a máquina fotográfica.

— Olhando para cima agora, menina. Para mim, para mim.

O olhar de Anna vagou pelo interior da carroça.

— Olhe para o seu público.

Isso fez ainda menos sentido para a menina. Seus olhos encontraram Lib e ela quase sorriu, embora Lib não estivesse sorrindo.

Reilly emergiu e encaixou um retângulo de madeira na máquina.

— Agora, mantenha essa posição. Parada como uma pedra. — Girou o círculo de latão sobre a lente, para descobri-la. — Um, dois, três... — Fechou-o com um clique e sacudiu os cabelos oleosos, para tirá-los dos olhos. — Prontinho, senhoras. — Abriu a porta, pulou para fora da carroça e, em seguida, tornou a subir, com seu balde malcheiroso de produtos químicos.

— Por que o senhor deixa isso do lado de fora? — indagou Lib, levando Anna pela mão.

Reilly estava puxando algumas cordas, para baixar as persianas de uma janela após outra e escurecer o interior da carroça.

— Risco de explosão.

Lib puxou Anna para a porta.

Fora da carroça, a menina respirou fundo, olhando para as campinas verdes. À luz do sol, Anna O'Donnell tinha um aspecto quase transparente; uma veia azulada se destacava na têmpora.

A tarde foi cansativa, na volta ao quarto. A menina murmurou suas orações e leu seus livros. Lib dedicou-se a um artigo não desinteressante sobre fungos, na *All the Year Round*. A certa altura, Anna aceitou outras duas colherinhas de água. As duas sentavam-se a menos de um metro de distância e, vez por outra, Lib olhava de relance para a menina, por cima da página. Estranho sentir-se tão atada a outra pessoa.

A enfermeira não tinha liberdade nem para ir à casinha; tinha que se arranjar com o urinol.

— Está precisando disto, Anna?

— Não, senhora, obrigada.

Lib deixou o urinol junto à porta, coberto por um pano. Reprimiu um bocejo.

— Quer dar um passeio?

Anna iluminou-se.

— Podemos, mesmo?

— Desde que eu esteja com você.

Lib queria testar o vigor físico da menina; será que o edema nas pernas impedia os movimentos? Além disso, não aguentava mais ficar enjaulada naquele quarto.

Na cozinha, lado a lado, Rosaleen O'Donnell e Kitty retiravam de panelas a escuma do leite, com escumadeiras em formato de pires. A criada parecia ter metade do tamanho da patroa.

— Precisa de alguma coisa, filhota? — perguntou Rosaleen.

— Não, obrigada, mamãe.

De comida, disse Lib em silêncio, *é disso que toda criança precisa*. Porventura, alimentar não definia a mãe, desde o primeiro dia? A pior dor de uma mulher era não ter nada para dar a seu bebê. Ou ver sua boquinha se desviar do que ela lhe oferecia.

— Só vamos sair para dar uma volta — Lib lhe disse.

Rosaleen O'Donnell espantou com um tapa uma gorda varejeira-azul e voltou ao trabalho.

Só havia duas explicações possíveis para a serenidade da irlandesa, concluiu Lib: ou Rosaleen estava tão convencida da intervenção divina que não se afligia pela filha, ou, o que era mais provável, tinha razão para crer que a menina estava recebendo muito que comer em surdina.

Anna foi arrastando os pés e pisando duro, com aquelas botas de menino, com um cambaleio quase imperceptível, ao deslocar o peso de uma perna para outra.

— *Os meus passos apegaram-se às tuas veredas* — murmurou ela —, *não resvalaram os meus pés*.

— Seus joelhos estão doendo? — Lib perguntou, enquanto as duas seguiam pela trilha, passando por galinhas marrons alvoroçadas.

— Não muito — respondeu Anna, levantando o rosto para pegar sol.

— Todos esses campos são do seu pai?

— Bem, são arrendados por ele — disse a menina. — Nós não temos nenhum.

Lib não tinha visto nenhum empregado.

— Ele faz todo o trabalho sozinho?

— O Pat ajudava, quando ainda estava conosco. Este é de aveia — disse Anna, apontando.

Um espantalho decrépito, de calças marrons, inclinava-se de lado. Seriam roupas velhas de Malachy O'Donnell?, Lib se perguntou.

— E ali é para feno. Em geral, a chuva o estraga, mas, este ano, não, tem sido muito bom — disse Anna.

Lib pensou reconhecer um quadrado grande de grama baixa: as ansiadas batatas.

Quando chegaram à trilha, Lib virou para a direção a que ainda não fora, oposta à do vilarejo. Um homem bronzeado de sol consertava um muro de pedra, sem o menor método.

— Deus abençoe o trabalho — disse-lhe Anna.

— E a você também — respondeu ele.

— Esse é nosso vizinho, sr. Corcoran — Anna cochichou para Lib. Curvou-se e arrancou uma haste meio marrom, com um amarelo estrelado na ponta. Depois, puxou um talo alto de grama, com um lilás fosco em cima.

— Você gosta de flores, Anna?

— Ah, nem sei dizer quanto. Especialmente de lírios, é claro.

— Por que *é claro*?

— Porque eles são os favoritos de Nossa Senhora.

Anna falava da Sagrada Família como se falasse de parentes seus.

— E onde você teria visto um lírio? — perguntou Lib.

— Em desenhos, uma porção de vezes. Ou lírios-d'água no lago, embora eles não sejam a mesma coisa.

Anna se abaixou e afagou uma florzinha branca minúscula.

— Qual é essa?

— Orvalhinha — Anna lhe disse. — Olhe.

Lib examinou as folhas redondas nos talos. Eram cobertas por algo parecido com uma lanugem pegajosa, com uma ou outra manchinha preta.

— Ela pega insetos e suga — disse Anna, baixinho, como se temesse incomodar a planta.

Estaria certa? Que interessante, de um jeito meio sinistro. A menina parecia ter certa capacidade para a ciência.

Ao se levantar, Anna oscilou e respirou fundo. Tonteira? Não acostumada ao exercício, perguntou-se Lib, ou fraca pela desnutrição? O simples fato de o jejum ser uma espécie de farsa não queria dizer que Anna viesse recebendo todos os nutrientes de que uma menina precisava; aquelas omoplatas ossudas sugeriam outra coisa.

— Talvez devamos voltar.

Anna não objetou. Estaria cansada ou apenas sendo obediente?

Quando chegaram à cabana, Kitty estava no quarto. Lib já ia questioná-la, mas a criada se abaixou para pegar o urinol — talvez para se dar uma desculpa por estar ali.

— Agora a senhora quer uma tigela de papa, dona?

— Muito bem — respondeu Lib.

Quando Kitty a trouxe, Lib viu que *papa* significava mingau de aveia. Percebeu que esse devia ser o jantar. — Quatro e quinze da tarde: horários do interior.

— Ponha um pouco de sal — disse Kitty.

Lib abanou a cabeça para a tigela e sua colherinha.

— Ponha, sim — insistiu Kitty. — Afasta os pequeninos.

Lib a fitou, intrigada. Será que a criada se referia a moscas?

Assim que Kitty saiu do quarto, Anna falou, num sussurro:

— Ela quis dizer *o povo miúdo*.

Lib não entendeu.

Anna formou bailarinos com as mãos gorduchas.

— Fadas? — fez Lib, incrédula.

A menina fez uma careta.

— Elas não gostam de ser chamadas assim.

Mas em seguida voltou a sorrir, como se ela e Lib soubessem que não havia seres minúsculos debatendo-se no mingau.

A farinha de aveia não estava nada má; tinha sido cozinhada no leite, em vez de na água. Lib sentiu dificuldade de ingeri-la na frente da menina; sentiu-se como uma camponesa rude, empanturrando-se na presença de uma dama refinada. *Ela é apenas a filha de um minifundiário*, lembrou a si mesma, *e uma farsante, ainda por cima*.

Anna se ocupou cerzindo uma anágua rasgada. Não ficou de butuca na refeição de Lib e tampouco desviou os olhos, como quem lutasse contra a tentação. Apenas continuou a dar seus pontinhos cuidadosos. Mesmo que a menina tivesse comido alguma coisa na noite anterior, pensou Lib, tinha que estar com fome agora, após pelo menos sete horas sob a vigilância da enfermeira, durante as quais não tinha ingerido nada além de três colheradas de água. Como podia suportar ficar sentada num quarto perfumado pelo aroma do mingau quente?

Lib raspou a tigela, em parte para que não ficassem sobras ali entre as duas. Já estava sentindo falta do pão de padaria.

Rosaleen O'Donnell entrou, algum tempo depois, para mostrar a nova fotografia.

— O sr. Reilly fez a gentileza de nos dar esta cópia de presente.

A imagem era de uma nitidez assombrosa, embora as cores estivessem todas erradas: o vestido cinza fora clareado para o branco de uma camisola, ao passo que o xale quadriculado estava preto como piche. A menina da foto olhava para o lado, para a enfermeira invisível, com a sombra de um sorriso.

Anna olhou de relance para a fotografia, como que apenas por educação.

— E também uma moldura tão bonita — comentou a sra. O'Donnell, alisando a moldura de metal trabalhado.

Ela não é uma mulher instruída, pensou Lib. Será que alguém que se comprazia tão ingenuamente com uma moldura barata poderia mesmo ser responsável por uma conspiração complexa? Talvez — Lib teve um vislumbre de Anna pelo canto do olho — a queridinha estudiosa fosse a única culpada. Afinal, até o início da vigília nessa manhã, teria sido fácil a menina surrupiar toda a comida que quisesse, sem o conhecimento da família.

— Vai para o console da lareira, junto ao pobrezinho do Pat — acrescentou Rosaleen O'Donnell, segurando a fotografia com o braço esticado, para admirá-la.

Estaria o menino dos O'Donnell em situação aflitiva nesse momento, no exterior? Ou talvez os pais não fizessem ideia de como ele estava; às vezes, nunca mais se tinha notícias dos emigrantes.

Depois que a mãe voltou para a cozinha, Lib contemplou a grama que fora amassada pelas rodas da carroça de Reilly. Em seguida, virou-se e deu com os olhos nas botas horrorosas de Anna. Ocorreu-lhe que Rosaleen O'Donnell poderia ter dito *pobrezinho do Pat* por ele ser um idiota, um simplório. Isso explicaria a curiosa postura refestelada do menino na fotografia. Mas, nesse caso, como é que os O'Donnell tinham encontrado disposição para despachar o infeliz para o exterior? Como quer que fosse, era melhor não levantar o assunto com sua irmã caçula.

Durante horas a fio, Anna separou seus santinhos. Brincou com eles, na verdade; os movimentos suaves, o ar sonhador e os murmúrios ocasionais fizeram Lib lembrar-se de outras meninas com suas bonecas.

Ela continuou a ler sobre os efeitos da umidade, no livrinho que sempre levava na bolsa. (*Notas sobre enfermagem*, presente da autora.) Às oito e meia, sugeriu que estaria na hora de Anna se preparar para dormir.

A menina se benzeu e pôs a camisola, os olhos baixos enquanto abotoava a frente e os punhos. Dobrou a roupa e a pôs em cima da cômoda. Não usou o urinol, razão por que continuou a não haver nada para Lib medir. A menina era de cera, não de carne e osso.

Quando Anna desfez o coque e penteou os cabelos, saíram massas de mechas escuras no pente, o que inquietou Lib. Uma criança perdendo os cabelos como uma mulher que houvesse ultrapassado a flor da idade... *Ela está fazendo isso consigo mesma*, relembrou-se. *É tudo parte de uma peça elaborada que está pregando ao mundo.*

Anna tornou a fazer o sinal da cruz ao se acomodar na cama. Sentou-se, recostada no travesseiro, lendo seus salmos.

Lib ficou à janela, observando as listas alaranjadas que riscavam o céu a oeste. Haveria algum minúsculo reservatório de migalhas que lhe pudesse haver escapado? Era nessa noite que a menina aproveitaria a chance; nessa noite, quando a freira estivesse ali, no lugar de Lib. Será que os olhos envelhecidos da irmã Michael eram suficientemente aguçados? E suas faculdades mentais?

Kitty entrou com uma vela num castiçal bojudo de latão.

— A irmã Michael precisará de mais do que isso — disse Lib.

— Então, eu trago outro.

— Meia dúzia de velas não será suficiente.

A empregada ficou meio boquiaberta.

Lib buscou um tom conciliatório:

— Sei que é muito trabalho, mas você poderia arranjar uns lampiões?

— O óleo de baleia está custando um preço de assustar, hoje em dia.

— Então, algum outro tipo de óleo.

— Vou ver o que consigo arranjar amanhã — disse Kitty, com um bocejo.

Voltou em poucos minutos, trazendo leite e bolos de aveia para a ceia de Lib.

Enquanto passava manteiga nos bolos de aveia, a enfermeira voltou os olhos para Anna, ainda absorta em seu livro. Uma proeza e tanto, passar o dia inteiro de estômago vazio e dar a impressão de não notar a comida, muito menos importar-se com ela. Quanto controle numa pessoa tão jovem; dedicação, ambição, até. Se esses poderes pudessem voltar-se para algum bom propósito, até onde levariam Anna O'Donnell? Por ter trabalhado como enfermeira ao lado de uma variedade de mulheres, Lib sabia que o autodomínio era mais importante do que quase qualquer outro talento.

Manteve o ouvido atento aos tinidos e murmúrios ao redor da mesa, do outro lado da porta entreaberta. Ainda que a mãe se revelasse isenta de culpa no tocante à farsa, no mínimo vinha-se comprazendo com o alvoroço. E havia a caixa de dinheiro junto à porta de entrada. Como era mesmo o antigo provérbio? *Os filhos são a riqueza dos pobres.* Uma riqueza metafórica — mas também literal, às vezes.

Anna virava as páginas, formando com a boca palavras silenciosas.

Movimento na cozinha. Lib pôs a cabeça para fora e viu a irmã Michael tirando sua capa preta. Cumprimentou a freira com um aceno cortês.

— A senhora vai se ajoelhar conosco, não é, irmã? — perguntou a sra. O'Donnell.

A freira murmurou alguma coisa sobre não querer deixar a sra. Wright esperando.

— Por mim está tudo bem — Lib sentiu-se obrigada a dizer.

Virou-se para trás, para Anna. Que se postara tão perto das suas costas, espectral em sua camisola, que Lib sobressaltou-se. E o fio de sementes marrons já estava pronto na mão da menina.

Anna esgueirou-se pela lateral de Lib e foi ajoelhar-se entre os pais, no piso de terra. A freira e a criada já se haviam ajoelhado, ambas afagando o pequeno crucifixo na extremidade de suas contas do rosário.

— *Creio em Deus Pai, Todo-Poderoso, Criador do Céu e da Terra* — as cinco vozes foram desfiando as palavras.

Teria sido difícil Lib retirar-se naquele momento, porque os olhos da irmã Michael estavam fechados e seu rosto, escondido na touca obstrutiva, curvava-se sobre as mãos postas; não havia ninguém de olho em Anna. Assim, Lib foi sentar-se junto à parede, com uma visão clara da menina.

O palavrório passou para o pai-nosso, do qual Lib tinha lembrança, dos tempos de juventude. Quão pouco havia guardado daquilo tudo! Talvez a fé nunca houvesse exercido grande poder sobre ela; com os anos, tinha desaparecido, junto com outras coisas infantis.

— *Perdoai as nossas ofensas* — nesse ponto, todos bateram no peito em uníssono — *assim como nós perdoamos os que nos têm ofendido*.

Ela achou que agora talvez fossem levantar-se e dizer boa-noite. Mas não, o grupo mergulhou numa ave-maria, depois outra e mais outra. Aquilo era ridículo: iria Lib ficar presa ali a noite inteira? Pestanejou, para umedecer os olhos cansados, mas os manteve focalizados em Anna e seus pais, cujos corpos sólidos ladeavam o da filha. Bastaria o mais breve encontro das mãos para que um pedaço de alguma coisa fosse passado. Lib espremeu a vista, para ter certeza de que não havia nada tocando os lábios vermelhos da menina.

Tinham-se passado quinze minutos inteiros quando ela consultou o relógio que lhe pendia da cintura. Em momento algum a menina balançou ou arriou o corpo, durante todo aquele clamor cansativo. Lib deixou os olhos correrem pelo cômodo por um momento, só para lhes dar um alívio. Havia um saco gordo de musselina amarrado entre duas cadeiras, gotejando numa bacia. O que poderia ser?

As palavras da oração tinham mudado: *A vós suspiramos, os degredados filhos de Eva...*

O falatório todo, finalmente, pareceu terminar. Os católicos ficaram em pé, massageando as pernas para reavivá-las, e Lib ficou liberada para ir embora.

— Boa noite, mamãe — disse Anna.

— Vou lá daqui a um minuto para lhe dar boa-noite — disse-lhe Rosaleen.

Lib pegou a capa e a bolsa. Tinha perdido a chance de uma conversa particular com a freira; por alguma razão, não suportou dizer em voz alta, diante da menina, "não desgrude os olhos dela nem por um segundo".

— Até amanhã, Anna.

— Boa noite, sra. Wright.

Anna conduziu a irmã Michael para o quarto.

Criatura estranha; não dava nenhum sinal de se ressentir da vigilância que lhe fora imposta. Por trás daquela serena confiança, a mente dela só poderia estar correndo feito um camundongo, com certeza, não é?

Lib virou à esquerda, onde a trilha da casa dos O'Donnell se encontrava com a rua, e foi voltando para o vilarejo. Ainda não havia propriamente escurecido e, a suas costas, o vermelho continuava a manchar o horizonte. O ar ameno carregava o cheiro dos animais de criação e da fumaça que vinha da turfa queimando. Lib sentia os membros doloridos, por ter passado tanto tempo sentada. Realmente, precisava falar com o dr. McBrearty sobre as condições insatisfatórias da cabana, mas era tarde demais para procurá-lo esta noite.

O que ela havia aprendido até aquele momento? Pouco ou nada.

Uma silhueta mais adiante, na estrada, com uma espingarda pendurada no ombro. Lib enrijeceu o corpo. Não estava acostumada a andar pela zona rural ao anoitecer.

O cachorro se aproximou primeiro, farejando a saia dela. Depois, seu dono passou, mal fazendo um aceno com a cabeça.

Um galo cantou com urgência. Algumas vacas foram saindo de um estábulo, o fazendeiro atrás. Lib supunha que eles poriam os animais para fora de dia e para dentro à noite (para mantê-los seguros), e não o contrário. Não entendia nada daquele lugar.

2
VIGILÂNCIA

VIGIAR
observar
zelar por alguém como seu guardião
manter-se desperto como uma sentinela
cumprir uma das quatro vigílias que dividem a noite

Em seu sonho, os homens clamavam por tabaco, como sempre. Subnutridos, sem banho, cabelo infestado de piolhos, os membros destruídos exsudando secreções pelas tipoias até os coxins dos cotos; mas todos os seus apelos eram por alguma coisa para encher seus cachimbos. Os homens estendiam a mão para Lib quando ela passava pela enfermaria. Pelas janelas rachadas infiltrava-se a neve da Crimeia, e uma porta ficava batendo, batendo...

— Sra. Wright!

— Presente — respondeu Lib, com a voz rouca.

— São quatro e quinze, a senhora pediu para ser acordada.

Era o quarto em cima da mercearia-taberna, bem no centro da Irlanda. Portanto, a voz na fresta da porta era de Maggie Ryan. Lib pigarreou.

— Sim.

Uma vez vestida, pegou as *Notas sobre enfermagem*, deixou o livro cair aberto e pôs o dedo numa passagem ao acaso. (Como naquele jogo de adivinhação que ela e a irmã costumavam fazer com a Bíblia nos domingos maçantes.) As mulheres, leu, comumente eram mais "exatas e cuidadosas" do que o sexo mais forte, o que lhes permitia evitar os "erros por inadvertência".

Mas, a despeito de todo o cuidado que havia tomado na véspera, Lib ainda não tinha conseguido desvendar o mecanismo da fraude, tinha? A irmã Michael havia passado a noite inteira lá; teria solucionado o quebra-cabeça? Lib duvidava, por alguma razão. A freira devia ter ficado sentada lá, com os olhos semicerrados, fazendo estalidos com as contas do rosário.

Bem, Lib se recusava a ser tapeada por uma menina de onze anos. Hoje, teria de ser ainda mais *exata e cuidadosa*, provando-se digna da dedicatória deste livro. Releu-a nesse momento, na bonita grafia da srta. N.: "Para a sra. Wright, que tem a verdadeira vocação da enfermagem".

Como aquela mulher havia assustado Lib, e não só no primeiro encontro! Cada palavra dita pela srta. N. soava como se tivesse sido proferida num poderoso púlpito. "Nada de desculpas", dissera ela a suas recrutas inexperientes. "Trabalhem com afinco e não recusem nada a Deus. Cumpram seu dever enquanto o mundo gira. Não reclamem, não se desesperem. É melhor o afogamento nas ondas da rebentação do que a inércia na praia."

Numa entrevista privada, ela havia tecido um comentário peculiar. "A senhora leva uma grande vantagem em relação à maioria de suas colegas enfermeiras, sra. Wright. A senhora é viúva. Livre de vínculos."

Lib baixara os olhos para as próprias mãos. Sem laços. Vazias.

"Então, diga-me: está pronta para travar o bom combate? Disposta a se atirar por inteiro na luta?"

"Sim", dissera, "estou".

Ainda escuro. Só uma lua crescente para iluminar Lib na única rua do vilarejo, depois virar à direita na ruela e passar pelas lápides inclinadas, esverdeadas. Ainda bem que ela não tinha um pingo de superstição. Sem o luar, jamais acertaria a trilha mal definida e correta que levava à propriedade dos O'Donnell, porque todas aquelas cabanas pareciam a mesmíssima coisa. Eram quinze para as cinco quando bateu à porta.

Ninguém atendeu.

Lib não quis bater com mais força, para não perturbar a família. Uma luz forte vazava pela porta do estábulo, lá para a direita. Ah, as mulheres só poderiam estar fazendo a ordenha. Um fiapo de melodia; estaria uma delas cantando para as vacas? Não um hino, dessa vez, mas o tipo de balada dolente de que Lib jamais gostara.

Mas a luz do céu brilhou em seus olhos,
Ela era boa demais para mim,

E um anjo a chamou para si
E a tirou do lago Ree.

Lib empurrou a porta da frente da cabana, e a metade superior cedeu.

A luz do fogo ardia na cozinha deserta. Algo se agitou num canto — um rato? O ano que ela passara nas enfermarias sórdidas de Scutari a havia endurecido no confronto com bichos nocivos. Procurou o trinco para abrir a metade inferior da porta. Cruzou-a e se abaixou para espiar pela base gradeada do aparador.

O olho redondo de uma galinha encontrou seu olhar. Cerca de uma dúzia de aves, aparecendo atrás da primeira, iniciaram sua mansa reclamação. Trancadas para ser protegidas das raposas, supôs Lib.

Avistou um ovo recém-posto. Ocorreu-lhe uma ideia: quem sabe Anna O'Donnell os chupava durante a noite e comia as cascas, sem deixar vestígios?

Ao dar um passo atrás, Lib quase tropeçou numa coisa branca. Um pires, com a borda saindo de baixo do aparador. Como podia a criada ter sido tão displicente? Quando ela o pegou, um líquido escorreu em sua mão, encharcando o punho da roupa. Lib deu uma bufadela e carregou o pires para a mesa.

Só então compreendeu. Tocou a mão molhada com a língua: aroma e sabor de leite. Quer dizer que a grande fraude era simples assim? A menina nem precisava procurar ovos, se um prato de leite era deixado para que ela o lambesse feito um cachorro, no escuro.

Sentiu mais decepção que triunfo. Desmascarar isso nem chegava a exigir uma enfermeira treinada. O trabalho parecia já ter sido concluído, e ela estaria na charrete irlandesa, a caminho da estação ferroviária, quando o sol nascesse.

A porta se abriu com um rangido e Lib portou-se feito uma idiota, como se fosse ela quem tinha algo a esconder.

— Sra. O'Donnell.

A irlandesa tomou o tom de acusação por um cumprimento:

— Um bom dia para a senhora, sra. Wright, e espero que tenha dormido um pouquinho, não?

Kitty atrás dela, os ombros estreitos puxados para baixo por dois baldes. Lib levantou o pires — lascado em dois lugares, notou então.

— Alguém desta família tem escondido leite embaixo do aparador.

Os lábios rachados de Rosaleen O'Donnell se entreabriram nos primórdios de um sorriso silencioso.

— Só posso presumir que sua filha venha saindo escondida para bebê-lo.

— Então, a senhora está *presumindo* demais. Ora, em qual fazenda destas terras não se deixa à mostra um pires com leite à noite?

— Para os pequeninos — disse Kitty com um meio sorriso, como que deslumbrada com a ignorância da inglesa. — Senão, não é que eles se ofendem e fazem uma bagunça danada?

— Vocês esperam que eu acredite que esse leite é para as fadas?

Rosaleen O'Donnell cruzou os braços ossudos.

— Acredite no que quiser, ou não acredite em nada, dona. Deixar à mostra uma gota de leite não faz mal nenhum, pelo menos.

Os pensamentos de Lib dispararam. Era bem possível que a empregada e a patroa fossem crédulas a ponto de ser esta a razão do leite posto embaixo do aparador, mas isso não significava que Anna O'Donnell não andasse tomando uns golinhos do leite das fadas todas as noites, nos últimos quatro meses.

Kitty se curvou para abrir o aparador.

— Agora, vamos sair daí. Então a grama não está cheia de minhocas?

Foi enxotando as galinhas para a porta com a saia.

A porta do quarto se abriu e a freira olhou para fora. Seu sussurro de praxe:

— Está havendo algum problema?

— De modo algum — disse Lib, sem disposição de explicar suas suspeitas. — Como foi a noite?

— Tranquila, graças a Deus.

O que significava, supostamente, que a irmã Michael ainda não havia flagrado a menina comendo. Mas com que empenho teria tentado, dada a sua confiança nos *desígnios misteriosos* de Deus? Acaso a freira seria de alguma serventia para Lib, ou apenas um estorvo?

A sra. O'Donnell tirou do fogo a panela de ferro, nesse momento. Vassoura na mão, Kitty retirou do aparador as fezes esverdeadas das galinhas.

A freira tornara a desaparecer no interior do quarto, deixando a porta entreaberta.

Lib estava acabando de desatar o cordão da capa quando Malachy O'Donnell veio do quintal com uma braçada de torrões de turfa.

— Sra. Wright.

— Sr. O'Donnell.

Ele arriou os torrões junto ao fogo e se virou para tornar a sair.

Lib lembrou-se de perguntar:

— Será que haveria uma balança de plataforma por aqui, na qual eu possa pesar a Anna?

— Ah, acho que não.

— E como o senhor pesa o seu gado?

Ele coçou o nariz arroxeado:

— Pelo olho, eu acho.

Uma vozinha de criança no quarto.

— Isso já é ela acordada? — perguntou o pai, o rosto se iluminando.

A sra. O'Donnell cortou-lhe a frente e foi ter com a filha, justo quando a irmã Michael vinha saindo com sua maleta.

Lib fez um movimento para seguir a mãe, mas o pai levantou a mão:

— A senhora tinha, *ahn*, outra pergunta.

— Tinha?

Ela já deveria estar ao lado da criança, para prevenir qualquer momento de intervalo entre o plantão de uma enfermeira e o da outra. Mas pareceu-lhe impossível retirar-se no meio de uma conversa.

— Sobre as paredes; a Kitty falou que a senhora andou perguntando.

— As paredes, sim.

— Tem, sim, um pouco de estrume nelas, junto com a lama. E urze e pelos de animais, para dar liga — disse Malachy O'Donnell.

— Pelos, é mesmo?

Os olhos de Lib resvalaram para o quarto. Poderia esse sujeito aparentemente ingênuo ser um disfarce? Teria sua mulher posto alguma coisa da panela nas mãos, antes de correr para cumprimentar a filha?

— E sangue, e uma gota de leitelho — acrescentou ele.

Lib o encarou. Sangue e leitelho — como que derramados em algum altar primitivo.

Quando, finalmente, entrou no quarto, ela encontrou Rosaleen O'Donnell sentada na cama pequena, e Anna de joelhos ao lado da mãe. Houvera tempo suficiente para a menina engolir um par de panquecas. Lib se xingou pela boa educação que a mantivera tagarelando com o agricultor. E também xingou a freira, por ter escapulido tão depressa; considerando que Lib havia esperado acabar o terço inteiro na noite anterior, será que a irmã Michael não poderia ter ficado mais um minuto de manhã? Embora não fosse esperável que elas trocassem ideias sobre a menina, com certeza a freira devia ter feito um relatório a Lib — a enfermeira mais experiente — sobre qualquer fato pertinente do plantão noturno.

A voz de Anna soou baixa, mas clara, não como se ela houvesse acabado de devorar um alimento.

— Meu Amor é meu e eu sou d'Ele, em mim Ele habita, n'Ele eu vivo.
Aquilo parecia poesia, mas, conhecendo essa criança, era das Escrituras.
A mãe não estava rezando, apenas acompanhava, balançando a cabeça, como uma admiradora numa sacada.
— Sra. O'Donnell — disse Lib.
Rosaleen O'Donnell levou um dedo aos lábios ressequidos.
— A senhora não deve ficar aqui — disse Lib.
Rosaleen O'Donnell inclinou a cabeça de lado.
— Ora, não posso dar bom-dia à Anna?
Com o rosto fechado como um botão de flor, a menina não dava sinal de ouvir coisa alguma.
— Não desse modo. — Lib foi explícita: — Não sem a presença de uma das enfermeiras. A senhora não deve correr para o quarto dela na nossa frente, nem ter acesso aos móveis e objetos dela.
A irlandesa encrespou-se.
— E qual é a mãe que não fica ansiosa por uma oraçãozinha com sua filha querida?
— A senhora, com certeza, pode cumprimentá-la, de manhã ou de noite. Isto é para o seu próprio bem, seu e do sr. O'Donnell — acrescentou Lib, para amenizar a situação. — Vocês querem provar que são inocentes de qualquer truque, não é?
Como resposta, Rosaleen O'Donnell deu uma fungadela.
— O desjejum sai às nove— disse ela, com uma virada para trás ao se retirar.
Ainda faltavam quase quatro horas para isso. A barriga de Lib estava oca. Os camponeses tinham suas rotinas, ela supôs. Mas deveria ter pedido alguma coisa àquela tal de Ryan na mercearia-taberna, de manhã, nem que fosse um pedaço de pão para levar.
Na escola, Lib e a irmã estavam sempre com fome. (Essa tinha sido a época em que as duas se deram melhor, lembrou-se; era o sentimento de companheirismo dos prisioneiros, supôs naquele momento.) A dieta frugal era considerada benéfica, em especial para as meninas, porque mantinha a digestão em boa ordem e construía o caráter. Lib não acreditava que lhe faltasse autocontrole, mas julgava a fome uma perturbação inútil; fazia a pessoa não pensar em nada senão em comida. Por isso, na vida adulta, ela nunca pulava uma refeição, se pudesse evitá-lo.
Anna fez o sinal da cruz e se levantou da posição ajoelhada.

— Bom dia, sra. Wright.

Lib examinou a menina, com um respeito relutante.

— Bom dia, Anna.

Ainda que, de algum modo, a garota houvesse surrupiado um gole ou uma dentada de alguma coisa durante o plantão da freira, ou agora havia pouco, com a mãe, não poderia ter sido grande coisa; apenas uma pequena porção, no máximo, desde a manhã da véspera.

— Como foi sua noite? — indagou, pegando a agenda.

— *Deitei-me e adormeci* — citou Anna, tornando a se benzer antes de tirar a camisola — *e me levantei porque o Senhor me protegeu.*

— Excelente — retrucou Lib, por não saber o que mais dizer. Notou que o interior da touca estava riscado pelos fios de cabelo caídos.

Anna desabotoou a camisola, despiu-a e a amarrou pelas mangas na cintura. Estranha a desproporção entre seus ombros descarnados e os pulsos e mãos grossos, entre o peito estreito e a barriga estufada. Ela lavou o rosto com água da bacia.

— *Faze o teu rosto resplandecer sobre o teu servo* — disse em voz baixa; depois enxugou-se com a toalha, tremendo.

De baixo da cama, Lib tirou o urinol, que estava limpo.

— Você usou isto, menina?

Anna fez que sim.

— A irmã o deu à Kitty para esvaziar.

O que havia nele? Lib deveria ter perguntado, mas descobriu que não podia.

Anna repôs a camisola pela cabeça. Molhou o paninho e pôs a mão embaixo da roupa, para lavar recatadamente uma perna, enquanto se equilibrava na outra e se segurava na cômoda para se firmar. A combinação, a calçola, o vestido e as meias que ela vestiu eram todos da véspera.

Lib costumava insistir numa troca de roupa diária, mas intuiu que não poderia fazê-lo, numa família pobre como aquela. Dobrou os lençóis e o cobertor sobre os pés da cama antes de iniciar seu exame da menina.

Terça-feira, 9 de agosto, 5h23min
Água ingerida: 1 colher de chá
Pulso: 95 batimentos por minuto.
Pulmões: 16 respirações por minuto.
Temperatura: fresca.

Se bem que a temperatura fosse um palpite, na verdade, porque dependia de os dedos da enfermeira estarem mais quentes ou mais frios do que a axila do paciente.

— Ponha a língua para fora, por favor.

Por formação, Lib sempre anotava o estado da língua, mesmo sabendo que lhe seria difícil dizer o que ela informava sobre a saúde do sujeito. A da Anna estava vermelha, com um aspecto curiosamente liso na parte posterior, em vez dos carocinhos de praxe.

Ao pôr o estetoscópio no umbigo de Anna, Lib ouviu um leve ronco, embora isso pudesse ser atribuído à mistura de ar e água; não provava a presença de alimentos. "Sons na cavidade digestiva", escreveu, "de origem incerta".

Hoje teria de questionar o dr. McBrearty sobre as pernas e mãos inchadas. Lib supôs que se poderia dizer que quaisquer sintomas decorrentes de uma dieta restrita seriam bons, porque, mais cedo ou mais tarde, eles decerto instigariam a menina a desistir dessa farsa grotesca. Tornou a fazer a cama, esticando os lençóis.

Enfermeira e pupila se acomodaram numa espécie de ritmo, nesse segundo dia. Leram — Lib atualizou-se sobre os atos abomináveis da sra. Defarge, de Dickens, na revista *All the Year Round* —, e conversaram um pouco. A menina era cativante, com seu jeito desapegado das coisas mundanas. Lib achou difícil lembrar-se de que Anna era uma trapaceira, uma grande mentirosa num país famoso por tais indivíduos.

Várias vezes por hora, a menina murmurava aquilo em que Lib pensava como a oração da Dora. Será que ela se destinava a lhe fortalecer a determinação, toda vez que o vazio lhe dava espasmos na barriga?

Mais para o final da manhã, Lib levou Anna para outra caminhada terapêutica — apenas pelo terreno, porque o céu estava ameaçador. Quando teceu um comentário sobre os passos hesitantes de Anna, a menina disse que era só o seu jeito de andar. Foi cantando hinos enquanto elas caminhavam, como um soldado estoico.

— Você gosta de charadas? — Lib lhe perguntou, quando houve um intervalo na música.

— Não conheço nenhuma.

— Ora vejam! — Lib lembrava-se mais vividamente das charadas da infância do que de todas as coisas que tivera de decorar nas salas de aula. — Que tal esta: "Não há um só reino na terra que eu não tenha percorrido vezes sem conta e, seja dia, seja noite, não sou nem posso ser visto. Quem sou eu?"

Anna pareceu confusa, e Lib repetiu a charada.

— Não sou nem posso ser visto — ecoou a menina. — Isso quer dizer que eu não sou, não existo, ou que não sou visto?

— A segunda — respondeu Lib.

— Alguém invisível — disse Anna —, que viaja por toda a terra...

— Ou alguma *coisa* — introduziu Lib.

O cenho franzido se desfez no rosto da menina.

— O vento?

— Muito bom! Você aprende depressa.

— Outra. Por favor.

— *Hum*, vamos ver. "A terra era branca" — começou Lib —, "a semente era preta. Será preciso um bom estudioso para me decifrar."

— Papel, com tinta nele!

— Garotinha esperta.

— Foi por causa do *estudioso*.

— Você deveria voltar para a escola — Lib lhe disse.

Anna desviou os olhos, pousando-os numa vaca que mastigava capim.

— Estou bem em casa.

— Você é uma menina inteligente.

O elogio saiu com mais jeito de acusação.

Agora, as nuvens baixas se acumulavam, por isso Lib fez com que as duas se apressassem a voltar para a cabana abafada. Mas, depois, a chuva não veio, e ela desejou que tivessem ficado mais tempo lá fora.

Kitty, finalmente, trouxe o desjejum de Lib: dois ovos e uma xícara de leite. Dessa vez, a voracidade a fez comer tão depressa que ela triturou minúsculos fragmentos da casca com os dentes. Os ovos estavam granulosos e com um cheiro ruim de turfa; cozidos no borralho, sem dúvida.

Como era possível a criança suportar não apenas a fome, mas também o tédio? O resto da humanidade usava as refeições para dividir o dia, percebeu Lib — como recompensa, como divertimento, como o badalar de um relógio interno. Para Anna, durante esta vigília, cada dia só poderia passar como um momento interminável.

A menina aceitou uma colherada de água como se fosse um excelente vinho.

— O que há de tão especial na água?

Anna pareceu confusa.

Lib ergueu a própria xícara.

— Qual é a diferença entre a água e este leite?

Anna hesitou, como se aquilo fosse outra charada.

— A água não tem nada.

— O leite não tem nada além de água e da boa qualidade do capim que a vaca comeu.

Anna abanou a cabeça, quase sorridente.

Lib deixou o assunto para lá, porque Kitty estava entrando para buscar a bandeja.

Observou a menina, que estava bordando uma flor no canto de um lenço. A cabeça curvada sobre os pontos, só a ponta da língua de fora, à maneira das garotinhas que se esforçam ao máximo.

Uma batida na porta da frente, pouco depois das dez. Lib ouviu uma conversa abafada. Depois, Rosaleen O'Donnell deu uma batidinha na porta do quarto e não olhou para a enfermeira.

— Mais visitas para você, filhota. Meia dúzia, alguns vindos lá da América.

A animação da irlandesa grandalhona deixou Lib enojada; ela parecia uma dama de companhia no primeiro baile de uma debutante.

— Pensei que seria óbvio que essas visitas devem ser suspensas, sra. O'Donnell.

— Por quê? — A mãe abanou a cabeça para trás, na direção da sala boa. — Eles parecem ser gente decente.

— A vigília requer condições de regularidade e calma. Sem nenhum meio de verificar o que os visitantes poderiam trazer com eles...

A mulher a interrompeu:

— *O que* de que tipo?

— Bem, alimentos — disse Lib.

— Ora, esta casa já tem comida, sem que ninguém a mande lá do outro lado do Atlântico. — Rosaleen O'Donnell soltou uma risada. — E, depois, a Anna não quer comida. A senhora já não viu a prova disso, a esta altura?

— Meu trabalho é me certificar não apenas de que ninguém entregue nada à menina, mas também de que nada seja escondido onde ela possa encontrá-lo, mais tarde.

— E por que eles fariam isso, se vieram lá de longe para ver a garotinha incrível que *não come*?

— Ainda assim...

A boca da sra. O'Donnell crispou-se.

— Nossos convidados já estão dentro de casa, estão, sim, e é muito tarde para mandá-los embora sem fazer uma grande grosseria.

Nesse ponto, ocorreu a Lib bater com a porta do quarto e se encostar nela.

Os olhos de seixo da mulher sustentaram seu olhar.

Lib decidiu ceder, até poder falar com o dr. McBrearty. *Perca uma batalha, ganhe a guerra*. Conduziu Anna à sala boa e se posicionou bem atrás da cadeira da menina.

As visitas eram um senhor do porto ocidental de Limerick e sua esposa e sogros, bem como duas conhecidas deles, mãe e filha, em visita dos Estados Unidos. A norte-americana mais velha ofereceu a informação de que ela e a filha eram espíritas.

— Acreditamos que os mortos falam conosco.

Anna fez que sim, com naturalidade.

— O seu caso, meu bem, parece-nos a mais gloriosa prova do poder da Mente. — A senhora inclinou-se para apertar os dedos da menina.

— Sem tocar, por favor — disse Lib, e a visitante recuou, sobressaltada.

Rosaleen O'Donnell pôs a cabeça no vão da porta para lhes oferecer uma xícara de chá.

Lib tinha convicção de que a mulher a estava provocando. *Nada de comer*, disse, apenas movendo os lábios.

Um dos senhores estava interrogando Anna sobre a data da sua última refeição.

— Sete de abril — ela lhe disse.

— Foi no seu aniversário de onze anos?

— Sim, senhor.

— E como você acredita ter sobrevivido por tanto tempo?

Lib esperou que Anna encolhesse os ombros, ou dissesse que não sabia. Em vez disso, ela murmurou alguma coisa que soou como *mamã*.

— Fale alto, menina — disse a irlandesa mais velha.

— Eu vivo do maná dos céus — repetiu Anna. Com a simplicidade de quem tivesse dito "eu vivo da fazenda do meu pai".

Lib fechou os olhos por um instante, para não rolá-los em sinal de incredulidade.

— Maná dos céus — repetiu a espírita mais jovem para a mais velha. — Imagine só!

Nesse momento, as visitas começaram a oferecer presentes. De Boston, um brinquedo chamado taumatrópio; Anna tinha alguma coisa parecida?

— Não tenho nenhum brinquedo — ela lhes disse.

As visitas gostaram disso, da gravidade cativante do tom dela. O senhor de Limerick mostrou-lhe como torcer as duas cordinhas do disco e rodar o fio esticado, para as imagens dos dois lados se fundirem numa só.

— Agora o passarinho está na gaiola — maravilhou-se Anna.
— *Arrá!* — exclamou ele. — Mera ilusão.

O disco foi rodando mais devagar e parou, de modo que a gaiola vazia foi deixada no verso, e o passarinho que estava na frente voou em liberdade.

Depois de Kitty trazer o chá, a esposa desse senhor mostrou algo ainda mais curioso: uma noz que se abriu na mão de Anna e soltou uma bolinha amarrotada, que se distendeu num par de luvas amarelas de requintada finura.

— Pele de galinha — disse a senhora, afagando-as. — O auge da moda, quando eu era pequena. Nunca foram a lugar algum do mundo, a não ser Limerick. Guardei este par durante meio século sem rasgá-lo.

Anna calçou as luvas, um dedo gordo após outro; eram compridas, mas não muito.

— Deus a abençoe, minha menina, Deus a abençoe.

Bebido o chá, Lib fez um comentário incisivo sobre Anna precisar descansar.

— Você faria uma pequena oração conosco, primeiro? — perguntou a senhora que lhe dera as luvas.

Anna olhou para Lib, que se sentiu obrigada a assentir, meneando a cabeça.

— *Ó, Menino Jesus, manso e sereno* — começou a menina.

Olha por mim, que sou tão pequeno.
Tem piedade de mim e dos meus,
Permite que eu chegue aos braços teus.

— Lindo!

A senhora mais velha quis deixar umas pílulas tônicas da homeopatia.

Anna abanou a cabeça.

— Ah, fique com elas, por favor.

— Ela não pode tomá-las, mamãe — a filha da mulher recordou-lhe num sibilo.

— Acho que a absorção sublingual não seria exatamente comer.

— Não, obrigada — disse Anna.

Quando eles se retiraram, Lib ouviu as moedas tilintarem no cofre das doações em dinheiro.

Rosaleen O'Donnell estava usando um gancho para tirar uma panela bem do centro do fogo e sacudir brasas vivas da tampa. Com as mãos envoltas em trapos, levantou a tampa e tirou de dentro um pão redondo, com uma cruz desenhada em cima.

Ali, tudo era religião, pensou Lib. Além disso, estava começando a entender por que todas as suas refeições tinham gosto de turfa. Se realmente passasse a quinzena inteira ali, teria consumido um bom punhado de solo pantanoso; a ideia deixou-lhe um gosto azedo na boca.

— Essas serão as últimas visitas aceitas — disse à mãe, em seu tom mais firme.

Anna estava debruçada sobre a meia-porta, vendo o grupo subir em sua carruagem.

Rosaleen O'Donnell empertigou-se, sacudindo as saias.

— A hospitalidade é uma lei sagrada para os irlandeses, sra. Wright. Quando alguém bate à porta, temos de abrir e alimentar e abrigar essa pessoa, mesmo que o chão da cozinha já esteja abarrotado de gente dormindo.

O gesto largo de seu braço abarcou uma horda de visitas invisíveis.

Hospitalidade, uma ova.

— Isso está longe de ser uma questão de acolher mendigos — disse Lib.

— Ricos, pobres, somos todos iguais aos olhos de Deus!

Foi o tom devoto que fez Lib perder as estribeiras.

— Essas pessoas não passam de meros curiosos. Tão ávidos de ver a sua filha sobreviver sem alimentos, ao que parece, que se dispõem a pagar por esse privilégio!

Anna rodava seu taumatrópio, que captou a luz.

A sra. O'Donnell mordeu o lábio.

— Se essa visão os leva a dar esmolas, que mal há nisso?

A menina foi até a mãe nesse momento e lhe entregou seus presentes. *Para distrair as duas mulheres de sua briga?*, perguntou-se Lib.

— Ah, é claro que esses presentes são seus, filhota — disse Rosaleen.

Anna abanou a cabeça.

— O crucifixo de ouro que aquela senhora deixou outro dia, o sr. Thaddeus não disse que ele daria uma boa soma para os necessitados?

— Mas esses são apenas brinquedos — retrucou a mãe. — Bem... as luvas na casca de noz, talvez, acho que elas poderiam ser vendidas... — Virou a noz na palma da mão. — Mas fique com aquela coisa que roda. É claro, que mal faz? A não ser que a sra. Wright veja algum; a senhora vê?

Lib ficou de boca calada.

Marchou para o quarto atrás da menina e tornou a examinar todas as superfícies, como tinha feito na véspera — o chão, a caixa dos tesouros, a cômoda, a roupa e os acessórios da cama.

— A senhora está zangada? — perguntou Anna, girando o taumatrópio entre os dedos.

— Por causa do seu brinquedo? Não, não.

Como Anna ainda era infantil, apesar de todas as complicações sombrias da sua situação!

— Então, por causa das visitas?

— Bem... Elas não se importam de verdade com o seu bem-estar.

A sineta tocou na cozinha e Anna se prostrou de joelhos no chão. (Não era de admirar que as canelas da menina estivessem machucadas.) Passaram-se os minutos enquanto as orações do Ângelus enchiam o ar. *Como estar trancada num mosteiro*, pensou Lib.

— *Por Nosso Senhor Jesus Cristo, amém.*

Anna levantou-se e segurou o encosto da cadeira.

— Tonta? — perguntou Lib.

Anna abanou a cabeça e rearrumou o xale.

— Com que frequência vocês têm que fazer isso?

— Só ao meio-dia — respondeu a menina. — Seria melhor também rezar às seis da manhã e no fim da tarde, mas a mamãe, o papai e a Kitty ficam muito ocupados.

Na véspera, Lib havia cometido o erro de dizer à empregada que poderia esperar o almoço. Desta vez, foi até a porta e a chamou, dizendo que gostaria de comer alguma coisa.

Kitty levou-lhe queijo cremoso fresco; devia ser ele a coisa branca que pingava do saco de musselina pendurado entre as cadeiras, na noite anterior. O pão, ainda quente, era muito carregado no farelo para o gosto de Lib. Enquanto esperava as novas batatas do outono, a família só poderia estar chegando perto do pó no fundo do latão de metal.

Embora já estivesse acostumada a comer diante de Anna, Lib continuava a se sentir uma porca, com o focinho enfiado na gamela.

Ao terminar, tentou ler o primeiro capítulo de um romance chamado *Adam Bede*. Assustou-se quando a freira bateu à porta, à uma da tarde; quase havia esquecido que seu turno ia acabar.

— Olhe, irmã — disse Anna, fazendo girar seu taumatrópio.

— Que coisa!

Lib percebeu que, também desta vez, ela e a outra enfermeira não teriam um momento a sós. Chegou mais perto, até ficar com o rosto quase ao lado da touca da freira, e cochichou:

— Não notei nada impróprio até agora. E a senhora?

Hesitação.

— Não devemos conversar.

— Sim, mas...

— O dr. McBrearty foi muito firme ao dizer que não deveria haver troca de opiniões.

— Não estou atrás das suas opiniões, irmã — rebateu Lib. — Apenas de fatos básicos. Pode me garantir que a senhora está anotando cuidadosamente qualquer coisa excretada, por exemplo? Algum sólido, quero dizer.

Muito baixo:

— Não houve nada dessa natureza.

Lib fez que sim com a cabeça.

— Expliquei à sra. O'Donnell que não deve haver nenhum contato sem supervisão — continuou. — Um abraço ao levantar, digamos, e outro na hora de ir para a cama. Além disso, ninguém da família deve entrar no quarto da Anna quando ela não estiver nele.

A freira parecia um daqueles mudos contratados por agentes funerários.

Lib seguiu seu rumo pela ruela de terra, que tinha buracos com ovais de céu azul: a chuva da noite anterior. Estava chegando à conclusão de que, sem uma colega de enfermagem trabalhando de acordo com os próprios padrões elevados — os padrões da srta. N. —, toda a vigília seria falha. Por falta da devida vigilância de uma criança astuciosa, toda essa trabalheira e essa despesa poderiam ser desperdiçadas.

No entanto, Lib ainda não vira nenhuma prova real de ardileza na menina. A não ser por uma imensa mentira, é claro: a afirmação de viver sem alimento.

Maná dos céus, fora sobre isto que ela esquecera de fazer perguntas à irmã Michael. Lib podia não ter grande fé no julgamento da freira, mas a mulher, com certeza, conheceria a Bíblia, não é?

A tarde estava quase quente; a inglesa tirou a capa e a carregou no braço. Afrouxou o colarinho e desejou que seu uniforme fosse menos grosso e dado a pinicar.

No quarto em cima da mercearia-taberna, trocou a roupa por um costume verde. Não suportaria ficar lá dentro, nem por um minuto. Já passara metade do dia encerrada.

No térreo, dois homens carregavam uma forma inconfundível, saindo de um corredor. Lib recuou.

— Queira desculpar, sra. Wright — disse Maggie Ryan. — Num instante eles o tiram do caminho.

Lib viu os homens contornarem o balcão com o caixão sem verniz.

— Meu pai também é o agente funerário — a moça explicou —, por ter as duas charretes de aluguel.

Com que, então, a charrete do lado de fora da janela também fazia as vezes de carro fúnebre, conforme a necessidade. A combinação de atividades comerciais de Ryan pareceu repugnante a Lib.

— Aqui é um lugar sossegado — disse.

Maggie fez que sim, enquanto a porta se fechava atrás do caixão.

— Nós tínhamos o dobro do tamanho de agora, antes dos tempos ruins.

Nós, o povo do vilarejo, ou o do condado? Ou da Irlanda inteira, talvez? Os *tempos ruins*, supôs Lib, teriam sido aquela desgraça terrível com a batata, fazia uns dez ou quinze anos. Ela tentou recordar os detalhes. Em geral, tudo o que conseguia lembrar das notícias antigas era um vislumbre de manchetes em negrito. Quando jovem, ela nunca examinava de fato o jornal, dava apenas uma espiada. Dobrava o *Times* e o deixava ao lado do prato de Wright, todas as manhãs, no ano em que fora mulher dele.

Pensou nos mendigos.

— Na vinda para cá, vi muitas mulheres sozinhas com os filhos — mencionou a Maggie Ryan.

— Ah, muitos homens vão passar a estação fora, justamente fazendo a colheita lá para os seus lados — disse Maggie.

Lib entendeu que ela se referia à Inglaterra.

— Mas a maioria do pessoal jovem se interessa mesmo é pela América, e aí não tem volta para casa.

Ela levantou o queixo, como quem dissesse *já vai tarde* a esse *pessoal jovem* que não ficava ancorado naquele lugar.

A julgar pelo rosto, Lib achou que a própria Maggie não poderia ter mais de vinte anos.

— Você não consideraria essa ideia? — perguntou.

— Ora, não há lugar melhor que o nosso lar, como dizem. — Seu tom foi mais de resignação que de carinho.

Lib pediu-lhe informações sobre o caminho para a casa do dr. McBrearty.

Era uma residência imponente no fim de uma alameda, que saía mais adiante da estrada para Athlone. Uma criada tão decrépita quanto o patrão conduziu Lib ao estúdio. McBrearty tirou os óculos octogonais ao se levantar.

Vaidade?, pensou a inglesa. Teria ele a fantasia de parecer mais jovem sem os óculos?

— Boa tarde, sra. Wright. Como vai?

Irritada, Lib pensou em dizer. *Frustrada. Tolhida por todos os lados.*

— Alguma coisa de natureza urgente a informar? — perguntou ele, enquanto os dois se sentavam.

— Urgente? Não exatamente.

— Nenhum indício de fraude, portanto?

— Nenhuma prova positiva — Lib o corrigiu. — Mas achei que o senhor visitaria sua paciente para ver por si.

As faces encovadas do médico enrubesceram.

— Ah, eu lhe asseguro que a pequena Anna está sempre no meu pensamento. Na verdade, estou tão preocupado com a vigília que achei melhor me ausentar, para que depois não se possa insinuar que exerci alguma influência sobre as suas constatações.

Lib deu um pequeno suspiro. McBrearty ainda parecia supor que a vigília provaria que a garotinha era um milagre moderno.

— Estou preocupada porque a temperatura da Anna parece baixa, especialmente nas extremidades.

— Interessante. — McBrearty esfregou o queixo.

— A pele dela não está boa — Lib prosseguiu —, nem as unhas ou o cabelo. — Isto parecia coisa insignificante de revistas de beleza. — E há uma penugem crescendo em todo o corpo dela. No entanto, o que mais me preocupa é o inchaço nas pernas; no rosto e nas mãos também, mas a parte inferior das pernas é a pior. Ela recorreu ao uso das botas velhas do irmão.

— *Hmm*, sim, faz algum tempo que a Anna sofre de hidropisia. Mas não se queixa de dor.

— Bem, ela não se queixa de nada.

O médico fez que sim com a cabeça, como se isso o tranquilizasse.

— A digitalina é um remédio comprovado para a retenção de líquidos, mas é claro que ela não vai tomar nada pela boca. Poderíamos recorrer a uma dieta seca...

— Limitar ainda mais os líquidos que ela ingere? — A voz de Lib elevou-se marcantemente. — Ela só toma algumas colheradas de água por dia, nas circunstâncias atuais.

O dr. McBrearty puxou as suíças.

— Eu poderia reduzir mecanicamente as pernas dela, acho.

Referia-se a sangrias? Ao uso de sanguessugas? Lib desejou não ter dito uma só palavra àquele antediluviano.

— Mas isso tem seus próprios riscos. Não, não... de modo geral, é mais seguro observar e aguardar.

Lib continuou inquieta. Por outro lado, se Anna vinha pondo em risco sua saúde, de quem era a culpa senão dela mesma? Ou de quem quer que a estivesse induzindo a isso, supôs a enfermeira.

— Ela não parece uma criança que não come há quatro meses, não é? — perguntou o médico.

— Longe disso.

— É exatamente a minha visão! Uma anomalia maravilhosa.

O velho a entendera mal. Estava propositalmente cego para a conclusão óbvia: a menina estava sendo alimentada, de algum modo.

— Doutor, se a Anna não estivesse mesmo recebendo nutriente algum, não lhe parece que agora estaria prostrada? É claro que o senhor deve ter visto muitos pacientes sofrendo de inanição durante a praga da batata, muito mais do que eu — Lib acrescentou, como um pequeno agrado, para bajular a mestria dele.

McBrearty abanou a cabeça.

— Acontece que eu ainda estava em Gloucestershire na época. Só herdei esta propriedade há cinco anos, e não consegui arrendá-la, por isso pensei em voltar e clinicar aqui.

Levantou-se, como que para dizer que a conversa estava encerrada.

— Além disso — ela se apressou a continuar —, não posso dizer que eu tenha extrema confiança em minha colega de enfermagem. Não será uma tarefa simples manter um estado completo de alerta, em especial durante os plantões noturnos.

— Mas a irmã Michael deve ter grande tarimba nisso — retrucou o médico. — Ela trabalhou no Hospital Beneficente de Dublin por doze anos.

Ah... Por que ninguém havia pensado em lhe dizer isso?

— E, na Casa de Misericórdia, elas se levantam à meia-noite para o Ofício Noturno, eu acho, e de novo para Laudes, ao amanhecer.

— Entendo — disse Lib, mortificada. — Bem. O verdadeiro problema é que as condições na cabana são sumamente anticientíficas. Não tenho como pesar a menina, e não há lampiões para fornecer luz adequada. É fácil ter acesso ao quarto da Anna pela cozinha, de modo que qualquer um poderia entrar lá quando a levo para caminhar. Sem a autoridade do senhor, a sra. O'Donnell não me deixa nem mesmo fechar a porta para os bisbilhoteiros, o que torna impossível vigiar a menina com rigor suficiente. Eu poderia ter uma instrução escrita sua, dizendo que nenhum visitante deve ser admitido?

— Sem dúvida, sim.

McBrearty enxugou a pena num paninho e pegou uma página em branco. Remexeu o bolso do paletó.

— A mãe talvez resista a rejeitar a multidão, é claro, por causa da perda do dinheiro. — O velho piscou os olhos remelentos e continuou a escavacar o bolso. — Ah, mas todas as doações vão para a caixa dos pobres que o sr. Thaddeus deixou com os O'Donnell. A senhora não compreende essas pessoas, se pensa que eles ficariam com um tostão que fosse.

Lib trincou os dentes.

— Por acaso o senhor está procurando seus óculos? — perguntou, apontando para onde eles estavam, entre os papéis do médico.

— Ah, ótimo. — Ele fixou as hastes sobre as orelhas e começou a escrever. — O que acha da Anna em outros aspectos, se me permite perguntar?

Em outros aspectos?

— O senhor quer dizer "no estado de ânimo"?

— No... Bem, no caráter, suponho.

Lib sentiu-se perdida. *Uma boa menina. Mas uma trapaceira da pior espécie.* Tinha de ser. Não era?

— Em geral, ela é calma — disse, em vez disso. — O que a srta. Nightingale costumava descrever como um temperamento acumulativo, do tipo que incorpora impressões aos poucos.

McBrearty iluminou-se ao ouvir esse nome, a tal ponto que Lib desejou não tê-lo usado. Ele assinou o bilhete, dobrou-o e o estendeu à inglesa.

— O senhor poderia mandar entregá-lo na casa dos O'Donnell, por favor, para que eles ponham fim a essas visitas ainda hoje à tarde?

— Ah, certamente. — Ele tornou a tirar os óculos e os dobrou ao meio com dedos trêmulos. — Carta fascinante na última edição do *Telegraph*, por falar nisso. — Remexeu os papéis sobre a escrivaninha, sem encontrar o que procurava. — Menciona vários casos anteriores de "jovens jejuadoras" que viviam sem comer, ou assim se disse que viviam, pelo menos — corrigiu-se —, tanto na Grã-Bretanha quanto no exterior, ao longo dos séculos.

É mesmo? Lib nunca ouvira falar desse fenômeno.

— O autor sugere que, possivelmente, elas teriam, *hmm*... bem, para falar sem muitos rodeios... teriam reabsorvido, subsistido da própria menstruação.

Que teoria revoltante! E, depois, essa menina tinha apenas onze anos.

— A meu ver, a Anna está muito longe de ser pubescente.

— *Hmm*, é verdade. — McBrearty pareceu desanimado. Em seguida, os cantos de sua boca curvaram-se para cima. — E pensar que eu poderia ter ficado na Inglaterra e nunca ter tido a sorte de me deparar com um caso destes!

Depois de deixar a casa do médico, Lib saiu caminhando, tentando relaxar as pernas enrijecidas e se desfazer da atmosfera daquele estúdio bolorento.

Uma alameda levava a um arvoredo. Lib notou folhas lobuladas como as do carvalho, porém em galhos mais retos que os dos carvalhos ingleses. As cercas vivas eram espinhosas, por causa dos tojos, e ela aspirou o buquê dos botõezinhos amarelos. Havia flores pendentes, cor-de-rosa, que Anna O'Donnell, certamente, saberia denominar. Lib tentou identificar algum dos pássaros que chilreavam nos arbustos, mas o ribombar grave do abetouro foi o único que reconheceu com certeza — como a sirene de nevoeiro de um navio invisível.

Uma árvore se destacava ao final de um campo; havia algo estranho em seus galhos caídos. Lib foi escolhendo o caminho ao longo do rego mais externo — embora suas botas já estivessem tão enlameadas que ela nem sabia ao certo por que se dava o trabalho de tomar cuidado. A árvore ficava mais longe do que parecia, um bom estirão além de onde terminavam as faixas cultivadas, depois de um afloramento de calcário cinzento, rachado pelo sol e pela chuva. Ao se aproximar, Lib viu que se tratava de um pilriteiro, com novos gravetos brotando, vermelhos, em contraste com as folhas lustrosas. Mas o que era aquilo que pendia em tiras dos galhos rosados? Musgo?

Não, musgo não. Lã?

Lib quase tropeçou numa pocinha numa pedra fendida. Duas libélulas azuis juntavam-se poucos centímetros acima da água. Seria aquilo uma fonte? Algo parecido com utriculárias margeava a borda. De repente, Lib sentiu uma sede enorme, mas, ao se agachar, as libélulas desapareceram e a água pareceu tão negra quanto o solo turfoso. Ela pegou um pouco na concha da mão. Tinha um cheiro semelhante ao do creosoto, o que a fez engolir a sede e derramar a água.

Não era lã que pendia dos galhos do pilriteiro acima dela; era algo feito por mãos humanas, em tiras. Que peculiar... Fitas, echarpes? Fazia tanto tempo que tinham sido amarradas na árvore que se mostravam cinzentas e vegetais.

⁂

De volta à mercearia-taberna do Ryan, na salinha de jantar, ela encontrou um homem ruivo que estava terminando uma costeleta e enchendo de anotações uma agenda muito parecida com a dela, com mão rápida. Ele se pôs de pé num salto.

— A senhora não é daqui.

Como ele poderia saber? Pelo vestido verde simples que ela usava, por seu porte?

O homem tinha, aproximadamente, a altura dela, alguns anos mais moço, com aquela pele leitosa inconfundivelmente irlandesa sob cachos de um tom chamativo, e falava com sotaque, porém um sotaque instruído.

— William Byrne, do *Irish Times*.

Ah, o *escrevedor* mencionado pelo fotógrafo. Lib aceitou seu aperto de mão.

— Sra. Wright.

— Visitando os pontos turísticos da região central?

Ele não adivinhava por que Lib estava ali, portanto; tomou-a por uma turista.

— Existe algum?

Saiu sarcástico demais.

Byrne deu um risinho.

— Bem, vejamos, isso depende do quanto sua alma seja tocada pela atmosfera enigmática de círculos de pedra, fortalezas circulares ou outeiros redondos.

— Não estou familiarizada com os dois últimos.

Ele fez uma careta.

— Variações do círculo de pedras, acho.

— Então, todos os pontos turísticos desta região são rochosos e circulares?

— Exceto pelo mais recente — disse William Byrne: — uma menina mágica que vive de brisa.

Lib enrijeceu.

— Não é o que eu chamaria de notícia séria, mas meu editor em Dublin achou que serviria para agosto. No entanto, estropiei minha égua num buraco, nos arredores de Mullingar, tive de passar duas noites cuidando dela até que ficasse boa, e, agora que estou aqui, fui repelido da humilde choupana da menina!

Um estremecimento de embaraço; ele devia ter chegado logo depois do bilhete que Lib fizera McBrearty enviar aos O'Donnell. Francamente, porém, mais publicidade para esse caso atiçaria as chamas da ilusão, e a vigília só poderia ter prejuízo com a bisbilhotice de um repórter de jornal.

Lib gostaria de pedir licença e subir, antes que Byrne pudesse dizer mais alguma coisa sobre Anna O'Donnell, mas precisava de seu jantar.

— O senhor não poderia ter deixado seu cavalo e alugado outro?

— Desconfiei que eles dariam um tiro na Polly, em vez de alimentá-la com purê quentinho, como eu fiz.

Ela sorriu diante da imagem do jornalista encolhido na baia da égua.

— A verdadeira catástrofe foi minha recepção fria na cabana do prodígio — queixou-se Byrne. — Despachei um parágrafo cáustico para o jornal pelo telégrafo, mas agora tenho de inventar uma reportagem completa para enviar pela mala postal desta noite.

Seria ele sempre tão franco ao falar com estranhos? Lib não conseguiu pensar em nada para dizer, exceto:

— *Cáustico* por quê?

— Bem, depõe contra a honestidade da família o fato de ela nem me deixar entrar pela porta, por medo de que eu desmascare sua *Wunderkind* à primeira vista, não é?

Não era justo com os O'Donnell, mas Lib dificilmente poderia lhe contar que ele estava falando justamente com a pessoa que havia insistido em proibir as visitas. Seus olhos baixaram e correram para as anotações do repórter:

Como é ilimitável a credulidade humana, especialmente, convém dizer, quando combinada com a ignorância provinciana. Mas Mundus vult decipi, ergo decipiatur, ou seja, "O mundo quer ser enganado; logo, que seja enganado". Assim disse Petrônio nos tempos de Nosso Senhor, num aforismo que é igualmente pertinente à nossa época.

Maggie Ryan entrou com mais cerveja para Byrne.

— As costeletas estavam uma delícia — ele lhe disse.

— Ora, vamos — disse Maggie, com um toque de desdém —, a fome é o melhor tempero.

— Acho que vou comer uma costeleta — disse Lib.

— Elas acabaram, madame. Tem carneiro.

Lib aceitou o carneiro, já que não havia escolha. Em seguida, baixou imediatamente a cabeça para o *Adam Bede*, para que William Byrne não se sentisse convidado a ficar.

❦

Quando chegou à cabana, às nove horas da noite, ela reconheceu o coro murmurado do terço: *Santa Maria, Mãe de Deus, rogai por nós, pecadores, agora e na hora de nossa morte, amém.*

Entrou sozinha e esperou num dos banquinhos de três pés que os irlandeses chamavam de penitentes. Pareciam bebês esses católicos, balbuciando palavras enquanto apertavam suas continhas. A cabeça da irmã Michael estava levantada, pelo menos, com os olhos pousados na menina, mas estaria a freira concentrada nela, ou nas orações?

Anna já estava de camisola. Lib observou seus lábios formarem as palavras, repetidamente: *Agora e na hora da nossa morte, amém*. Por sua vez, correu os olhos pela mãe, pelo pai, pela prima pobre, pensando em qual deles estaria tramando algo para fugir do escrutínio dela nessa noite.

— Irmã, a senhora fica para uma xícara de chá conosco? — perguntou depois Rosaleen O'Donnell.

— Não, sra. O'Donnell, mas muito obrigada.

A mãe de Anna estava exibindo sua preferência pela freira, concluiu Lib. É claro que eles haveriam de gostar da irmã Michael, familiar e inofensiva.

Rosaleen O'Donnell estava usando um rastelo pequeno para juntar as brasas num círculo. Arrumou três novos torrões, como aros numa roda, e se acocorou, benzendo-se. Quando a nova turfa pegou fogo, ela tirou um punhado de cinzas de uma lata e as espalhou sobre as chamas, para diminuí-las.

Lib teve a sensação atordoante de que o tempo poderia desabar sobre si mesmo como as brasas. De que, na penumbra dessas cabanas, nada havia mudado desde o tempo dos druidas, e nada jamais mudaria. Como era aquele verso do hino que era cantado em sua escola? "A noite é escura e estou longe de casa."

Enquanto a freira amarrava sua capa no quarto, Lib perguntou-lhe como fora o dia.

Três colheradas de água ingeridas, segundo a irmã Michael, e uma caminhada curta. Nenhum sintoma de melhora ou piora.

— E, se tivesse visto a menina ter alguma conduta sub-reptícia — disse Lib, num sussurro —, imagino que a senhora consideraria isto um *fato* relevante e o mencionaria para mim, pois não?

A freira assentiu com a cabeça, reservada.

Era exasperante; o que elas estariam deixando de ver? Mesmo assim, a menina não poderia aguentar por muito mais tempo. Esta noite, Lib a pegaria, tinha quase certeza.

Arriscou dizer mais uma coisa:

— Eis um fato. *Maná dos céus* — murmurou no ouvido da irmã Michael. — Foi o que ouvi a Anna dizer a um visitante, hoje de manhã: que está vivendo do maná dos céus.

A freira fez outro pequeno meneio com a cabeça. Mera confirmação do que Lib tinha dito, ou afirmação de que isso era mesmo possível?

— Achei que a senhora conheceria a referência bíblica.

A irmã Michael franziu o cenho.

— O Êxodo, acredito.

— Obrigada. — Lib tentou pensar numa nota mais coloquial para encerrar a conversa. — Sempre me intrigou — disse, deixando a voz elevar-se — a razão de vocês, irmãs de Misericórdia, serem chamadas de freiras caminhantes.

— Caminhamos pelo mundo, entende, sra. Wright? Fazemos os votos habituais de qualquer ordem, os de pobreza, castidade e obediência, mas também fazemos um quarto voto: servir.

Lib nunca ouvira a freira falar tanto, até aquele momento.

— Que tipo de serviço?

Anna interrompeu:

— Prestado aos doentes, aos pobres e aos ignorantes.

— Bem lembrado, menina — disse a freira. — Nós juramos ser úteis.

Quando a irmã Michael saiu do quarto, Rosaleen O'Donnell entrou, mas não disse palavra. Será que agora se recusava a falar com a inglesa, depois da discussão da manhã sobre as visitas? Ela deu as costas a Lib, curvando-se para estreitar nos braços a menina miúda. Lib ouviu os termos carinhosos cochichados e observou as mãos grossas de Anna, pendendo nas laterais do corpo, vazias.

Em seguida, a mulher endireitou o corpo e disse:

— Que você durma bem esta noite, filhota, e que só cheguem a sua cama os mais doces sonhos. *Santo Anjo do Senhor, meu zeloso guardador, já que a ti me confiou a piedade divina* — tornou a se curvar, quase encostando a testa na da filha —, *sempre me vela e guarda, protege e ilumina.*

— *Amém* — acompanhou-a a menina na última palavra. — Boa noite, mamãe.

— Boa noite, filhota.

— Boa noite, sra. O'Donnell — interpôs Lib, com conspícua civilidade.

Passados alguns minutos, a criadinha entrou com um lampião sem cúpula e o pôs sobre a cômoda. Riscou um fósforo e acendeu o pavio até a chama surgir; depois se benzeu.

— Pronto, dona, aí está.

— Isso é uma grande ajuda, Kitty — disse Lib. O lampião era uma coisa antiquada, com um queimador que parecia uma vareta bifurcada dentro de uma chaminé cônica de vidro, mas sua luz era branca como a neve. Ela cheirou o ar: — Não é óleo de baleia?

— É fluido combustível.

— O que é isso?

— Eu não saberia lhe dizer.

Esse misterioso fluido combustível tinha um cheiro parecido com terebintina; com álcool na mistura, talvez.

"Temos de ser catadoras de lixo em tempos de calamidade": essa frase da srta. N. voltou à lembrança de Lib nesse momento. Em Scutari, as enfermeiras tinham sido obrigadas a vasculhar depósitos em busca de cloreto de cal, tintura de ópio, cobertores, meias, lenha, farinha de trigo, pentes-finos... O que não conseguiam encontrar — ou não conseguiam convencer o fornecedor a lhes entregar —, elas tinham de improvisar. Lençóis rasgados transformavam-se em tipoias, sacos eram enchidos de estofo para fazer colchões pequeninos; o desespero era a mãe do improviso.

— Tome a lata e a tesoura para o lampião — disse Kitty. — Depois de seis horas, a senhora o apaga e corta a ponta queimada, e completa o líquido e torna a acender o pavio. E cuidado com as correntes de ar, como disse o homem, senão elas podem soltar fuligem pelo quarto feito uma chuva preta!

A menina estava ajoelhada junto à cama, mãos postas em oração.

— Boa noite, filhota — disse-lhe Kitty, com um grande bocejo, e voltou, arrastando os pés, para a cozinha.

Lib abriu uma nova página e pegou o lápis metálico.

Terça-feira, 9 de agosto, 21h27min
Pulso: 93 batidas por minuto.
Pulmões: 14 respirações por minuto.
Língua: sem alterações.

Seu primeiro plantão noturno. Ela nunca se incomodara por trabalhar nesse horário; havia algo tranquilizador no silêncio. Fez uma última passagem pelos lençóis com a palma da mão. A busca de migalhas ocultas já se tornara uma rotina.

Seus olhos pousaram na parede caiada, e ela pensou no estrume, nos pelos, no sangue e no leitelho misturados nela. Como fora possível que, algum dia, uma superfície daquelas tenha ficado limpa? Lib imaginou Anna a sugá-la, à procura de um vestígio de alimento, como aqueles bebês desobedientes que comiam punhados de terra. Mas não, isso lhe deixaria manchas na boca, com certeza. E, depois, Anna já nunca ficava sozinha, desde que se iniciara a vigília. Velas, sua roupa, páginas arrancadas dos livros, fragmentos da própria pele, a menina não teria chance de mordiscar nenhuma dessas coisas sem ser observada.

Anna terminou suas orações murmurando a da Dora. Depois, fez o sinal da cruz e se deitou sob o lençol e o cobertor cinza. Sua cabeça aninhou-se no travesseiro fino.

— Você não tem outro travesseiro? — perguntou Lib.

Um sorrisinho.

— Eu não tinha nenhum, até a coqueluche.

Era um paradoxo: Lib pretendia expor ao mundo os estratagemas da menina, mas, enquanto isso, queria que ela tivesse uma boa noite de sono. Os velhos hábitos da enfermagem são difíceis de abandonar.

— Kitty — Lib chamou da porta. Os O'Donnell já haviam desaparecido, mas a criada estava pondo um colchãozinho velho no assento do banco. — Pode me arranjar um segundo travesseiro para a Anna?

— É claro, leve o meu — disse a criada, estendendo uma forma encaroçada dentro de uma fronha de algodão.

— Não, não...

— Leve, eu nem vou notar, de tanto que estou caindo de cansada.

— O que está havendo, Kitty? — veio a voz de Rosaleen O'Donnell da alcova: o puxado, era assim que a chamavam.

— Ela quer outro travesseiro para a menina.

A mãe afastou para o lado a cortina de sacos de farinha.

— A Anna não está passando bem?

— Eu só estava querendo saber se haveria um travesseiro sobrando — disse Lib, sem graça.

— Fique com os dois — disse Rosaleen O'Donnell, carregando seu travesseiro pela cozinha e empilhando-o sobre o da criada. — Amorzinho, você está boa? — perguntou, enfiando a cabeça pela porta do quarto.

— Estou ótima — respondeu Anna.

— Basta um — disse Lib, pegando o travesseiro da Kitty.

A sra. O'Donnell farejou o ar.

— O cheiro desse lampião não está deixando você enjoada, está? Ou fazendo seus olhos arderem?

— Não, mamãe.

A mulher estava exibindo sua apreensão, era isso, fazendo parecer que a enfermeira desumana estava prejudicando a criança por insistir numa luz brutalmente forte.

A porta enfim se fechou, e a enfermeira e a menina ficaram sozinhas.

— Você deve estar cansada — disse Lib a Anna.

Um longo momento.

— Não sei.

— Talvez seja difícil adormecer, já que você não está acostumada com o lampião. Quer ler alguma coisa? Ou quer que eu leia para você?

Nenhuma resposta.

Lib chegou mais perto da menina, que, afinal, já havia adormecido. As faces de neve eram arredondadas como pêssegos.

Vivendo do *maná dos céus*. Que besteirada! O que era o maná, exatamente: um tipo de pão?

O Livro do Êxodo, isso era no Velho Testamento. Mas o único livro da Bíblia que Lib pôde encontrar na caixa dos tesouros de Anna foi o dos Salmos. Ela o folheou, tomando cuidado para não desarrumar os santinhos. Não havia nenhuma menção ao maná, que ela pudesse ver. Uma passagem chamou sua atenção: *Crianças estranhas mentiram para mim, crianças estranhas desapareceram e se detiveram em seu caminho*. O que vinha a ser o significado disso? Anna era uma *criança estranha*, com certeza. Tinha-se *detido* no *caminho* comum da meninice, ao resolver mentir para o mundo inteiro.

Então ocorreu a Lib que a pergunta a fazer não era *como* uma criança poderia cometer tamanha fraude, mas *por quê*. As crianças contavam mentiras, sim, mas é claro que só uma criança de natureza perversa inventaria esta história particular. Anna não manifestava o menor interesse em fazer fortuna. Os jovens ansiavam por atenção, até por fama, talvez — mas ao preço de uma barriga vazia, um corpo dolorido e a inquietação constante sobre como levar adiante o embuste?

A não ser que os O'Donnell tivessem inventado esse monstruoso esquema, é claro, e feito Anna participar dele por meio da intimidação, para poderem lucrar com os visitantes que correm a procurá-la. No entanto, ela não parecia uma criança coagida. Era dona de uma firmeza serena, de um ar de autodomínio incomum em alguém tão jovem.

Os adultos também podiam ser mentirosos deslavados, é claro, e em nenhum assunto tanto quanto a respeito do próprio corpo. Na experiência de Lib, os que se recusavam a tapear um comerciante em um centavo mentiam sobre quanto conhaque tinham bebido, ou sobre no quarto de quem tinham entrado e o que haviam feito lá. Garotas estourando os espartilhos negavam seu estado até serem apanhadas pelas dores do parto. Maridos juravam de pés juntos que os machucados no rosto de sua mulher não eram obra deles. Todo o mundo era um repositório de segredos.

Os santinhos a estavam distraindo, com seus detalhes sofisticados — alguns com bordas parecidas com renda — e seus nomes exóticos. São Luís Gonzaga, Santa Catarina de Siena, São Felipe Néri, Santa Margarida da Escócia, Santa Isabel da Hungria; como um conjunto de bonecas em trajes nacionais. "Ele pode escolher qualquer um", dissera Anna, qualquer pecador ou descrente. Uma série inteira sobre os sofrimentos finais de Cristo, *Nosso Senhor despojado de Suas vestes*. Quem poderia achar boa ideia pôr imagens tão sinistras nas mãos de uma criança, e uma criança sensível ainda por cima?

Um dos santinhos mostrava uma menina com uma pomba acima da cabeça: *Le Divin Pilote*. Significaria o título que Cristo pilotava o barco da menina, invisivelmente? Ou, talvez, o piloto fosse a pomba. O Espírito Santo não era frequentemente exibido como um pássaro? Ou será que a figura que Lib havia tomado por uma menina era Jesus, na verdade, com proporções infantis e cabelo comprido?

Em seguida, uma mulher vestida de púrpura — A Virgem Maria, calculou Lib — levava um rebanho de ovelhas a beber num lago com borda de mármore. Que mistura curiosa de elegância e rusticidade! No santinho seguinte, a mesma mulher enfaixava uma ovelha de barriga redonda. Aquele curativo nunca ficaria no lugar, na opinião de Lib. *Mes brebis ne périssent jamais et personne ne les ravira de ma main*. Ela lutou para entender o francês. Os não-sei-quês nunca pereciam e ninguém poderia arrebatá-los da mão dela?

Anna mexeu-se, deixando a cabeça escorregar dos travesseiros e se aninhar na curva do ombro. Lib fechou rapidamente os santinhos dentro do livro deles.

Mas Anna continuou a dormir. Angelical, como se afiguravam todas as crianças naquele estado de arrebatamento. Os traços alvos de seu rosto não provavam nada. Lib lembrou a si mesma: o sono podia fazer até adultos parecerem inocentes. *Sepulcros caiados*.

O que lhe trouxe outra lembrança: a Madona com o Menino Jesus. Ela estendeu a mão por cima dos livros da caixinha e pegou o castiçal. O que teria Anna confiado àquela estatueta pintada em tons pastel? Lib a sacudiu; nenhum som. Era um tubo oco, aberto no fundo. Ela espiou até ver a cabeça escurecida da Virgem, à procura do reservatório minúsculo de algum alimento ricamente nutritivo. Quando aproximou o castiçal do nariz, não sentiu cheiro de nada. Seu dedo esquadrinhador sentiu... uma coisa que ela mal pôde roçar com a unha curta. Um pacote em miniatura?

A tesoura em sua bolsa. Lib deslizou as lâminas sobre o interior áspero da estatueta, escavando. O que ela precisava era de um gancho, na verdade; mas como encontrar algum no meio da noite? Escavou com mais força...

E sibilou quando a coisa toda se partiu em duas. O menino de porcelana separou-se da mãe de porcelana em suas mãos.

O embrulhinho — insubstancial, depois disso tudo — soltou-se de seu esconderijo. Quando Lib desdobrou o papel, tudo o que encontrou foi um cacho de cabelo; escuro, mas não vermelho como o de Anna. O papel amarelado tinha sido rasgado, ao acaso, aparentemente, de uma coisa chamada *Freeman's Journal*, perto do fim do ano anterior.

Ela havia quebrado um dos tesouros da menina para nada, como uma novata desastrada em seu primeiro plantão. Recolocou os pedaços na caixa, com o embrulhinho de cabelo entre eles.

Anna continuava a dormir. Não havia nenhum outro lugar para Lib examinar, nada mais a fazer senão olhar fixo para a menina, como uma fiel venerando um ícone. Mesmo que a criança estivesse furtando uma ou outra dentada, de algum modo, como poderia isso ser suficiente para aplacar as dores da fome? Por que elas não a estavam atormentando até fazê-la acordar?

Lib posicionou a cadeira de corda de espaldar duro diretamente defronte da cama. Sentou-se e endireitou os ombros. Consultou o relógio: vinte e duas horas e quarenta e nove minutos. Não era preciso apertar o botão para saber a hora, mas assim mesmo ela o apertou, só pela sensação — a batida surda em seu polegar, dez vezes, rápida e forte, no começo, depois ficando mais lenta e mais fraca.

Esfregou os olhos e os concentrou na menina. *Nem por uma hora pudestes velar comigo?* Ela se recordou desse versículo do Evangelho. Mas não estava velando *com* Anna. Tampouco velava *a menina*, para mantê-la a salvo de danos. Apenas a vigiava.

Anna parecia inquieta, em alguns momentos. Enrolava-se no cobertor como uma samambaia se enroscando. Estaria com frio? Não havia outro cobertor; mais uma coisa que Lib deveria ter pedido enquanto Kitty ainda estava em pé. Estendeu um xale quadriculado sobre a menina. Anna resmungou como quem rezasse, mas isso não provava que estivesse acordada. Por via das dúvidas, Lib não emitiu um som. (A srta. N. nunca deixava suas enfermeiras acordarem os pacientes, porque o efeito desagradável poderia fazer um mal enorme.)

O lampião precisou ser aparado duas vezes e reenchido uma vez; era uma coisa desajeitada e malcheirosa. Durante algum tempo, depois da meia-noite, os O'Donnell pareceram conversar junto ao fogo, na cozinha ao lado. Aprimorando suas tramas? Ou apenas falando daquele jeito desconexo que era comum nas pessoas, entre o primeiro período de sono e o segundo? Lib não conseguiu discernir a voz de Kitty; talvez a criada estivesse exausta o bastante para dormir durante aquilo tudo.

Às cinco da manhã, quando a freira bateu de leve na porta do quarto, Anna inspirava e expirava nos movimentos longos e regulares que significavam o sono mais profundo.

— Irmã Michael. — Lib levantou-se de um salto, com as pernas enrijecidas.

A freira fez um aceno agradável com a cabeça.

Anna mexeu-se e virou de lado. Lib prendeu a respiração, esperando até ter certeza de que a menina continuava dormindo.

— Não consegui achar uma Bíblia — cochichou. — O que era esse maná, exatamente?

Uma pequena hesitação; ficou claro que a freira estava decidindo se este seria ou não o tipo de conversa permitido pelas instruções recebidas por elas.

— Se bem me lembro, ele caía do céu todos os dias, para alimentar os filhos de Israel em sua fuga de seus perseguidores pelo deserto.

Enquanto falava, irmã Michael tirou da bolsa um livro preto e folheou o papel lustroso e quase transparente. Consultou uma página, depois a anterior, depois a que vinha antes desta. Pôs a ponta de um dedo grosso no papel.

Lib leu, por cima do ombro dela:

Pela manhã se havia formado uma camada de orvalho em torno de todo o acampamento. E, tendo evaporado essa camada de orvalho, eis que sobre a superfície do deserto havia uma coisa minúscula, granulosa, miúda como a geada sobre a terra. Ao verem isso, disseram os filhos de Israel uns aos outros: "Que é isto?" Pois não sabiam o que era. E Moisés lhes disse: "Este é o pão que o Senhor vos deu por alimento".

— É um grão, então? — perguntou Lib. — Sólido, embora seja descrito como orvalho?

O dedo da freira deslocou-se para baixo na página e se deteve em outra linha: "E era branco como semente de coentro, e o seu sabor, como bolos de mel".

Foi a simplicidade da coisa que impressionou Lib, a tolice: o sonho das crianças de catar doces no chão. Como encontrar no bosque uma casa feita de pão de mel.

— É só isso?

— "E os filhos de Israel comeram maná por quarenta anos" — leu a freira. Em seguida, fechou o livro.

Com que, então, Anna O'Donnell acreditava estar vivendo de um tipo de semente celestial. *Manhu*, que significava "o que é isto?" Lib sentiu-se vivamente tentada a chegar perto da outra mulher e dizer: *Admita, irmã Michael, será que ao menos uma vez a senhora não pode suspender seus preconceitos e reconhecer que tudo isso é conversa mole?*

Mas isto seria exatamente o tipo de troca de ideias que McBrearty havia proibido. (Seria por medo de que a inglesa pudesse revelar-se hábil demais, varrendo para longe as antigas teias de aranha da superstição com a vassoura da lógica?) Além disso, talvez fosse melhor não perguntar. Já era suficientemente ruim, na cabeça de Lib, que as duas estivessem trabalhando sob a supervisão de um velho charlatão. Se ela viesse a ter confirmada a suspeita de que sua colega de enfermagem acreditava que uma criança podia viver de pão vindo do Além, como poderia continuar a trabalhar com a mulher?

À porta, estava Rosaleen O'Donnell.

— Sua filha ainda não acordou — disse Lib.

O rosto desapareceu.

— Este lampião deve ficar aceso a noite inteira, de agora em diante — disse à freira.

— Muito bem.

Por último, uma pequena humilhação: Lib abriu a caixinha dos tesouros e apontou para o castiçal quebrado.

— Receio que isto tenha sido derrubado. A senhora pode transmitir à Anna as minhas desculpas?

A irmã Michael espremeu os lábios ao encaixar um no outro a Mãe e o Menino Jesus.

Lib pegou a capa e a bolsa.

Foi tremendo pela caminhada até o vilarejo. Havia alguma coisa torta em sua coluna. Ela estava com fome, supôs; não tinha comido nada desde o jantar da véspera, na hospedaria, antes de seu plantão noturno. Sentia a mente embotada. Estava exausta. Era quarta-feira de manhã e ela não dormia desde segunda. E, pior, estava levando um drible de uma garotinha.

Às dez horas, estava outra vez em pé. Difícil manter os olhos fechados, com toda a barulheira na mercearia abaixo.

O sr. Ryan, seu anfitrião de rosto vermelho, orientava um par de meninos que puxavam barris para sua adega. Com uma olhadela para trás, tossiu um som de papelão rasgando e disse que era muito tarde para o desjejum, pois não é que sua filha Maggie tinha de ferver os lençóis? Portanto, a sra. Wright teria de esperar pelo almoço.

Lib tinha ido perguntar se era possível mandar limpar suas botas, mas, em vez disso, pediu alguns trapos, graxa e escova, para cuidar disso pessoalmente. Se eles achavam que a inglesa era muito metida a importante para sujar as mãos, não poderiam estar mais enganados.

Quando as botas voltaram a reluzir, ela foi sentar-se para ler *Adam Bede* no quarto, mas o tom moralista do sr. Eliot estava ficando entediante, além do que seu estômago continuava a roncar. Os sinos do Ângelus tocaram do outro lado da rua. Lib consultou o relógio, que lhe disse já terem passado dois minutos do meio-dia.

Quando desceu para o refeitório, não havia mais ninguém por lá; o jornalista deveria ter voltado para Dublin. Ela mastigou seu pernil em silêncio.

— Bom dia, sra. Wright — disse Anna quando Lib entrou, à tarde. O quarto cheirava a lugar fechado. A menina estava alerta como sempre, tricotando um par de meias de lã cor de creme.

Lib arqueou as sobrancelhas para a irmã Michael, com ar de interrogação.

— Nenhuma novidade — murmurou a freira. — Duas colheradas de água ingeridas.

Fechou a porta ao sair.

Anna não disse palavra sobre o castiçal quebrado.

— Será que hoje a senhora pode me dizer seu nome de batismo? — perguntou.

— Eu lhe proponho uma charada, em vez disso — ofereceu Lib.

— Fale.

— "Pernas não tenho, mas danço" — recitou a inglesa.

Pareço uma folha, mas não cresço em árvores.
Pareço um peixe, mas a água me mata.
Sou sua amiga, mas não chegue muito perto!

— "Não chegue muito perto" — murmurou Anna. — Por quê? O que aconteceria se eu chegasse?

Lib esperou.

— Água, não. Nem tocar. "Só deixar que ela dance..." — O sorriso, então, escancarou-se. — Uma chama!

— Muito bem — disse Lib.

A tarde pareceu longa. Não no sentido silencioso e esticado do plantão noturno; era um tédio rompido por interrupções irritantes. Por duas vezes, houve batidas à porta da frente e Lib se preparou. Uma conversa em voz alta no degrau da entrada, depois Rosaleen O'Donnell entrou esbaforida no quarto da Anna, para anunciar que — conforme as ordens do dr. McBrearty — tivera de mandar as visitas embora. Meia dúzia de personagens importantes da França, na primeira vez, depois um grupo do Cabo, imagine! Essa boa gente ouvira falar da Anna ao passar por Cork, ou Belfast, e fizera todo esse trajeto de trem e carruagem, porque não podia pensar em deixar o país sem conhecê-la. Tinha insistido em que a sra. O'Donnell lhe entregasse este buquê e estes livros edificantes e transmitisse o seu fervoroso pesar por ter-lhe sido negado até mesmo um vislumbre da menininha maravilhosa.

Na terceira vez, Lib já estava com um aviso pronto, sugerindo que a mãe o colocasse na porta da frente.

FAÇAM A GENTILEZA DE NÃO BATER.
A FAMÍLIA O'DONNELL NÃO DEVE SER PERTURBADA.
ELA LHES AGRADECE PELA CONSIDERAÇÃO.

Rosaleen o levou com uma bufadela quase inaudível.

Anna pareceu não prestar atenção a nada disso, enquanto ia tricotando. Passou o dia como qualquer menina, pensou Lib — lendo, costurando, arrumando as flores das visitas num vaso alto —, exceto pelo fato de que não comeu.

Não *pareceu* comer, Lib corrigiu-se, aborrecida por ter resvalado para a aceitação do embuste, por um momento que fosse. Mas uma coisa era verdade: a menina não estava ingerindo nem mesmo uma migalha durante os plantões de Lib. Mesmo que, por acaso, a freira houvesse cochilado na noite de segunda-feira e Anna houvesse surrupiado alguns bocados, já era quarta-feira à tarde, o terceiro dia inteiro da menina sem nenhuma refeição.

A pulsação de Lib começou a acelerar, ao lhe ocorrer que, se a vigilância rigorosa estivesse impedindo Anna de obter alimentos por seus métodos anteriores, a garota poderia estar começando a sofrer seriamente. Seria possível a vigília estar surtindo o efeito perverso de transformar a mentira dos O'Donnell em verdade?

Da cozinha, a intervalos, vinham o chiado e a batida da criadinha numa antiga batedeira de pilão. Ela cantava num murmúrio rouco.

— Isso é um hino? — Lib perguntou à menina.

Anna abanou a cabeça.

— A Kitty tem que cativar a manteiga para ela vir — disse. E cantarolou a quadrinha:

Vem, manteiga, pro meu lado,
Vem, manteiga, pro meu lado,
O Pedro está lá na porta
Esperando bolo amanteigado.

Que se passaria na cabeça da criança quando ela pensava em manteiga ou bolo? Era o que Lib gostaria de saber.

Fixou o olhar numa veia azul no dorso da mão de Anna e pensou na estranha teoria mencionada por McBrearty, sobre a reabsorção do sangue.

— Imagino que suas menstruações ainda não tenham chegado, não é?

A menina fez uma expressão vazia.

Como é que diziam as irlandesas?

— Suas regras? Você já teve sangramentos?

— Algumas vezes — respondeu Anna, desanuviando a expressão.

— É mesmo? — Lib se espantou.

— Na boca.

— Ah.

Seria mesmo possível que uma menina camponesa de onze anos fosse tão inocente a ponto de não saber o que era tornar-se mulher?

Obsequiosamente, Anna pôs o dedo na boca e o tirou com a ponta vermelha.

Lib envergonhou-se de não ter examinado a gengiva da menina com cuidado suficiente no primeiro dia.

— Abra bem a boca um instante. — Sim, o tecido estava esponjoso, cor de malva em alguns pontos. Lib segurou um incisivo e o balançou; ligeiramente solto na raiz. — Tenho outra charada para você — disse, para tornar mais leve o momento.

Um bando de ovelhas brancas
Numa colina vermelha.
Vão para lá, vêm para cá,
Agora estão paradas.

— Dentes — exclamou Anna, num tom meio indistinto.
— Isso mesmo.
Lib limpou a mão no avental. Percebeu prontamente que teria de avisar a menina, ainda que isto não fizesse parte do que fora contratada para fazer:
— Anna, creio que você está sofrendo de uma doença típica das longas viagens marítimas, causada pela dieta precária.
A menina ficou escutando com a cabeça inclinada, como quem ouvisse uma história:
— Eu estou boa.
Lib cruzou os braços.
— Na minha opinião abalizada, você não tem nada de boa.
Anna apenas sorriu.
Uma onda de raiva sacudiu Lib. Uma menina abençoada com a saúde, embarcando naquele joguinho horroroso...
Kitty chegou nesse momento com a bandeja da enfermeira, deixando entrar da cozinha uma lufada de ar fumarento.
— O fogo tem sempre que ficar tão alto, mesmo num dia quente como hoje? — questionou Lib.
— A fumaça seca o colmo e conserva as vigas — disse a empregada, apontando para o teto baixo. — Se um dia a gente deixasse o fogo apagar, a casa com certeza cairia.
Lib não se deu o trabalho de corrigi-la. Será que havia um único aspecto da vida que essa criatura não visse pela lente escura da superstição?
O jantar desse dia consistiu em três peixes minúsculos, chamados pardelhas-dos-alpes, que o dono da casa havia pescado no lago, com sua rede. Não tinha nenhum sabor especial, porém ao menos era uma variação da aveia. Lib tirou da boca as espinhas delicadas e as colocou na lateral do prato.
Passaram-se as horas. Ela leu seu romance, mas perdeu repetidamente o fio da trama. Anna tomou duas colheradas de água e produziu um pouquinho de urina. Nada que equivalesse a uma prova, até aquele momento. Choveu por uns minutos, e as gotas escorreram pela pequena vidraça. Quando o tempo melhorou, Lib teria gostado de sair para dar uma volta, mas então lhe

ocorreu: e se houvesse ávidos suplicantes circulando pela ruela, na esperança de ter um vislumbre de Anna?

A menina tirou seus santinhos dos livros e murmurou palavras carinhosas para eles.

— Sinto muito pelo seu castiçal — Lib se apanhou dizendo. — Eu não deveria ter sido tão desajeitada, ou nem deveria tê-lo tirado da caixa, para começar.

— Eu a perdoo — disse Anna.

Lib tentou lembrar se algum dia alguém lhe dissera isso de maneira tão formal.

— Sei que você gostava dele. Não foi um presente para marcar sua cerimônia de crisma?

A menina tirou os pedaços do baú e afagou a rachadura em que as peças de porcelana se juntavam.

— É melhor a gente não se afeiçoar demais às coisas.

O tom de renúncia enregelou Lib. Então não era da natureza das crianças ser vorazes, ambicionarem todos os prazeres da vida? Ela se lembrou das palavras do terço: *A vós bradamos, os degredados filhos de Eva*. Devoradores de qualquer maná inesperado que pudessem achar.

Anna pegou o embrulhinho do cabelo e tornou a empurrá-lo para o interior da Virgem.

Muito escuro para ser dela. De um amigo? Do irmão? Sim, Anna poderia muito bem ter pedido um cacho de cabelo ao Pat antes que o navio o levasse embora.

— Que orações os protestantes fazem? — indagou a menina.

Lib assustou-se com a pergunta. Reuniu forças para dar uma resposta afável sobre as semelhanças entre ambas as tradições. Em vez disso, apanhou-se dizendo:

— Eu não rezo.

Os olhos de Anna se arregalaram.

— Também não frequento a igreja, já faz muitos anos — acrescentou. Perdida por um, perdida por mil.

— *Mais ventura que um banquete* — citou a menina.

— Perdão, o que disse?

— *A oração traz mais ventura que um banquete.*

— Nunca achei que fizesse grande bem. — Lib sentiu-se absurdamente embaraçada por sua admissão. — Não tinha a sensação de receber nenhuma resposta.

— Coitada da sra. Wright — murmurou Anna. — Por que não quer me dizer seu primeiro nome?

— *Coitada* por quê? — quis saber Lib.

— Porque a sua alma deve ficar solitária. Aquele silêncio que a senhora ouviu, quando tentou rezar, aquele é o som de Deus escutando.

O rosto da menina brilhava.

Uma comoção na porta da frente livrou Lib dessa conversa. Uma voz masculina, ressoando acima da de Rosaleen O'Donnell; sem conseguir discernir mais do que algumas palavras, Lib pôde perceber que se tratava de um cavalheiro inglês, e estava aborrecido. Depois veio o som da porta da frente se fechando.

Anna nem levantou os olhos do livro que havia apanhado, *O jardim da alma*.

Kitty entrou para verificar se o lampião estava pronto:

— Ouvi falar de um em que os vapores pegaram fogo — avisou à enfermeira — e fizeram a família virar cinza de madrugada!

— Nesse caso, o vidro do lampião devia estar sujo de fuligem; portanto, trate de limpar bem esse aí.

— Está bem — disse Kitty, com um de seus tremendos bocejos.

Meia hora depois, o mesmo requerente raivoso estava de volta.

Passado mais um minuto, já perscrutava o quarto de Anna, com Rosaleen O'Donnell a suas costas. Uma enorme testa arredondada com longos cachos grisalhos abaixo. Apresentou-se a Lib como dr. Standish, chefe de medicina clínica de um hospital de Dublin.

— Ele trouxe um bilhete do dr. McBrearty — disse Rosaleen O'Donnell, sacudindo o papel —, para dizer que podíamos abrir uma exceção e deixá-lo entrar, como uma visita *sumamente* ilustre.

— Considerando que estou aqui por uma questão de cortesia profissional — vociferou Standish, com um sotaque muito apocopado e inglês —, não me agrada ter de perder tempo, sendo obrigado a correr de um lado para outro por essas estradinhas fétidas, para obter permissão para examinar uma criança. — Seus pálidos olhos azuis estavam cravados em Anna.

Ela parecia nervosa. Seria medo de que esse médico descobrisse alguma coisa que McBrearty e as enfermeiras não tinham percebido?, perguntou-se Lib. Ou seria simplesmente por ser o homem tão severo?

— Posso lhe oferecer uma xícara de chá, doutor? — perguntou a sra. O'Donnell.

— Nada, obrigado.

Dito em tom tão seco que ela recuou e saiu, fechando a porta.

O dr. Standish cheirou o ar.

— Quando dedetizaram este quarto pela última vez, enfermeira?

— O ar fresco da janela, senhor...

— Providencie. Hipoclorito de cálcio, ou zinco. Mas, primeiro, tenha a bondade de despir a criança.

— Já tomei as medidas completas dela, se o senhor as quiser ver — ofereceu-se Lib.

Ele descartou sua agenda com um aceno da mão e insistiu em que ela despisse Anna, até deixá-la inteiramente nua.

A menina tremia na esteira, as mãos caídas dos lados do corpo. Omoplatas e cotovelos angulosos, panturrilhas e barriga protuberantes; havia carne no corpo de Anna, mas toda ela havia escorregado para baixo, como se a menina estivesse derretendo lentamente. Lib desviou os olhos. Que cavalheiro despiria uma menina de onze anos como um ganso depenado, dependurado num gancho?

Standish continuou a futucar e esquadrinhar, cutucando Anna com seus instrumentos frios e proferindo uma enxurrada de ordens:

— Língua mais para fora.

Enfiou tanto o dedo na garganta da menina que ela se engasgou.

— Isto causa dor? — perguntou, fazendo pressão entre as costelas de Anna. — E isto? Isto dói?

Anna foi abanando a cabeça, mas Lib não acreditou nela.

— Pode se curvar mais para baixo? Inspire e prenda a respiração — dizia o médico. — Tussa. De novo. Mais alto. Quando você defecou pela última vez?

— Não me lembro — sussurrou Anna.

Ele afundou o dedo em suas pernas disformes.

— Isto a machuca?

Anna encolheu de leve os ombros.

— Responda.

— Doer não é a palavra.

— Bem, e que palavra você prefere?

— Zumbir.

— Zumbir?

— Parece zumbir.

Standish deu uma bufadela e levantou um dos pés engrossados da menina, para roçar a sola com uma unha.

Zumbir? Lib tentou imaginar-se inchada, com todas as células tensas como se estivessem prestes a explodir. Será que a sensação seria a de uma vibração aguda, o corpo todo como um arco retesado?

Standish, finalmente, mandou a menina se vestir e enfiou os instrumentos na bolsa.

— Como eu suspeitava, um simples caso de histeria — lançou na direção de Lib.

Ela ficou desconcertada. Anna não se parecia com nenhuma histérica que ela já houvesse encontrado no hospital: nada de tiques, desmaios, paralisias, convulsões, nada de olhares fixos nem gritos.

— Já tive comilonas noturnas em minhas enfermarias, pacientes que se recusavam a comer, exceto quando não havia ninguém olhando — acrescentou o médico. — Não há nada que distinga esta, exceto pelo fato de que lhe fizeram as vontades até o extremo de deixá-la semimorta de fome.

"Semimorta de fome." Então, Standish acreditava que Anna estivesse comendo escondido, só que muito menos do que precisava? Ou será que estivera ingerindo quase o suficiente até o início da vigília, na manhã de segunda-feira, mas não comera nada desde então? Lib sentiu um medo terrível de que ele pudesse estar certo quanto a isso. Mas estaria Anna mais perto de morta de fome, ou mais perto de saudável? Como quantificar a qualidade do estar vivo?

Amarrando as calçolas na cintura, Anna não dava sinal de ter ouvido uma palavra.

— Minha receita é muito simples — disse Standish. — Um litro de leite com araruta, três vezes por dia.

Lib o fitou, depois explicitou o óbvio:

— Ela se recusa a pôr qualquer coisa na boca.

— Então, faça como quem desvermina ovelhas, criatura!

Ligeiro tremor de Anna.

— Dr. Standish — protestou Lib. Sabia que as equipes dos sanatórios e presídios recorriam frequentemente à força, mas...

— Se um paciente meu recusa a segunda refeição, minhas enfermeiras têm a ordem permanente de usar um tubo de borracha, por cima ou por baixo.

Lib levou um segundo para entender o que o médico queria dizer com "por baixo". Descobriu-se dando um passo à frente, para se colocar entre ele e Anna.

— Só o dr. McBrearty poderia dar essa ordem, com a permissão dos pais.

— Foi justamente disso que desconfiei, quando li sobre o caso no jornal. — As palavras esguichavam da boca de Standish. — Ao se encarregar dessa fedelha atrevida e dignificar essa pantomima, estabelecendo uma vigília formal, o McBrearty se tornou um objeto de troça! Não, transformou toda a sua pobre nação em objeto de troça!

Lib não poderia discordar disso. Seus olhos pousaram na cabeça curvada de Anna.

— Mas essa rispidez desnecessária, doutor...

— Desnecessária? — escarneceu ele. — Olhe para o estado dela: sarnenta, peluda e deformada de tanta hidropisia!

A porta do quarto bateu forte à saída de Standish. Silêncio tenso no recinto. Lib o ouviu vociferar alguma coisa para os O'Donnell na cozinha, depois marchar para sua carruagem.

Rosaleen O'Donnell meteu a cabeça no vão da porta.

— O que aconteceu, pelo amor de Deus?

— Nada — Lib lhe disse. E sustentou o olhar da mulher até ela se retirar.

Lib achou que Anna estaria chorando, mas não, a menina parecia mais pensativa que nunca, ajustando os punhos pequeninos.

Standish tinha anos, não, décadas de estudos e de experiência que faltavam a Lib, que mulher alguma jamais conseguiria obter. A pele escamada e penugenta de Anna, os pontos edemaciados: coisas pequenas em si, mas será que ele tinha razão, será que significavam que ela estava realmente correndo perigo por comer tão pouco? Lib teve um impulso de envolver a criança nos braços.

Refreou-se, é claro.

Lembrou-se de uma enfermeira sardenta, em Scutari, que havia reclamado de elas não terem permissão para seguir "os impulsos do coração" — por exemplo, reservarem um quarto de hora para sentar com um moribundo e lhe oferecer uma palavra reconfortante.

As narinas da srta. N. tinham-se inflado. "Sabe o que reconfortaria esse homem, se alguma coisa pudesse fazê-lo? Uma almofada em que apoiar o joelho mutilado. Por isso, não dê ouvidos ao coração, dê ouvidos a mim e trate de trabalhar."

— O que é *dedetizar*? — perguntou Anna.

Lib piscou os olhos.

— O ar pode ser purificado pela queima de algumas substâncias desinfetantes. Minha professora não confiava nisso.

Deu dois passos até a cama de Anna e começou a alisar os lençóis, esticando todas as dobras.

— Por que não?

— Porque é a coisa nociva que precisa ser retirada do quarto, não apenas o seu cheiro — respondeu Lib. — Minha professora fazia até uma piada com isso.

— Eu gosto de piadas — disse Anna.

— Bem, ela dizia que as dedetizações têm uma importância essencial para a medicina, porque geram um cheiro tão abominável que obrigam as pessoas a abrir as janelas.

Anna conseguiu dar um risinho.

— Ela fazia muitas piadas?

— Esta é a única de que me lembro.

— Qual é a coisa nociva deste quarto? — A menina olhou de uma parede para outra, como se um bicho-papão fosse pular em cima dela.

— Tudo o que está fazendo mal a você é esse jejum. — As palavras de Lib caíram como pedras no quarto silencioso. — O seu corpo precisa de alimento.

A menina abanou a cabeça.

— Não de alimento terreno.

— Todos os corpos...

— O meu não.

— Anna O'Donnell! Você ouviu o que o médico disse: *semimorta de fome*. Você pode estar-se fazendo um mal terrível.

— Ele está olhando pras coisas do jeito errado.

— Não, *você* está. Quando vê um pedaço de toucinho, digamos, você não sente nada? — indagou Lib.

A testinha da menina franziu-se.

— Não sente o impulso de colocá-lo na boca e mastigá-lo, como você fez durante onze anos?

— Não sinto mais.

— Por quê? O que pode ter mudado?

Uma longa pausa. Em seguida, Anna disse:

— É que nem uma ferradura.

— Ferradura?

— Como se o toucinho fosse uma ferradura, ou um pedaço de lenha, ou uma pedra — ela explicou. — Não há nada errado numa pedra, mas você não a mastigaria, não é?

Lib a olhou fixo.

— Sua ceia, dona — disse Kitty, entrando com uma bandeja e depositando-a em cima da cama.

~~~~~

As mãos de Lib tremiam quando ela abriu a porta da mercearia-taberna naquela noite. Havia tencionado trocar algumas palavras com a freira na hora da mudança de plantão, mas ainda estava com os nervos esfrangalhados demais pelo encontro com o dr. Standish.

Nada de agricultores na pândega nessa noite. Lib quase chegara à escada quando uma figura recuou no vão da porta.

— A senhora não me disse realmente quem era, enfermeira Wright.

O escrevinhador. Lib resmungou por dentro.

— Ainda por aqui, senhor... Burke, não é?

— Byrne — ele a corrigiu. — William Byrne.

Fingir que se enganava ao lembrar um nome era um modo muito confiável de aborrecer.

— Boa noite, sr. Byrne. — Ela começou a subir a escada.

— Talvez a senhora possa me fazer a gentileza de ficar por um minuto. Tive de saber pela Maggie Ryan que foi a senhora que me barrou a entrada na cabana!

Lib virou-se.

— Creio não ter-lhe dito nada que o fizesse enganar-se a respeito de minha presença aqui. Se o senhor tirou conclusões precipitadas...

— A senhora não se parece nem fala como nenhuma enfermeira que eu tenha conhecido — protestou ele.

Lib escondeu um sorriso.

— Nesse caso, sua experiência deve ter-se limitado à linhagem antiga.

— É verdade — disse Byrne. — E, então, quando posso falar com sua protegida?

— Estou simplesmente protegendo Anna O'Donnell das intromissões do mundo externo, o que inclui, talvez acima de tudo — Lib acrescentou —, o mundo dos escrevinhadores e editores de segunda na Grub Street.

Byrne chegou mais perto.

— Não lhe parece que ela está pedindo a atenção desse mundo, ao alegar que é uma anomalia da natureza, tanto quanto qualquer sereia de Fiji num espetáculo de curiosidades?

Lib arrepiou-se diante dessa imagem.

— Ela é só uma garotinha.

A vela na mão de William Byrne iluminava seus cachos acobreados.

— Estou avisando, senhora, vou acampar diante da janela dela. Darei cambalhotas feito um macaco, encostarei o nariz no vidro e farei caretas até a menina implorar que me deixem entrar.

— O senhor não fará isso.

— Como propõe me impedir?

Lib deu um suspiro. Como ansiava por sua cama!

— Eu mesma responderei a suas perguntas, serve assim?

O homem comprimiu os lábios.

— Todas elas?

— É claro que não.

Ele sorriu.

— Então, minha resposta é não.

— Dê quantas cambalhotas quiser — disse Lib. — Vou fechar a cortina. — Subiu mais dois degraus e acrescentou: — Tornar-se um estorvo para interferir no curso desta vigília não renderá ao senhor e a seu jornal nada além de descrédito. E, sem dúvida, a ira de toda a comissão.

A risada do jornalista encheu a sala do andar térreo.

— A senhora não conheceu seus empregadores? Eles não são nenhum panteão armado de raios e trovões. O charlatão, o padre, o taberneiro que é nosso anfitrião e mais alguns amigos deles: é essa *toda a sua comissão*.

Lib ficou desconcertada. McBrearty deixara implícito que o grupo estava cheio de *homens importantes*.

— Persiste o que eu quis dizer: o senhor conseguirá mais coisas comigo do que atormentando os O'Donnell.

Os olhos claros de Byrne a avaliaram.

— Muito bem.

— Amanhã à tarde, talvez?

— Neste minuto, enfermeira Wright. — Com uma das manzorras, ele fez sinal para que a inglesa descesse.

— São quase dez horas — objetou Lib.

— Meu editor me arrancará a pele se eu não mandar alguma coisa com substância na próxima mala postal. Por favor! — A voz era quase pueril.

Para acabar com aquilo, Lib desceu os degraus e se sentou à mesa. Fez sinal com a cabeça para a agenda preta do repórter.

— O que conseguiu até agora: Homero e Platão?

Byrne deu um sorriso torto.

— Uma miscelânea de opiniões de companheiros de infortúnio a quem hoje foi negada a entrada. Um curandeiro de Manchester que quer restabelecer o apetite da menina pela aposição das mãos. Um figurão da medicina que ficou duas vezes mais indignado que eu ao ser mandado embora.

Lib retesou-se. A última coisa que queria discutir eram Standish e suas recomendações. Ocorreu-lhe que, se o jornalista não tinha tornado a ver o médico de Dublin na taberna do Ryan à noite, isto significava que Standish devia ter voltado direto para a capital, vociferando, depois de examinar Anna.

— Uma mulher sugeriu que a menina estaria tomando banhos de azeite, para que parte dele fosse absorvido pelos poros e cutículas — disse Byrne —, e um sujeito me garantiu que o primo dele, em Filadélfia, obteve efeitos admiráveis com ímãs.

Lib riu, entredentes.

— Bem, a senhora me obrigou a raspar o fundo do tacho — disse Byrne, tirando a tampa da caneta. — E, então, por que todo esse sigilo? O que a senhora está ajudando os O'Donnell a esconder?

— Ao contrário, esta vigília está sendo conduzida da maneira mais escrupulosa possível, para desmascarar qualquer embuste — ela lhe disse. — Não se pode permitir que nada nos distraia da observação de cada movimento da menina, para termos certeza de que nenhum alimento entrou em sua boca.

Ele parou de escrever e se reclinou no encosto do banco.

— É um experimento bastante bárbaro, não?

Lib mordeu o lábio.

— Vamos supor que essa menina safada viesse arranjando comida em surdina desde a primavera, de alguma forma, pode ser?

Naquele vilarejo de fanáticos, a atitude realista de Byrne era um alívio.

— Mas, se a sua vigília é tão perfeita, isto quer dizer que já faz três dias que Anna O'Donnell não come nada.

Lib engoliu em seco de tal modo que chegou a doer. Era exatamente isto que tinha começado a temer naquele dia, mas não queria admiti-lo diante desse sujeito.

— Ainda não é necessariamente perfeita. Desconfio que, durante os plantões da freira... — Iria mesmo acusar sua colega de enfermagem sem prova alguma? Mudou de tática:— Esta vigília é para o bem da Anna, para desvencilhá-la dessa rede de falsidade.

Ora, a Anna certamente queria voltar a ser uma criança normal, não é?
— Fazendo-a passar fome?
A mente do sujeito era tão analítica quanto a de Lib.
— *Preciso ser cruel para ser bom* — Lib citou em resposta.
Ele captou a referência.
— Hamlet matou três pessoas, ou cinco, se contarmos Rosencrantz e Guildenstern.
Impossível competir com a sagacidade de um jornalista.
— Eles se manifestarão, se ela começar a enfraquecer — insistiu Lib —, um ou ambos os pais, ou a empregada, quem estiver por trás disso. Especialmente, já que acabei com a exploração dos visitantes para ganhar dinheiro.
As sobrancelhas de Byrne subiram de espanto.
— Eles se manifestarão, assumirão a culpa e se deixarão conduzir à presença de um juiz por fraude?
Lib se deu conta de que não havia refletido muito sobre a faceta criminal da questão.
— Bem... Uma criança esfaimada vai perder o controle e confessar, mais cedo ou mais tarde.
Mas, ao fazer a afirmação, ela percebeu, com um arrepio, que não acreditava nisso. De algum modo, Anna O'Donnell tinha ido além da fome.
Lib levantou-se com esforço.
— Agora eu preciso dormir, sr. Byrne.
Ele alisou o cabelo para trás.
— Se realmente não tem nada a esconder, sra. Wright, deixe-me ver a menina por dez minutos, pessoalmente, e eu lhe cantarei louvores em minha próxima remessa de material.
— Não gosto das suas barganhas, meu senhor.
Desta vez, ele a deixou retirar-se.
De volta ao quarto, Lib tentou dormir. Esses plantões de oito horas causavam uma devastação nos ritmos do organismo. Ela se levantou com esforço da concavidade do colchão e achatou o travesseiro.
Foi naquela hora, sentada no escuro, que lhe ocorreu pela primeira vez: e se Anna não estivesse mentindo?
Por um longo momento, deixou de lado todos os fatos. Compreender a doença era o começo da verdadeira enfermagem, a srta. N. lhe ensinara; é preciso captar o estado mental do enfermo, além de seu estado físico. Então, a pergunta era: a menina acreditava em sua própria história?

A resposta estava clara. A convicção reluzia em Anna O'Donnell. Um *caso de histeria* talvez ela pudesse ser, mas com absoluta sinceridade.

Lib sentiu os ombros arriarem. Não era uma inimiga, portanto, aquela menina de rosto suave; não era uma prisioneira empedernida. Apenas uma garota apanhada numa espécie de devaneio, caminhando sem saber para a beira de um precipício. Apenas uma paciente que precisava da ajuda de sua enfermeira, e depressa.

3

JEJUM

JEJUAR, JEJUM
abster-se de alimentos
período em que se jejua
fixo, encerrado, fortificado, seguro
constante, firme, obstinado

Cinco horas da manhã, quinta-feira, Lib entrou no quarto. À luz do lampião malcheiroso, ela observou Anna O'Donnell dormindo.

— Nenhuma mudança? — perguntou à freira.

Um abanar da cabeça coberta pela touca.

Como poderia Lib trazer à baila a visita do dr. Standish sem expressar suas opiniões? E o que uma freira que acreditava que uma menina podia viver do *maná dos céus* haveria de entender da teoria de que Anna era uma histérica que estava se matando de fome?

A irmã Michael pegou sua capa e a bolsa e se retirou.

O rosto da menina no travesseiro era uma fruta caída. Mais inchado ao redor dos olhos nesta manhã, notou Lib, talvez por ter passado a noite inteira deitada. Uma das bochechas tinha a risca vermelha deixada por uma dobra do travesseiro. O corpo de Anna era uma página em branco que registrava tudo o que lhe acontecia.

Lib puxou uma das cadeiras e se sentou, fitando Anna a uma distância de pouco mais de meio metro. A bochecha arredondada, o subir e descer da caixa torácica e da barriga.

Com que, então, a menina realmente acreditava não ter comido por quase quatro meses. Mas seu corpo contava uma história diferente. O que só poderia significar que, até a noite de domingo, alguém a estivera alimentando e, depois, de algum modo, ela... se esquecera desse fato? Ou talvez nunca o tivesse registrado. Seria possível que a alimentação tivesse sido dada estando Anna numa espécie de transe? Em sono profundo, poderia uma criança engolir alimentos sem se engasgar, assim como um sonâmbulo era capaz de andar aos tropeços por dentro de casa, de olhos fechados? Talvez, ao acordar, Anna soubesse apenas que se sentia saciada, como se a houvessem alimentado com o orvalho celestial.

Mas isso não explicava por que, de dia, ao longo de quatro dias desta vigília, a criança não demonstrava nenhum interesse pela comida. Mais que isto: apesar de todos os sintomas peculiares que a atormentavam, ela continuava convencida de que podia viver sem comer.

Uma obsessão ou mania, Lib supôs que se poderia chamar assim. Uma doença da mente. Histeria, como a havia chamado aquele médico terrível? Anna lembrava a Lib uma princesa enfeitiçada de conto de fadas. O que poderia devolver a menina a uma vida comum? Não um príncipe. Uma erva mágica, vinda do fim do mundo? Não, algo tão simples quanto um sopro de ar: a razão. E se Lib sacudisse a menina para acordá-la, neste exato minuto, e lhe dissesse "Tome juízo"?

Mas aquilo fazia parte da definição da loucura, supôs a enfermeira: a recusa em admitir que se está louco. As enfermarias do Standish estavam cheias dessas pessoas.

E, depois, seria possível considerar que as crianças tinham muito juízo? Os sete anos eram considerados a idade da razão, mas a impressão que Lib tinha das crianças dessa idade era que ainda transbordavam de imaginação. As crianças viviam para brincar. É claro que se podia fazê-las trabalhar, mas, nas horas vagas, elas se dedicavam a suas brincadeiras tão seriamente quanto os lunáticos se dedicavam a seus delírios. Como pequenos deuses, elas criavam do barro seus mundos em miniatura, ou até apenas de palavras. Para elas, a verdade nunca era simples.

Mas Anna tinha onze anos, o que ficava bem longe dos sete, Lib argumentou consigo mesma. Outras crianças de onze anos sabiam quando haviam e quando não haviam comido; tinham idade suficiente para discernir o faz de conta da realidade. Havia algo muito diferente disso — algo muito errado — com Anna O'Donnell.

Que continuava num sono profundo. Emoldurado na pequena vidraça atrás dela, o horizonte derramava ouro líquido. A própria ideia de aterrorizar uma criança delicada com tubos, bombeando a comida para dentro do seu corpo, "por cima ou por baixo"...

Para afastar esses pensamentos, Lib pegou suas *Notas sobre enfermagem*. Reparou num trecho que havia assinalado na primeira leitura: "Ela não deve ser mexeriqueira, não deve falar levianamente. Nunca deve responder a perguntas sobre seus doentes, exceto àqueles que têm o direito de formulá-las".

Teria William Byrne esse direito? Lib não deveria ter falado tão francamente com ele na sala de jantar, na noite anterior — ou em hora nenhuma, provavelmente.

Levantou os olhos e se sobressaltou, porque a menina olhava direto para ela.

— Bom dia, Anna. — Saiu muito depressa, como uma admissão de culpa.

— Bom dia, sra. Seja-Qual-For-Seu-Nome.

Era uma insolência, mas Lib se apanhou rindo.

— Elizabeth, se você faz questão de saber.

O som era estranho. Aquele que fora marido de Lib por onze meses tinha sido a última pessoa a usar esse nome e, no hospital, ela era sra. Wright.

— Bom dia, dona Elizabeth — disse Anna, experimentando.

Isso soava como outra mulher totalmente diferente.

— Ninguém me chama assim.

— E como é que a chamam? — perguntou Anna, soerguendo-se sobre os cotovelos e esfregando um olho para espantar o sono.

Lib já ia se arrependendo de ter-lhe dito seu prenome, mas, afinal, não passaria muito tempo ali, de modo que, na verdade, que importância tinha isso?

— Chame-me de sra. Wright...

— Ou enfermeira, ou senhora — emendou Anna, com um risinho.

— Sra. Wright, ou enfermeira, ou senhora. Você dormiu bem?

A menina se esforçou para assumir uma posição sentada.

— *Eu me deitei e dormi* — murmurou. — E de que é que sua família a chama?

Lib ficou desconcertada com essa transição rápida entre as Escrituras Sagradas e a conversa corriqueira.

— Não tenho família.

Era verdade, tecnicamente; a irmã dela, se é que ainda estava viva, havia optado por ficar fora de seu alcance.

Os olhos de Anna se arregalaram, enormes.

Na infância, Lib lembrou-se, a família parecia tão necessária e inescapável quanto uma cadeia de montanhas. Ninguém jamais imaginara que, com o correr das décadas, pudesse vagar para territórios sem limites. Ocorreu-lhe nesse momento o quanto estava sozinha no mundo.

— Mas, quando a senhora era pequena — continuou Anna. — Era Eliza? Elsie? Effie?

Lib fez piada.

— O que é isto: a história de Rumpelstiltskin?

— Quem é esse?

— Um duendezinho que...

Mas Rosaleen O'Donnell estava entrando às pressas para cumprimentar a filha, sem dar sequer uma olhadela de relance para a enfermeira. Aquelas costas, largas como um escudo, jogadas à frente da menina, aquela cabeça escura curvada sobre a cabeça menor. Sílabas de carinho; gaélico, sem dúvida. A encenação toda deu nos nervos de Lib.

Ela supunha que, quando uma mãe tinha apenas um filho solitário ainda em casa, toda a sua paixão era canalizada para este. *Será que Pat e Anna teriam tido outros irmãos?*, perguntou-se.

Agora Anna estava ajoelhada ao lado da mãe, de mãos postas e olhos fechados.

— *Pequei muitas vezes, em pensamentos, palavras e ações, por minha culpa, minha culpa, minha máxima culpa.*

A cada *culpa*, o punho fechado da menina batia no peito.

— *Amém* — entoou a sra. O'Donnell.

Anna começou outra oração:

— *Santíssima Virgem, doce e mansa, digna-te a aceitar-me como tua filha.*

Lib pensou na longa manhã que teria pela frente. Mais tarde, precisaria manter a menina longe dos olhos das visitas, caso elas aparecessem.

— Anna — disse, no momento em que a mãe da criança voltou para a cozinha —, vamos sair cedo para dar uma volta?

— Mal amanheceu.

Lib ainda nem medira a pulsação de Anna, mas isso poderia esperar.

— Por que não? Vista-se e ponha seu casaco.

A menina se benzeu e sussurrou a oração da Dora, enquanto tirava a camisola pela cabeça. Aquilo era um novo machucado na omoplata esquerda, castanho-esverdeado? A enfermeira fez um registro da mancha na memória.

Na cozinha, Rosaleen O'Donnell disse que ainda estava escuro lá fora, e que elas iriam cair em montes de estrume ou quebrar os tornozelos.

— Cuidarei perfeitamente bem da sua filha — disse Lib, e abriu a meia-porta.

Saiu, com Anna atrás, e as galinhas cacarejaram e se espalharam. A brisa úmida era uma delícia.

Desta vez, elas seguiram por trás da cabana, por uma trilha mal demarcada entre dois campos. Anna andava devagar e a passos irregulares, tecendo comentários a respeito de tudo. Não era engraçado as cotovias nunca serem vistas no chão, só quando disparavam lá nas alturas para cantar? Ah, olhe aquela montanha lá, com o sol saindo por trás, era essa que ela chamava de sua baleia.

Lib não via montanha alguma naquela paisagem aplanada. Anna estava apontando para a crista de um morro baixo; sem dúvida, os habitantes *bem no meio* da Irlanda viam cada ondulação como um pico.

Às vezes, Anna imaginava poder realmente vislumbrar o vento; a sra. Uma-Coisa-Parecida-com-Elizabeth já tinha pensado nisso?

Cheia de vitalidade, pensou Lib; como é que essa criança podia estar *semimorta de fome*? Alguém ainda continuava a alimentá-la.

Agora, as cercas vivas reluziam.

— "Qual é a mais ampla das águas" — perguntou Lib — "e a que traz menos riscos ao ser atravessada?"

— Isso é uma charada?

— É claro, uma que aprendi quando era pequena.

— Hmm... "A mais ampla das águas" — repetiu Anna.

— Você está imaginando que ela é parecida com o mar, não está? Não imagine.

— Já vi o mar em fotografias.

Crescer nessa ilhota e, mesmo assim, nunca ter ido a seu litoral, nem mesmo...

— Mas vi rios grandes com meus próprios olhos — disse Anna, gabando-se.

— Ah, foi? — retrucou Lib.

— O Tullamore, e também o Brosna, quando fomos à exposição em Mullingar.

Lib reconheceu o nome da cidade da região central em que o cavalo de William Byrne havia machucado a perna. Será que hoje ele continuava na hospedaria do Ryan, no quarto do outro lado do corredor, em frente ao dela, na esperança de obter mais informações sobre o caso de Anna? Ou suas matérias satíricas despachadas do local teriam bastado para o *Irish Times*?

— A água da minha charada também não se parece com a dos rios mais largos. Imagine que ela se espalha por todo o terreno, mas não há perigo em atravessá-la.

Anna batalhou com a ideia e, por fim, abanou a cabeça.

— O orvalho — disse Lib.

— Ah! Eu devia ter sabido!

— Ele é tão pequeno que ninguém se lembra.

Lib pensou na história do maná: *uma camada de orvalho se formara em torno de todo o acampamento e cobrira a face da terra.*

— Outra — pediu Anna.

— Não me lembro de outra neste momento — disse Lib.

A menina caminhou em silêncio por um minuto, quase mancando. Estaria sentindo dor?

Lib sentiu-se tentada a segurá-la pelo cotovelo, para ajudá-la a passar por um trecho acidentado, mas não. *Simplesmente para observar*, lembrou a si mesma.

Mais adiante, estava alguém que ela tomou por Malachy O'Donnell, mas que, quando as duas se aproximaram, revelou-se um homem mais velho, de aparência recurvada. Estava cortando retângulos pretos do chão e fazendo uma pilha com eles; turfa para queimar, ela supôs.

— Deus abençoe o trabalho — disse-lhe Anna.

Ele retribuiu com um aceno da cabeça. Sua pá tinha um formato que Lib nunca vira até então, com a lâmina curvada em asas.

— Isso é outra oração que vocês são obrigados a dizer? — perguntou à menina, depois que passaram.

— Abençoar o trabalho? É, senão ele pode sair ferido.

— Como, ele ficaria magoado por você não ter pensado nele? — perguntou Lib, com um toque de zombaria.

Anna assumiu um ar intrigado.

— Não, ele pode decepar um dedo com a pá cavadeira.

Ah, então era uma espécie de magia protetora.

Agora a menina estava cantando, com sua voz entrecortada:

No fundo de tuas chagas, Senhor,
Oculta e abriga a mim,
Para que nunca,
Jamais eu me afaste de ti.

A melodia emocionante não combinava com as palavras mórbidas, na opinião de Lib. A simples ideia de alguém se esconder no fundo de uma chaga, como um verme...

— Lá vem o dr. McBrearty — disse Anna.

O ancião vinha correndo da cabana em direção a elas, com as lapelas em desalinho. Tirou o chapéu para Lib e se virou para a menina.

— Sua mãe me disse que eu a encontraria tomando ar, Anna. É um prazer vê-la com rosas nas faces.

Ela estava com o rosto bem vermelho, mas pelo esforço de andar, pensou Lib; falar em *rosas* era um exagero.

— Ela ainda está bem, de modo geral? — murmurou McBrearty para Lib.

A srta. N. era muito severa em matéria de discutir os doentes ao alcance dos ouvidos deles.

— Vá andando na frente — sugeriu a inglesa a Anna. — Por que não colhe umas flores para o seu quarto?

A menina obedeceu. Lib, no entanto, manteve os olhos nela. Ocorreu-lhe que poderia haver bagas silvestres por ali, talvez até nozes ainda verdes... Poderia uma histérica — se é que era essa a categoria de Anna — encher a boca de um alimento às escondidas, sem ter consciência do que fazia?

— Não sei muito bem como responder a sua pergunta — disse ela ao médico, pensando na expressão de Standish, *semimorta de fome*.

McBrearty cutucou o solo amolecido com a bengala.

Lib hesitou, depois obrigou-se a dizer o nome:

— O dr. Standish teve oportunidade de falar com o senhor, ontem à noite, depois que deixou a Anna? — Já tinha prontos os melhores argumentos para se opor à alimentação forçada.

O rosto do idoso franziu-se como se ele houvesse mordido uma coisa azeda.

— O tom dele foi sumamente descortês. Depois de eu ter feito a gentileza de lhe permitir, justamente a ele, dentre todos os pleiteantes, entrar na cabana para ver a menina!

Lib esperou.

Mas estava claro que McBrearty não relataria a repreensão que havia recebido. Em vez disso, perguntou:

— A respiração dela continua saudável?

Lib fez que sim.

— Os batimentos cardíacos, o pulso?

— Sim — ela admitiu.

— Tem dormido bem?

Outro aceno afirmativo da cabeça.

— Ela parece animada — comentou o médico —, e a voz ainda está firme. Sem vômitos nem diarreia?

— Bem, eu dificilmente esperaria isso numa pessoa que não está comendo.
Os olhos aquosos do velho se iluminaram.
— Então, a senhora acredita que ela está mesmo vivendo sem...
Lib o interrompeu:
— Refiro-me a ela não ingerir o suficiente para levar a qualquer forma de eliminação. Anna não produz fezes e produz pouquíssima urina — assinalou.
— Isso, a meu ver, sugere que ela recebe *algum* alimento... ou recebia, mais provavelmente, até se iniciar a vigília, porém não o bastante para haver qualquer excreção.

Deveria ela mencionar sua ideia sobre ingestões noturnas a que Anna houvesse estado alheia, durante todos aqueles meses? Relutou; de repente, isso lhe soou tão implausível quanto qualquer das teorias do próprio velho. Assim, perguntou-lhe:

— Não acha que os olhos dela estão começando a ficar ainda mais esbugalhados? A pele está coberta de hematomas e de crostas em alguns pontos, e as gengivas sangram. Andei pensando em escorbuto, talvez. Ou até pelagra. Ela certamente parece anêmica.

— Cara sra. Wright — disse McBrearty, esburacando a grama macia com a bengala —, será que estamos começando a nos desviar para um terreno fora da nossa alçada? — Era um pai indulgente repreendendo uma criança.

— Queira desculpar-me, doutor — retrucou ela, rígida.

— Deixe esses mistérios por conta dos que foram formados para lidar com eles.

Lib daria muito para saber onde McBrearty se formara, e com que rigor, e se tinha sido nesse século ou no passado.

— Seu trabalho é simplesmente observar.

Mas não havia nada de *simples* nessa tarefa, sabia Lib agora, como não soubera três dias antes.

— É ela! — Um grito ao longe. Veio de uma carroça instável, sobrecarregada na parte de cima, parada em frente à casa dos O'Donnell. Vários de seus passageiros acenavam.

Já sitiada, assim, mal começado o dia. Para onde se desviara Anna? A cabeça de Lib girou para todos os lados até ela encontrar a menina, que aspirava o perfume de um botão de flor. A enfermeira não suportou a perspectiva da bajulação servil, dos elogios falsos, das perguntas invasivas.

— Tenho que levá-la para dentro, doutor.

Saiu correndo e segurou Anna pelo braço.

— Por favor...

— Não, Anna, você não pode falar com eles. Temos uma regra e precisamos obedecer.

Levou a menina às pressas para a cabana, cortando caminho pelo campo, com o médico nos seus calcanhares. Anna tropeçou, e um pé de suas botas largas entortou de lado.

— Machucou-se? — perguntou Lib.

Um abano da cabeça.

Assim, a enfermeira continuou a impeli-la adiante, contornando a lateral da cabana — por que não havia uma porta nos fundos? — e passando pela aglomeração de visitantes que argumentavam com Rosaleen O'Donnell, coberta de farinha de trigo até os cotovelos.

— Aí vem ela, a pequena maravilha! — exclamou um homem. Uma mulher veio empurrando para chegar mais perto.

— Ah, se você me deixasse segurar a barra da sua saia, benzinho...

Lib interpôs o ombro, protegendo a menina.

— ... até uma gota da sua saliva, ou um pinguinho da oleosidade dos seus dedos, para curar esta ferida no meu pescoço!

Só depois de todos os três entrarem e de ela haver batido a porta atrás do dr. McBrearty foi que Lib se deu conta de que Anna estava arfando, e não era só por medo das mãos que haviam tentado agarrá-la. A menina era frágil, Lib lembrou a si mesma. Que espécie de enfermeira desleixada haveria de desgastar a criança além de suas forças? Ah, que carão lhe haveria passado a srta. N.!

— Está se sentindo mal, meu amor? — perguntou Rosaleen O'Donnell.

Anna afundou no banco mais próximo.

— Apenas sem fôlego, creio — disse McBrearty.

— Vou aquecer uma flanela para você. — A mãe limpou bem as mãos antes de pendurar uma toalha acima do fogo.

— Você se resfriou um pouco na sua caminhada — disse McBrearty à menina.

— Ela está sempre fria — resmungou Lib. As mãos da menina estavam azuis. Lib a levou para uma cadeira de espaldar alto, junto à lareira, e friccionou aqueles dedos engrossados entre os seus, de leve, por medo de machucá-los.

Aquecida a toalha, Rosaleen a enrolou ternamente no pescoço da filha.

Lib teria gostado de apalpar o pano primeiro, para ter certeza de que nele não se escondia nenhum comestível, mas lhe faltou coragem.

— E como está se entendendo com a sra. Wright, minha cara? — perguntou o médico.

— Muito bem — respondeu-lhe a menina.

Estaria sendo gentil? Tudo o que Lib conseguia recordar eram momentos em que tinha sido ríspida ou severa com a garota.

— Ela está me ensinando charadas — acrescentou Anna.

— Que encanto!

O médico segurou entre os dedos o pulso inchado da menina, para verificar a pulsação.

À mesa, junto à janela dos fundos, ao lado de Kitty, a sra. O'Donnell fez uma pausa em seu trabalho de moldar bolachas de aveia.

— Que tipo de charadas?

— Inteligentes — disse Anna à mãe.

— Já se sente um pouco melhor? — indagou McBrearty.

Anna fez que sim, sorridente.

— Bem, neste caso, estou de saída. Rosaleen, tenha um bom dia — disse, com uma mesura.

— O senhor também, doutor. Deus o abençoe por ter passado aqui.

Fechada a porta às costas de McBrearty, Lib sentiu-se chocha, abatida. Ele mal lhe dera ouvidos; estava ignorando as advertências de Standish. Aprisionado na própria fascinação pessoal pela *pequena maravilha*.

Lib notou a banqueta vazia ao lado da porta.

— Vejo que o cofre desapareceu.

— Nós o mandamos para o sr. Thaddeus por um dos filhos do Corcoran, junto com as luvinhas da casca de noz — disse Kitty.

— Cada centavo foi mandado para ajudar e consolar os necessitados — soltou Rosaleen O'Donnell, na direção de Lib. — Pense nisso, Anna. Você está acumulando uma fortuna no céu.

Como se espojava Rosaleen no reflexo da glória! A mãe era o gênio por trás da trama, não uma simples conspiradora entre outros; Lib tinha quase certeza disso. Desviou os olhos nesse momento, para não deixar transparecer sua hostilidade.

No console da lareira, a poucos centímetros do rosto de Lib, a nova fotografia postava-se ao lado da antiga, a da família inteira. A garotinha parecia exatamente a mesma em ambas — os mesmos membros delicados, a expressão não propriamente deste mundo. Como se o tempo não passasse para Anna; como se ela fosse preservada atrás do vidro.

Mas estranho mesmo era o irmão, ocorreu a Lib. O rosto adolescente de Pat era parecido com o rosto mais suave da irmã, descontado o fato de que os meninos repartiam o cabelo do lado direito. Mas os olhos... havia algo errado no brilho deles. Lábios escuros, como se estivessem com batom. Ele se reclinava no colo da mãe indômita, como se fosse uma criança muito menor, ou um janota bêbado. Como era mesmo aquele versículo dos Salmos? *Crianças estranhas desapareceram.*

Anna espalmou as mãos para aquecê-las no calor do fogo, como um leque elegante.

Como descobrir mais sobre o irmão?

— A senhora deve sentir falta do seu filho, não é, sra. O'Donnell?

Uma pausa. Em seguida:

— Sinto, é claro — disse Rosaleen O'Donnell, agora cortando pastinacas maduras, manejando o cutelo com a mão grande e ossuda. — Bom, Deus prepara as costas para aguentarem o fardo, como se diz.

Está mais para explorá-las, pensou Lib.

— Faz muito tempo que a senhora não tem notícias dele?

O cutelo se deteve, e Rosaleen O'Donnell a encarou.

— Ele nos olha do alto.

Como assim, então Pat O'Donnell tinha-se dado bem no Novo Mundo? Tão bem que não se dava o trabalho de escrever para sua reles família?

— Do céu. — Fora a voz de Kitty.

Lib pestanejou.

A criadinha apontou para cima, para ter certeza de que a inglesa havia entendido.

— Foi em novembro passado que ele morreu.

A mão de Lib voou para a boca e a cobriu.

— Ainda nem tinha quinze anos — acrescentou a criada.

— Ah, sra. O'Donnell! — exclamou a inglesa. — A senhora precisa perdoar minha falta de tato. Eu não me dei conta...

Apontou para o daguerreótipo, no qual o menino parecia observá-la com desprezo, ou seria troça? A foto não fora tirada antes da morte dele, Lib compreendeu, e sim depois.

Anna, reclinada na cadeira, parecia surda a tudo isso, fascinada pelas chamas.

Em vez de se ofender, Rosaleen O'Donnell exibiu um sorriso satisfeito.

— A senhora acha que ele parece vivo? Bem, aí é que está.

Reclinado no colo da mãe. Lábios enegrecidos, primeiro sinal de decomposição. Lib devia ter adivinhado. Teria o menino O'Donnell passado um dia inteiro deitado nessa cozinha, ou dois ou três, enquanto sua família esperava o fotógrafo?

Rosaleen O'Donnell chegara tão perto que Lib se retraiu. Bateu de leve no vidro com a ponta dos dedos.

— Bonito trabalho com o pincel nos olhos dele, não acha?

Alguém pintara as pupilas e o branco dos olhos sobre as pálpebras cerradas do cadáver, na imagem impressa; era por isso que o olhar era tão crocodiliano.

Foi nesse momento que entrou o sr. O'Donnell, batendo os pés para sacudir a lama das botas. Sua mulher o cumprimentou em gaélico, depois passou para o inglês:

— Espere só para escutar esta, Malachy. A sra. Wright pensou que o Pat ainda estava do lado de cá!

A mulher tinha o dom de se comprazer com coisas terríveis.

— Coitado do Pat — disse Malachy, sem se ofender, com um aceno afirmativo da cabeça.

— Foram os olhos, eles a enganaram por completo. — Rosaleen O'Donnell alisou o vidro. — Valeu cada centavo.

Agora os braços de Anna caíam flácidos sobre o colo e seus olhos refletiam as chamas. Lib queria muito tirá-la daquela sala.

— Foi o estômago que acabou com ele — disse Malachy O'Donnell.

Kitty fungou e enxugou um olho na manga esgarçada da roupa.

— Eu lhe levava a sopa. Ele não conseguia tocar em mais nada.

O homem se dirigia a Lib, de modo que ela teve de assentir com a cabeça.

— A dor o pegou aqui, depois aqui, sabe? — Malachy cutucou-se na altura do umbigo, depois mais abaixo, à direita. — Inchou feito um ovo. — Estava falando com mais fluência do que Lib jamais o ouvira falar. — De manhã, meio que acalmou, então a gente achou que não devia incomodar o dr. McBrearty, afinal.

Lib tornou a assentir com a cabeça. Estaria o pai recorrendo a ela para obter sua opinião profissional? Para obter uma espécie de perdão?

— Mas o Pat continuou tão fraco e com tanto frio — disse Rosaleen O'Donnell — que empilhamos todas as cobertas da casa na cama dele, e pusemos sua irmã do lado, para esquentar o menino.

Lib estremeceu. Não apenas diante da coisa em si, mas por ela ser narrada ao alcance dos ouvidos de uma menina sensível.

— Ele ofegou um pouco e falou uns disparates, como se estivesse sonhando — murmurou a mãe.

— Antes do desjejum, já tinha ido embora, pobre garoto — disse Malachy O'Donnell. — Não deu nem tempo de chamar o padre. — Abanou a cabeça, como se quisesse espantar uma mosca.

— Era bom demais para este mundo! — exclamou Rosaleen.

— Eu sinto muitíssimo — disse Lib. Virou-se de novo para o daguerreótipo, a fim de não ter de olhar para os pais. Mas descobriu que não conseguia suportar o brilho daqueles olhos, por isso pegou Anna pela mão ainda fria e voltou com ela para o quarto.

Seu olhar pousou na caixa dos tesouros. A mecha de cabelo castanho-escuro na estatueta que ela havia quebrado: só podia ser do irmão. O silêncio de Anna a inquietou. Que coisa para se fazer com uma criança, deitá-la ao lado de um menino agonizante, como se ela fosse uma panela de esquentar camas!

— Você deve sofrer com a perda do seu irmão.

O rosto da menina se crispou.

— Não é isso. Quer dizer, eu sofro, é claro, dona Elizabeth, mas não é isso. — Chegou mais perto de Lib e cochichou: — Mamãe e papai acham que ele está no céu. Só que, sabe, não há como ter certeza disso. *Nunca desesperar, mas nunca fazer suposições*: são esses os dois pecados imperdoáveis contra o Espírito Santo. Se o Pat estiver no purgatório, deve estar queimando...

— Ah, Anna — disse Lib, interrompendo-a. — Você está se afligindo sem necessidade. Ele era apenas um menino.

— Mas somos todos pecadores. E ele adoeceu tão depressa que não deu tempo de ser absolvido. — As lágrimas despencaram na gola da menina.

Confissão — é, os católicos se agarravam à ideia do poder singular dela em eliminar todos os pecados.

Anna chorava tanto que Lib mal conseguia discernir as palavras.

— Temos que ser purgados para nos deixarem entrar.

— Muito bem, então, seu irmão será purgado. — O tom de Lib foi absurdamente prático, como o de uma criada de quarto preparando um banho de banheira.

— Pelo fogo, só pelo fogo!

— Ah, criança...

Aquela era uma língua estranha e, francamente, uma língua que Lib não queria aprender. Deu um tapinha no ombro da menina, sem jeito. Sentiu o calombo do osso.

— Não ponha isto no seu jornal — disse a enfermeira, enquanto comia uma espécie de guisado. (Encontrara William Byrne almoçando na salinha da mercearia-taberna do Ryan à uma e meia, ao voltar de seu plantão.)

— Continue.

Lib resolveu interpretar isso como uma promessa. Baixou a voz.

— Anna O'Donnell está de luto por seu único irmão, que morreu de um problema digestivo há nove meses.

Byrne apenas meneou a cabeça e secou o prato com um pedacinho de pão. Lib espinhou-se.

— O senhor duvida de que isso seja suficiente para causar um colapso mental numa criança?

Ele deu de ombros.

— Pode-se dizer que meu país inteiro está de luto, sra. Wright. Após sete anos de escassez e pestilência, qual foi a família que permaneceu ilesa?

Lib não soube o que dizer.

— Sete anos, é isso mesmo?

— A colheita da batata se perdeu em 45 e só voltou plenamente em 52 — disse ele.

Discretamente, Lib retirou da boca um fragmento de osso — *coelho*, pensou.

— Mesmo assim, o que sabe a Anna dessas questões nacionais? Talvez ela se sinta a única menina que já perdeu um irmão. — O hino se repetia em sua cabeça como um refrão: *Para que nunca, jamais eu me afaste de ti.* — Talvez ela se atormente, pensando em por que o irmão foi levado, e não ela — disse.

— Então ela lhe parece estar com o ânimo abatido?

— Às vezes — respondeu Lib, insegura. — Mas, às vezes, é justamente o contrário: parece iluminada por uma alegria secreta.

— Por falar em segredos, a senhora ainda não a flagrou tentando pegar algum alimento em surdina?

Lib abanou a cabeça. Disse entredentes:

— Cheguei à conclusão de que a Anna acredita sinceramente estar vivendo de brisa. — Hesitou, mas tinha de testar sua ideia com alguém. — Ocorreu-me que alguém da família, aproveitando-se do estado delirante da menina, pode ter-lhe dado doses de alimento enquanto ela dormia.

— Ora, francamente. — William Byrne afastou do rosto as mechas ruivas.

— Um subterfúgio desses daria sentido à convicção da Anna de que ela não come há quatro meses. Se ela estava inconsciente enquanto alguém lhe derramava uma gororoba goela abaixo...

— É possível. Mas provável? — Ele pegou o lápis. — Posso mencionar isso no próximo texto que eu despachar?

— Não, não pode! Isto é especulação, não fato.

— Eu o chamaria de opinião especializada da enfermeira da menina.

Em meio ao pânico, Lib sentiu uma pontada de prazer por Byrne a estar levando a sério.

— Além disso, recebi instruções rigorosas de não expressar nenhuma opinião até submeter meu laudo à comissão, no domingo da próxima semana.

Ele deixou cair o lápis.

— Então, para que me tentar, se não posso usar uma única palavra?

— Queira me desculpar — retrucou Lib, em tom seco. — Vamos dar este assunto por encerrado.

O sorriso dele foi pesaroso.

— Nesse caso, fico novamente reduzido a relatar mexericos. E nem todos benevolentes. A menina está longe de ser uma favorita universal por aqui, a senhora sabe.

— Quer dizer que há quem a tome por mentirosa?

— É claro, isso ou coisa pior. Ontem à noite, paguei uma bebida para um trabalhador de olhar desvairado e ele me falou de sua convicção de que as fadas estão por trás disso.

— O que está querendo dizer?

— A razão de Anna não comer está em que ela é uma espécie de mutante monstruoso, disfarçado de menina.

O povo encantado... fazendo todas as vontades dela. Isso era o que Lib tinha ouvido um agricultor barbudo falar, na noite de sua chegada. Ele devia ter querido dizer que Anna tinha uma horda invisível de fadas a seu serviço.

— O sujeito tinha até um remédio para propor: *Se ela levasse uma surra, ou até fosse jogada no fogo* — o sotaque irlandês carregado que Byrne usou foi de uma precisão brutal —, *uai, ela voltava pro lugar de onde veio!*

Lib estremeceu. Esse era o tipo de ignorância de bêbado que lhe parecia *monstruoso*.

— A senhora já teve algum paciente remotamente parecido com Anna O'Donnell?

Ela abanou a cabeça.

— Como enfermeira particular, deparei com alguns casos enganosos, de pessoas sadias que fingiam estar com alguma doença interessante. Mas a Anna é o contrário. Uma criança desnutrida que afirma estar em perfeita saúde.

— *Hmm*. Mas os hipocondríacos devem ser chamados de fingidores? — perguntou Byrne.

Lib sentiu-se envergonhada, como se estivesse menosprezando seus empregadores.

— A mente é capaz de confundir o corpo — assinalou o repórter. — A pessoa pensa em comichão e sente uma comichão. Ou em bocejar...

E se interrompeu, bocejando na mão.

— Bem, mas... — Lib teve de parar, por também estar bocejando.

Byrne soltou uma grande risada, depois calou-se e ficou olhando para o espaço.

— Imagino que esteja dentro dos limites da possibilidade que uma mente bem treinada ordene ao corpo que continue a funcionar sem alimento, ao menos por algum tempo.

Mas, espere. No primeiro contato de Lib com Byrne, ele se referira a Anna como uma fraude; no seguinte, havia acusado Lib de impedi-la de comer. E agora, depois de desdenhar da ideia da inglesa sobre a alimentação durante o sono, estava sugerindo que as afirmações miraculosas poderiam ser verdadeiras, afinal?

— Não me diga que o senhor está passando para o lado dos O'Donnell.

Ele torceu a boca.

— É meu dever manter a mente aberta. Na Índia... fui enviado a Lucknow para fazer uma matéria sobre a rebelião, e, na Índia, não é incomum os faquires afirmarem entrar num estado de suspensão das funções vitais.

— Faqueiros?

— Faquires, homens santos — ele a corrigiu. — O coronel Wade, ex-agente do governador-geral do Punjab, contou-me ter assistido ao desenterramento de um sujeito chamado Faquir de Lahore. Quarenta dias embaixo da terra, sem comida, bebida, nem luz, com pouco ar, e o sujeito levantou de lá em plena forma.

Lib deu uma bufadela.

Byrne encolheu os ombros.

— Só sei dizer que esse velho militar, endurecido na batalha, encheu meus ouvidos com tanta convicção, que fiquei quase inclinado a acreditar nele.

— Justo o senhor, um cético da imprensa.

— Eu sou? Denuncio a desonestidade onde a vejo — disse Byrne. — Isso faz de mim um cético?

— Desculpe-me — replicou ela, desconcertada. — Falei mais do que pretendia.

— É um vício comum entre os homens de imprensa. — O sorriso foi um peixe em disparada.

Será que Byrne se mostrara melindrado só para fazê-la sentir-se culpada?, pensou Lib, aturdida.

— Quer dizer que a Anna O'Donnell seria uma irlandesinha iogue?

— O senhor não faria troça, se a conhecesse. — As palavras irromperam da boca de Lib.

O homem se pôs em pé.

— Aceito esse convite agora mesmo.

— Não, não. A regra contra as visitas é rigorosa.

— Então, como foi que o dr. Standish, de Dublin, conseguiu contorná-la, se me permite indagar? — O tom dele foi jocoso, mas o ressentimento era audível. — Ontem a senhora não mencionou isso: que deu permissão *a ele* para entrar, na segunda tentativa.

— Que cachorro!

William Byrne arriou de novo na cadeira.

— Um cachorro o deixou entrar?

— O cachorro é o Standish, aquele patife — respondeu Lib. — Tudo isto é confidencial?

O jornalista virou a agenda para baixo.

— Ele recomendou que eu alimentasse a menina à força, por um tubo.

Byrne se contraiu.

— O acesso foi dado a ele por insistência do dr. McBrearty e a despeito das minhas reservas — acrescentou Lib —, mas isto não voltará a acontecer.

— Por quê: a senhora passou de carcereira a guarda-costas, sra. Elizabeth Wright? Vai erguer o muro e tampar a brecha, para rechaçar todos os dragões?

Ela não respondeu. Como é que Byrne sabia seu prenome?

— Eu estaria certo em achar que a senhora bem que gosta da menina?

— Isto é meu trabalho — rebateu Lib. — Sua pergunta é irrelevante.

— Meu trabalho é fazer perguntas, todas elas.

Lib lançou-lhe um olhar severo.

— Por que ainda está aqui, sr. Byrne?

— Devo dizer que a senhora tem a arte de fazer um companheiro de infortúnio sentir-se bem-vindo. — Inclinou-se para trás na cadeira, tanto que ela rangeu.

— Queira me desculpar. Mas, como pode este caso merecer tantos dias de sua total atenção?

— É uma pergunta justa — disse William Byrne. — Antes de partir, na segunda-feira, eu disse a meu editor que poderia juntar uma vintena de pivetes nas ruas de Dublin. Por que fazer toda esta caminhada até os charcos?

— E o que disse ele? — indagou Lib.

— O que eu desconfiava que diria: *A ovelha perdida, William*.

Passado um momento, ela captou a referência ao Evangelho: o pastor que deixa seu rebanho de noventa e nove cabeças para buscar a única que se perdeu.

— As investigações jornalísticas têm de ser limitadas — disse ele, com um dar de ombros. — Quando se divide o interesse do leitor entre muitos objetos dignos, sobra muito pouco para fazê-lo derramar uma lágrima por quem quer que seja.

Ela meneou afirmativamente a cabeça.

— Com as enfermeiras, é a mesma coisa. Parece natural nos importarmos mais com o indivíduo do que com a massa.

Arqueou-se uma sobrancelha de leve tonalidade castanho-avermelhada.

— Era por isso que a srta. ... que a pessoa que me formou — corrigiu-se Lib — não deixava que nos sentássemos ao lado de um dado paciente, lêssemos para ele e coisas assim. Ela dizia que isso poderia levar ao apego.

— A flertes, esfregação e assim por diante?

Lib se recusou a enrubescer.

— Não tínhamos tempo para desperdiçar. Ela nos dizia: "Façam o que é necessário e sigam em frente".

— Agora a própria srta. Nightingale tornou-se inválida, é claro — disse Byrne.

Lib o encarou. Não tivera qualquer notícia de que sua mestra houvesse feito aparições públicas nos últimos anos, mas havia suposto que a srta. N. continuava a levar adiante, serenamente, sua missão de reforma hospitalar.

— Sinto muito — disse ele, debruçando-se sobre a mesa. — A senhora não sabia.

Lib lutou para se recompor.

— Quer dizer que ela era tão grande dama quanto dizem?

— Maior — respondeu Lib, engasgada. — E continua a ser, inválida ou não.

Afastou as sobras de seu guisado — incapaz de terminar a refeição, para quebrar a monotonia — e se levantou.

— Está aflita para ir embora? — perguntou William Byrne.

Lib optou por responder como se ele estivesse fazendo referência a sua partida da região central da Irlanda, e não a essa salinha de jantar acanhada.

— Bem, às vezes parece mesmo que o século XIX ainda não chegou a esta parte do mundo.

Ele sorriu.

— Leite para as fadas, discos de cera para afastar incêndios e enchentes, meninas que vivem de brisa... Será que não há nada que os irlandeses não engulam?

— Excetuando as fadas — disse Byrne —, a maioria dos meus conterrâneos engole qualquer baboseira com que nossos padres nos alimentem.

Então, ele também era católico, o que foi certa surpresa para Lib.

O repórter fez sinal para ela chegar mais perto. Lib inclinou-se para a frente, só um pouquinho.

— É por isso que estou apostando no sr. Thaddeus — murmurou. — A garota O'Donnell talvez seja inocente, pode até ter passado meses sendo alimentada enquanto dormia, se a senhora estiver certa, mas... e o marionetista dela?

Como um soco nas costelas. Por que Lib não tinha pensado nisso? O padre era realmente muito cheio de lábia, muito sorridente.

Mas espere aí. Ela endireitou o corpo. *Aja com lógica e imparcialidade.*

— O sr. Thaddeus afirma ter insistido com a Anna, desde o começo, para que ela comesse.

— Apenas *insistido*? Ela é paroquiana dele e fervorosamente devota. Ele poderia mandá-la subir uma montanha de joelhos. Não, eu digo que o padre está por trás dessa farsa desde o início.

— Mas com que motivação?

Byrne esfregou o polegar no indicador.

— Os donativos dos visitantes foram dados aos necessitados — disse Lib.

— O que significa a Igreja.

A cabeça dela girava. Tudo isso era terrivelmente plausível.

— Se o sr. Thaddeus fizer o caso da Anna ser reconhecido como um milagre e transformar esta aldeia lúgubre num local de peregrinação — disse Byrne —, não haverá limite para os lucros. A garota em jejum é uma verba para a construção de um santuário!

— Mas, como ele teria conseguido alimentá-la em segredo durante a noite?

— Não faço ideia — admitiu Byrne. — Deve estar mancomunado com a empregada, ou com os O'Donnell. De quem a senhora desconfia?

Lib relutou.

— Eu realmente não poderia me responsabilizar por...

— Ora, vamos, cá entre nós. A senhora está naquela casa dia e noite, desde segunda-feira.

Ela hesitou, depois disse, muito baixo:

— Rosaleen O'Donnell.

Byrne assentiu com a cabeça.

— Quem foi que disse que *mãe* é o nome que as crianças dão a Deus?

Lib nunca tinha ouvido isso.

Ele balançou o lápis entre os dedos.

— Veja bem, não posso imprimir uma palavra disto sem que haja provas; caso contrário, eles me processam por calúnia e difamação.

— É claro que não pode!

— Se a senhora me deixar passar cinco minutos com a menina, aposto que posso desencavar a verdade.

— Isso é impossível.

— Bem. — A voz de Byrne voltou ao estrondo habitual. — A senhora mesma vai sondá-la, então?

Lib não gostou da ideia de funcionar como espiã dele.

— Seja como for, obrigado pela companhia, sra. Wright.

Eram quase três da tarde e o plantão seguinte de Lib começaria às nove. Ela queria um pouco de ar, mas estava chuviscando e, além disso, pareceu-lhe estar necessitada de mais um cochilo. Assim, subiu e tirou as botas.

Se a praga das batatas tinha sido uma catástrofe tão prolongada, fazendo apenas sete anos que terminara, ocorreu a Lib que uma criança que agora contava onze anos deveria ter nascido no período da fome. Fora desmamada nele, criada nele; era fatal que isso moldasse uma pessoa. Cada pedacinho econômico do corpo de Anna teria aprendido a se arranjar com menos. *Ela nunca foi comilona nem dada a pedir gulodices* — tinha sido assim que Rosaleen O'Donnell elogiara a filha. Anna devia ter recebido um afago a cada vez que se dissera satisfeita. Ter ganho um sorriso por cada pedacinho que passava para o irmão, ou a empregada.

Só que isso nem começava a explicar por que todas as outras crianças da Irlanda queriam seu almoço, mas não Anna.

Talvez o que havia de diferente fosse a mãe, pensou Lib. Como a mãe gabola da história antiga, que enaltecia a filha perante o mundo como fiandeira de ouro. Será que Rosaleen O'Donnell havia notado o talento da filha caçula para a abstinência e imaginado um modo de transformá-lo em libras e xelins, fama e glória?

Lib ficou muito quieta, de olhos fechados, mas a luz pinicava nas pálpebras. Estar cansada não significava que a pessoa fosse capaz de dormir, assim como necessitar de comida não era o mesmo que comprazer-se com ela. O que a levou de volta, como todo o resto, a Anna.

Quando o finzinho da luz vespertina esgotou-se na rua do vilarejo, Lib virou à direita para a viela. Acima do cemitério, despontava uma lua crescente, quase cheia. Ela pensou no menino O'Donnell em seu caixão. Nove meses; em decomposição, mas ainda não transformado em esqueleto. Seriam dele as calças marrons usadas pelo espantalho?

O bilhete escrito por Lib para a porta da cabana estava riscado pelos filetes de chuva.

A irmã Michael esperava no quarto.

— Já apagada como uma vela — cochichou.

Ao meio-dia, elas só haviam disposto de um instante para Lib informar sobre seu plantão. Aquele era um raro momento em que poderiam conversar em particular.

— Irmã Michael...

Mas Lib se deu conta de que não poderia mencionar suas especulações sobre a alimentação fornecida durante o sono, porque a freira tornaria a se fechar como uma caixa. Não, era muito melhor ela se restringir ao terreno comum do interesse de ambas pela menina que dormia na cama estreita.

— A senhora sabia que o irmão da menina havia morrido?

— Que Deus o tenha! — disse a freira, com um aceno afirmativo, e se benzeu.

Então, por que ninguém tinha contado a Lib? Ou melhor, por que ela sempre parecia entender mal a situação?

— A Anna parece estar abalada por causa dele — disse.

— É natural.

— Não, mas... exageradamente.

Lib hesitou. Essa mulher podia ser carregada de superstições e ver anjos dançando por todos os charcos, mas não havia mais ninguém com quem lhe fosse possível falar e que visse a menina tão de perto.

— Acho que há algo errado com a cabeça da Anna — insistiu, num sussurro.

O branco dos olhos da irmã Michael captou a luz do lampião.

— Não nos pediram para examinar a mente dela.

— Estou fazendo um mapa dos sintomas — insistiu Lib. — Esse abatimento por causa do irmão é um deles.

— A senhora está fazendo inferências, sra. Wright. — A freira levantou um dedo rígido. — Não devemos manter este tipo de discussão.

— Isso é impossível. Toda palavra que dizemos é sobre a Anna, e como poderia não ser?

A religiosa abanou violentamente a cabeça.

— Ela está comendo ou não? Esta é a única pergunta.

— Não é minha única pergunta. E, se a senhora se diz enfermeira, também não pode ser a sua.

As bochechas da freira se contraíram.

— Meus superiores me mandaram aqui para servir sob as ordens do dr. McBrearty. Tenha uma boa noite.

Dobrou a capa sobre o braço e se foi.

Horas depois, sentada vendo as pálpebras de Anna estremecerem, Lib se descobriu ansiando pelo cochilo que deveria ter tirado à tarde. Mas esta era uma batalha antiga e, como qualquer enfermeira, ela sabia que poderia vencê--la, se falasse consigo mesma com severidade suficiente.

Era preciso conceder ao corpo alguma coisa: se não o sono, alimento, e, caso este não estivesse disponível, algum tipo de estímulo. Lib pôs de lado o xale e o tijolo aquecido, que mantinha seus pés fora do chão, e caminhou para lá e para cá pelo quarto, três passos para cada lado.

Ocorreu-lhe que William Byrne devia ter feito indagações a seu respeito, porque sabia o seu nome completo e sabia quem a havia treinado. E o que sabia ela sobre o repórter? Apenas que ele escrevia para um jornal que ela nunca lera, que fora designado para a Índia e que era católico, se bem que bastante cético. Muito franco e sem rodeios, mas, ainda assim, pouco tinha revelado além de sua teoria sobre o sr. Thaddeus— uma dedução audaciosa que, nesse momento, pareceu inteiramente não convincente a Lib. O padre nem estivera perto da cabana desde a manhã de segunda-feira. Como poderia ela perguntar a Anna: *É o sr. Thaddeus que tem impedido você de comer?*

Apanhou-se contando os movimentos respiratórios da menina adormecida. Dezenove por minuto, mas a contagem seria diferente e o número, menos regular, se Anna estivesse acordada.

Alguma coisa assava no caldeirão. Nabos? Eles passariam a noite inteira cozinhando devagar, enchendo a cabana com seu aroma amiláceo. Foi o bastante para deixar Lib com certa fome, apesar de haver jantado bem na mercearia-taberna do Ryan.

O que a impelira a olhar de novo para a cama? Os olhos escuros e brilhantes encontraram-se com os seus.

— Há quanto tempo você está acordada?

Um leve encolher de ombros por parte de Anna.

— Precisa de alguma coisa? Do urinol? De água?

— Não, obrigada, dona Elizabeth.

Havia alguma coisa no jeito de Anna formar as palavras, muito polido, quase rígido.

— Alguma coisa a está machucando?

— Acho que não.

— O que é?

Lib chegou mais perto, inclinando-se sobre a cama.

— Nada — sussurrou Anna.

Lib arriscou:

— Está com alguma fome? Foi o cheiro dos nabos que a despertou?

Um sorriso vago, quase compadecido.

O estômago de Lib roncou. A fome era terreno comum em que todos acordavam. O corpo do bebê que se agita para exigir num miado, a cada manhã: *Me dê de comer*. Mas não o de Anna O'Donnell, não mais. *Histérica, lunática, maníaca*: as palavras não combinavam com ela. Não havia nada com que ela se parecesse mais do que com uma garotinha que não precisava comer.

Ora, vamos, repreendeu-se Lib. Se a Anna acreditasse ser uma das cinco filhas da rainha, isto a tornaria uma delas? A criança podia não sentir fome, mas isso estava devorando sua carne, seus cabelos, sua pele.

Após um silêncio tão longo que Lib achou que talvez a menina estivesse dormindo de olhos abertos, Anna pediu:

— Fale do homenzinho.

— Que homenzinho? — indagou Lib.

— O amarrotado.

— Ah, Rumpelstiltskin.

Ela tornou a narrar o velho conto de fadas, só para passar o tempo. Ter que relembrar os detalhes a fez perceber o quanto ele era bizarro. Uma menina encarregada da tarefa impossível de fiar palha e dela produzir ouro, por causa da fanfarronice da mãe. O duende que a ajuda. A oferta desse duende de só deixá-la conservar o filho primogênito se ela for capaz de adivinhar seu estranho nome...

Depois da história, Anna passou algum tempo imóvel. Ocorreu a Lib que talvez a menina estivesse tomando o conto por uma história real. Será que todas as manifestações do sobrenatural eram igualmente reais para ela?

— Aposto.

— Aposta o quê? — perguntou Lib.

— Não é aposta. Era de Bet que a sua família a chamava?

Lib deu um risinho.

— Não me venha com essa bobagem de novo.

— Não é possível que eles a chamassem de Elizabeth todo santo dia. Betsy? Betty? Bessie?

— Não, não e não.

— Mas vem de Elizabeth, não é? — quis saber Anna. — Não é um nome completamente diferente, como Jane, é?

— Não, isso seria tapeação — concordou Lib.

Lib tinha sido seu apelido carinhoso dos tempos em que ela era o xodó de alguém, era o nome que lhe dera sua irmã caçula, porque *Elizabeth* era grande demais para que ela o pronunciasse. *Lib* era como a havia chamado sua família inteira, quando ela ainda tinha família, quando seus pais ainda eram vivos e antes de sua irmã lhe dizer que Lib estava morta para ela.

Pôs a mão sobre a de Anna no cobertor cinza. Os dedos inchados estavam gelados, por isso ela os cobriu.

— Você fica contente por ter alguém do seu lado durante a noite?

A garota pareceu confusa.

— Por não ficar sozinha, acho que é isto que estou querendo dizer.

— Mas eu não fico sozinha — disse Anna.

— Bem, agora não.

Não desde iniciada a vigília.

— Nunca estou sozinha.

— Não — concordou Lib. Duas carcereiras, uma atrás da outra, para ela ter companhia constante.

— Ele entra em mim assim que eu adormeço.

As pálpebras azuladas já se fechavam, trêmulas, por isso Lib não perguntou quem era *Ele*. A resposta era óbvia.

A respiração de Anna tornou a se aprofundar. Lib ficou pensando se a menina sonhava com seu Salvador todas as noites. Viria ele sob a forma de um homem de cabelos compridos, de um menino aureolado, de um bebê? Que consolações trazia, que *banquetes* tão mais ambrosíacos do que os da espécie terrena?

Observar alguém adormecido era um poderoso sonífero; as pálpebras de Lib recomeçaram a pesar. Ela se levantou, virando a cabeça de um lado para outro, para relaxar o pescoço.

Ele entra em mim assim que eu adormeço. Construção estranha. Talvez Anna não se referisse a Cristo, afinal, mas a um *ele* comum, a um homem — Malachy O'Donnell? Até o sr. Thaddeus? — que lhe despejava um líquido na boca por um funil, quando ela se achava num estado intermediário de apatia sonolenta. Estaria Anna tentando dizer-lhe a verdade que ela mesma mal compreendia?

No intuito de achar algo que fazer, Lib examinou a caixa dos tesouros da menina. Abriu com cuidado *A imitação de Cristo*, para não tirar os santinhos do lugar. *Se morrêssemos perfeitamente para nós mesmos e não nos enredássemos em nosso íntimo,* ela leu no alto de uma página, *poderíamos saborear coisas divinas.*

As palavras a fizeram estremecer. Quem ensinaria uma criança a morrer para si mesma? Quantas das ideias loucas e mais zelosamente prezadas por Anna vinham desses livros?

Ou das luminosas imagens em tom pastel dos santinhos. Inúmeras plantas: girassóis com os rostos voltados para a luz; Jesus empoleirado na copa de uma árvore sob a qual se amontoavam várias pessoas. Lemas sentenciosos em letra gótica, descrevendo-o como um irmão ou um noivo. Um dos cartões exibia uma escada íngreme, recortada na face de um rochedo, com um coração que avultava como um sol poente e uma cruz no alto. O seguinte era ainda mais estranho: *O casamento místico de Santa Catarina*. Uma bela jovem parecia aceitar uma aliança de casamento de um Jesus menino, acomodado no colo da mãe.

O que mais perturbou Lib, no entanto, mostrava uma garotinha flutuando numa balsa em forma de um grande crucifixo, dormindo estendida, alheia às ondas furiosas que se erguiam ao redor. *Je voguerai en paix sous la garde de Marie,* dizia. Eu não-sei-quê em não-sei-quê sob a proteção de Maria? Só então Lib notou um rosto tristonho de mulher nas nuvens, zelando pela garotinha.

Fechou o livro e o repôs no lugar. Então, pensou em olhar novamente para aquele santinho e ver que passagem ele marcava. Não conseguiu encontrar nada sobre Maria, nem sobre o mar. *Vasos* foi a única palavra que lhe chamou a atenção: *Pois o Senhor derrama Suas bênçãos ali onde encontra os vasos vazios.* Vazios de quê, exatamente?, perguntou-se Lib. De alimento? Pensamento? Individualidade? Na página seguinte, perto da figura de um anjo de aspecto bilioso, *Quereis dar-me o alimento celestial e o pão dos anjos para comer.* Mais algumas páginas adiante, marcado com uma imagem da Santa Ceia: *Quão doce e delicioso é o banquete em que Vos destes a Vós mesmo como nosso alimento!* Ou talvez esse santinho combinasse com *somente vós sois minha carne e minha bebida, meu amor.*

Lib percebeu como uma criança poderia interpretar mal essas frases cheias de floreios. Se aqueles fossem os únicos livros de Anna, e se ela tivesse sido mantida em casa, longe da escola, desde que havia adoecido, ponderando sobre eles sem a orientação adequada...

É claro que algumas crianças não estavam aptas a apreender o que era a metáfora. Lib recordou-se de uma menina da escola, um tipo inflexível, sem conversas sobre generalidades, que, apesar de toda a sua erudição, era uma imbecil no tocante às coisas do dia a dia. Anna não parecia ser assim. No entanto, de que mais se poderia chamar, senão de estupidez, a interpretação literal da linguagem poética por seu sentido aparente? Lib teve vontade de sacudir a menina para tornar a acordá-la: *Jesus não é carne de verdade, sua debiloide!*

Não, debiloide, não. Anna possuía uma inteligência excelente, que apenas se havia desencaminhado.

Uma das enfermeiras do hospital tinha um primo, Lib recordou nesse momento, que se convencera de que as vírgulas e pontos do *Daily Telegraph* continham mensagens codificadas para ele.

Eram quase cinco da manhã quando Kitty enfiou a cabeça pelo vão da porta e observou a menina adormecida por um longo momento.

Talvez Anna fosse a última prima sobrevivente da Kitty, ocorreu então a Lib. Os O'Donnell nunca mencionavam nenhum outro parente. Algum dia Anna teria feito confidências à prima?

— A irmã Michael chegou — disse a criadinha.

— Obrigada, Kitty.

Mas foi Rosaleen O'Donnell quem entrou em seguida.

Deixe-a em paz, Lib teve vontade de dizer. Mas mordeu a língua, enquanto Rosaleen se debruçava para acordar a filha com um abraço demorado e preces murmuradas. Parecia saído de uma ópera aquele seu jeito de irromper quarto adentro, duas vezes por dia, para exibir os sentimentos maternais.

A freira entrou e a cumprimentou com um aceno da cabeça, a boca fechada. Lib pegou suas coisas e se retirou.

Do lado de fora da cabana, a criada vertia um balde de ferro cheio d'água numa tina gigantesca, posta sobre uma fogueira.

— O que está fazendo, Kitty?

— Dia de lavagem.

A tina da lavagem estava perto demais do monte de esterco, para o gosto de Lib.

— Seria na segunda, em geral, não na sexta — disse Kitty —, só que Lá Fhéile Muire Mór não cai na segunda?

— Perdão, o que disse?
— A festa da Santíssima Virgem Maria.
— Ah, é mesmo?
Kitty pousou as mãos nos quadris, olhando fixo para Lib.
— Foi no dia quinze de agosto que Nossa Senhora foi levada para o alto.
Lib não teve ânimo de perguntar o que significava isso.
— Foi corporalmente elevada ao paraíso. — Kitty fez a mímica com o balde.
— Ela morreu?
— Não, senhora — zombou Kitty. — Então seu filho amoroso não a poupou disso?

Não havia como conversar com essa criatura. Com um aceno da cabeça, Lib deu meia-volta em direção ao vilarejo.

⁂

Retornou a pé para a mercearia-taberna no auge da escuridão, com uma lua de aspecto mordiscado luzindo baixa no horizonte. Antes de se arrastar escada acima para chegar à sua cama, em cima da mercearia, lembrou-se de pedir a Maggie Ryan que guardasse um pouco do desjejum para ela.

Acordou às nove, depois de dormir apenas o bastante para se embotar, mas não o suficiente para clarear as ideias. A chuva tamborilava no telhado como os dedos de um cego.

Nem sinal de William Byrne na sala de jantar. Seria possível ele já ter voltado para Dublin, apesar de haver insistido em que Lib descobrisse mais dados sobre o possível envolvimento do padre no embuste?

A menina lhe serviu panquecas frias. Assadas — Lib deduziu pela vaga textura crocante — diretamente nas brasas. Será que os irlandeses tinham ódio de comida? Ela estava prestes a perguntar pelo jornalista, quando se deu conta de como poderia soar esta pergunta.

Pensou em Anna O'Donnell, acordando ainda mais vazia no quinto dia. Com uma náusea repentina, Lib afastou o prato e subiu para o quarto.

Passou várias horas lendo — um volume com uma miscelânea de ensaios —, mas descobriu que não estava retendo nada.

Saiu andando por uma ruela atrás da mercearia-taberna, apesar da água que tamborilava sobre seu guarda-chuva; qualquer coisa para estar do lado de fora. Algumas vacas desconsoladas num campo. O solo pareceu ficar mais e mais pobre à medida que ela foi caminhando para a única região elevada, a baleia da Anna — uma cadeia comprida de morros, com uma extremidade grossa e outra pontiaguda. Seguiu uma trilha até vê-la minguar e desaparecer num solo alagadiço. Tentou se ater às áreas mais altas, de aspecto mais seco, arroxeadas pelas urzes. Pelo canto do olho, viu alguma coisa se mexer: uma lebre? Havia depressões cheias de algo parecido com chocolate quente, outras reluzindo com água suja.

Para não encharcar as botas, Lib foi pulando de elevação em elevação, todas em forma de cogumelo. De vez em quando, virava a ponta do guarda-chuva para baixo e cutucava o chão, para avaliar sua firmeza. Passou algum tempo traçando seu caminho por uma faixa larga de capim, embora ficasse nervosa por ouvir um leve escorrer de água por baixo, uma corrente subterrânea, talvez; será que a paisagem inteira era vazada como um favo de mel?

Um pássaro de bico curvo passou, espreitando, e soltou um lamento agudo. Tufinhos brancos balançavam sozinhos e aos pares pelo chão molhado. Quando Lib se curvou para examinar um líquen curioso, ele se revelou cheio de espinhos, como os chifres de um cervo minúsculo.

Um som de machadadas vinha de um enorme buraco no chão. Ao se aproximar dele e espiar, Lib viu que o buraco estava cheio até a metade de uma água marrom e que havia um homem lá dentro, com a água batendo no peito, agarrado pela dobra do cotovelo a uma espécie de escada rudimentar.

— Espere aí! — ela gritou.

O homem a olhou, perplexo.

— Eu já volto com ajuda, o mais rápido que puder — ela lhe disse.

— Eu tô bom, dona.

— Mas... — Lib apontou para a água que o envolvia.

— Tô só descansando um pouquinho.

Lib havia tornado a entender mal. Sentiu as bochechas queimarem.

O homem balançou o peso do corpo e segurou a escada com o outro braço:

— A senhora deve ser a enfermeira inglesa.

— Isso mesmo.

— Lá eles não cortam turfa?

Só então ela reconheceu a pá de lâmina alada que pendia da escada usada por ele.

— Não na minha parte do país. Posso perguntar por que o senhor desce tanto?

— Ah, a camada do alto não presta. — Apontou para a borda do buraco. — É só limo pra forragem, para os animais dormirem, e para cuidar de feridas.

Lib não conseguia imaginar a introdução daquela matéria pútrida em nenhum ferimento, nem mesmo num campo de batalha.

— Pra conseguir turfa para fazer carvão, tem que descer cavando até a altura de um ou dois homens.

— Que interessante. — Lib tentou parecer prática, porém mais soou como uma dama frívola numa festa.

— A senhora se perdeu, dona?

— De modo algum. É só minha caminhada terapêutica. Exercício — acrescentou, para o caso de o cortador de turfa não estar familiarizado com a expressão.

Ele assentiu com a cabeça.

— Por acaso a senhora tem uma fatia de pão no bolso?

Ela deu um passo atrás, sem jeito. Será que o homem era mendigo?

— Não. E também não tenho dinheiro.

— Ah, dinheiro não adianta. A pessoa precisa é de um pedacinho de pão pra manter o outro povo afastado, quando sai pra caminhar.

— O outro povo?

— O povo encantado — disse ele.

Mais disparates sobre fadas, evidentemente. Lib virou-se para ir embora.

— Já andou na estrada verde?

Outra referência sobrenatural? Lib virou-se para trás.

— Creio que não sei o que isso significa.

— A senhora está quase nela, com certeza.

Olhando para onde apontava o cortador de turfa, ela se espantou ao avistar uma trilha.

— Obrigada.

— Como vai indo a garotinha?

Lib quase respondeu com um automático *bem o bastante*, mas se conteve a tempo:

— Não tenho liberdade para discutir o caso. Bom dia.

De perto, a *estrada verde* era realmente uma pista para carroças, revestida de pedra britada, que começava de repente no meio do charco. Talvez fosse dali até a aldeia seguinte, e o trecho final — o que levaria direto até o vilarejo dos O'Donnell — ainda não tivesse sido construído, quem sabe? Não tinha nada de particularmente verde, mas o nome prometia alguma coisa. Lib partiu num passo rápido pela margem suave da pista, onde uma ou outra flor desabrochava.

Meia hora depois, a trilha havia ziguezagueado pela encosta da colina, subindo e descendo sem nenhuma razão óbvia. Lib estalou a língua, irritada.

Porventura uma trilha reta para se andar seria pedir demais? Por fim, o caminho pareceu retroceder, tristonho, e a superfície começou a se romper. A chamada estrada foi minguando, com a mesma arbitrariedade com que havia começado, as pedras engolidas pelo mato.

Que gentinha, esses irlandeses. Ineptos, imprevidentes, desanimados, infelizes, sempre remoendo os erros do passado. Com suas estradas que não levavam a parte alguma, suas árvores com trapos fétidos pendurados.

Lib refez todo o percurso no sentido inverso, pisando duro. A umidade havia escorrido pelo guarda-chuva e empapado seu casaco. Ela estava decidida a dizer uma ou duas verdades ao sujeito que a fizera enveredar por aquele caminho inútil, mas, ao chegar ao buraco no charco, tudo que ele continha era água. A menos que ela o houvesse confundido com outro, seria isso? Além daquela grande dentada na terra, havia torrões de turfa dispostos em grades de secagem sob a chuva.

Na volta para a mercearia-taberna do Ryan, ela avistou o que supôs ser uma orquídea pequenina. Talvez pudesse colhê-la para Anna. Pisou num trecho cor de esmeralda para alcançar a flor e, tarde demais, sentiu o musgo ceder sob os pés.

Lançada de ponta-cabeça, Lib se apanhou rastejando de bruços no limo. Embora se erguesse quase de imediato sobre os joelhos, ficou encharcada. Quando levantou a saia e pôs um dos pés no chão, ele afundou na turfa. Como um bicho capturado numa armadilha, ela se esfalfou para se livrar daquilo, ofegante.

Ao cambalear de volta para a ruela, sentiu alívio pela proximidade da mercearia-taberna, pois assim não teria que percorrer toda a extensão da rua do vilarejo naquele estado.

À porta, seu anfitrião arqueou as sobrancelhas hirsutas.

— Traiçoeiros esses seus charcos, sr. Ryan. — A saia dela pingava. — Muita gente se afoga neles?

Ryan deu uma bufadela, o que provocou um acesso de tosse.

— Só se tiver o miolo mole — disse, quando pôde voltar a falar —, ou se houver enchido a cara numa noite sem lua.

Quando Lib acabou de se enxugar e vestir o uniforme de reserva, passavam cinco minutos da uma da tarde. Andou o mais rápido que pôde para a casa dos O'Donnell. Teria corrido, se isso não fosse indigno de uma enfermeira. Chegar com vinte minutos de atraso para o plantão, depois de toda a sua insistência em padrões elevados...

No lugar onde estivera a tina de lavagem da roupa, naquela manhã, havia uma poça cinzenta e um batedor de roupa de quatro pés, feito de madeira, caído a seu lado. Lençóis e roupas estendiam-se sobre arbustos e pendiam de uma corda pendurada entre a cabana e uma árvore torta.

Na sala boa, bebericando chá e segurando um pãozinho com manteiga no prato, achava-se o sr. Thaddeus. A indignação cresceu dentro de Lib.

Mas, afinal, ele não podia ser considerado uma visita, disse a si mesma, já que era o padre da paróquia e membro da comissão. E, pelo menos, a irmã Michael estava sentada bem ao lado de Anna. Enquanto tirava o casaco, Lib captou o olhar da freira e moveu a boca em silêncio, murmurando um pedido de desculpas pelo atraso.

— Minha querida menina — estava dizendo o padre —, respondendo a sua pergunta, não fica no alto nem embaixo.

— Fica onde, então? — perguntou Anna. — Flutua entre os dois?

— O purgatório não deve ser considerado um lugar real, mas, antes, o tempo destinado à purificação da alma.

— Mas quanto tempo é isso, sr. Thaddeus? — Sentada muito ereta, Anna estava pálida como leite. — Sei que são sete anos para cada pecado mortal que cometemos, porque eles ofendem as sete dádivas do Espírito Santo, mas não sei quantos o Pat cometeu, então não posso calcular a soma.

O padre suspirou, mas não contradisse a menina.

Lib revoltou-se com essa bobajada matemática. Era Anna quem sofria de mania de religião, ou era sua nação inteira?

O sr. Thaddeus baixou a xícara.

Lib ficou de olho em seu prato, para ver se caía alguma migalha. Não que pudesse realmente imaginar Anna apanhando e engolindo uma côdea, se ela caísse.

— Trata-se mais de um processo que de um período fixo — disse ele à menina. — Na eternidade do amor do Todo-Poderoso não existe tempo.

— Mas acho que o Pat ainda não está com Deus no céu.

Os dedos da irmã Michael deslizaram sobre os de Anna.

Observando, Lib condoeu-se da menina. Como só houvera eles dois, os irmãos deviam ter sido muito apegados na travessia dos piores momentos.

— Os que estão no purgatório não têm permissão para rezar, é claro — disse o padre —, mas podemos rezar por eles. Para que eles expiem seus pecados, se corrijam... é como verter água sobre as chamas deles.

— Ah, mas eu tenho rezado, sr. Thaddeus — Anna lhe garantiu, de olhos arregalados. — Fiz uma novena para as Santas Almas, nove dias por mês durante nove meses. Rezei a oração de Santa Gertrudes no cemitério, e adorei o Santíssimo Sacramento, e rezei pela intercessão de todos os santos...

Ele ergueu a palma de uma das mãos para silenciá-la.

— Pois então, muito bem. Isso já soma meia dúzia de atos de reparação.

— Mas pode não ser água suficiente para apagar as chamas do Pat.

Lib quase se apiedou do padre, que abanava as mãos.

— Não pense nisso como um fogo de verdade — insistiu ele com Anna —, porém como o doloroso senso de indignidade da alma ao se colocar na presença de Deus; pense nisso como o castigo que ela impõe a si mesma, compreende?

A criança deixou escapar um soluço alto.

A irmã Michael segurou-lhe a mão esquerda entre ambas as dela.

— Vamos — murmurou —, então Nosso Senhor não disse *Não temas*?

— Isso mesmo — confirmou o sr. Thaddeus. — Deixe o Pat nas mãos do nosso Pai Celestial.

Uma lágrima rolou pelo rosto inchado de Anna, mas ela a enxugou.

— Ah, Deus a abençoe, minha doce gracinha — murmurou Rosaleen O'Donnell atrás de Lib, no vão da porta. Kitty rondava a seu lado.

De repente, fazer parte dessa plateia deixou a inglesa constrangida. Poderia toda aquela cena ter sido montada pela mãe e pelo padre? E quanto à irmã Michael, estaria ela consolando a menina, ou atraindo-a ainda mais para o labirinto?

O sr. Thaddeus juntou as mãos.

— Vamos rezar, Anna?

— Sim. — A menina uniu as mãos: — *Adoro-te, ó preciosíssima cruz, adornada pelos membros tenros, delicados e veneráveis de Jesus, meu Salvador, salpicada e manchada pelo precioso sangue d'Ele. Adoro-te, ó meu Senhor, pregado à cruz por amor a mim.*

Era a oração da Dora! *Adoro-te* e *adornada*, não Dora — era isso que Lib havia escutado nos cinco dias anteriores.

Depois da breve satisfação de ter resolvido esse quebra-cabeça, ela se sentiu murcha. Só mais uma oração; que haveria de tão especial nela?

— Agora, quanto ao assunto que me trouxe aqui, Anna... — disse o sr. Thaddeus. — Sua recusa a comer.

Estaria o padre tentando absolver-se de qualquer culpa, ao alcance dos ouvidos da inglesa? *Pois então, faça-a comer esse pãozinho gorducho neste instante*, Lib o exortou em silêncio.

Anna disse alguma coisa, falando muito baixo.

— Fale alto, minha cara.

— Eu não me *recuso*, sr. Thaddeus — disse ela. — Só não como.

Lib observou aqueles olhos sérios, inchados.

— Deus enxerga o interior do seu coração — disse o sr. Thaddeus — e se comove com suas boas intenções. Vamos rezar para que Ele lhe conceda a graça de ingerir o alimento.

A freira assentiu com a cabeça.

A graça de ingerir o alimento! Como se isso fosse um poder miraculoso, quando qualquer cachorro e qualquer lagarta nasciam com ele.

Os três rezaram juntos em silêncio, durante alguns minutos. Depois, o sr. Thaddeus comeu seu pãozinho, abençoou os O'Donnell e a irmã Michael e se retirou.

Lib levou Anna de volta para o quarto. Não conseguiu pensar em nada para dizer, nenhum modo de se referir à conversa sem insultar a fé alimentada pela criança. Em todos os cantos do mundo, disse a si mesma, as pessoas depositavam sua confiança em amuletos, ídolos ou palavras mágicas. Anna podia acreditar no que bem lhe aprouvesse, tanto fazia para Lib, desde que simplesmente comesse.

A enfermeira abriu *All the Year Round* e tentou encontrar algum artigo que lhe parecesse remotamente interessante.

Malachy entrou para trocar algumas palavras com a filha.

— E quais são essas aqui? — indagou.

Anna o apresentou às flores do seu vaso: nartécio, trifólio, urze-peluda, molínia, pinguícula.

Distraída, a mão dele deslizou sobre a orelha da filha, desenhando sua curva.

Teria o homem notado o cabelo que ia ficando ralo?, Lib se perguntou. As partes escamadas da pele, a penugem no rosto, os membros edemaciados? Ou seria Anna sempre a mesma, aos olhos do pai?

Nada de batidas na porta da cabana nessa tarde; talvez a chuva constante mantivesse afastados os curiosos. Anna parecia haver emudecido após o encontro com o padre. Sentou-se com um hinário aberto no colo.

Cinco dias, pensou Lib, fixando tanto a vista que os olhos chegaram a arder. Seria possível uma criança teimosa durar cinco dias tomando apenas golinhos de água?

Kitty entrou com a bandeja de Lib às quinze para as quatro. Repolho, nabo e as inevitáveis bolachas de aveia —, mas Lib estava com fome, de modo que atacou o prato como se fosse a mais requintada iguaria. Dessa vez, as bolachas estavam ligeiramente queimadas, além de cruas no meio. Mas Lib as empurrou para dentro. Já limpara metade do prato quando veio a perceber sequer ter-se lembrado de Anna, a menos de um metro de distância, murmurando aquilo em que a inglesa ainda pensava ser a oração da Dora. Era isso que a fome era capaz de fazer: cegar a pessoa para qualquer outra coisa. A massa de aveia subiu-lhe até a garganta.

Uma enfermeira conhecida em Scutari havia passado algum tempo numa grande propriedade agrícola no Mississippi e dissera que a coisa mais pavorosa era a rapidez com que se deixava de reparar nas golilhas e nas correntes. A pessoa podia se acostumar com qualquer coisa.

Lib contemplou seu prato nesse momento e o imaginou tal como Anna dizia vê-lo: *uma ferradura, ou um pedaço de lenha, ou uma pedra*. Impossível. Tentou de novo, visualizando os legumes com desapego, como se estivessem numa moldura. Agora aquilo era apenas a fotografia de um prato engordurado e, afinal, ninguém poria a língua numa imagem, nem daria uma dentada numa página. Lib acrescentou uma camada de vidro, depois, outra moldura e mais uma camada de vidro, enquadrando a coisa para afastá-la. *Não era comestível*.

Mas o repolho era um velho amigo; seu aroma quente e saboroso a atraiu. Ela o espetou com o garfo e o pôs na boca.

Anna observava a chuva, o rosto quase colado na janela suja.

A srta. N. era passional em suas visões da importância da luz solar para os doentes, recordou-se Lib. Tal como as plantas, os pacientes encolhiam sem ela. O que a fez pensar em McBrearty e sua misteriosa teoria sobre viver de luz.

O céu desanuviou-se enfim, por volta das seis, e Lib decidiu que era pequeno o risco de visitas já tão tarde, de modo que levou Anna para dar uma volta pelo terreiro, bem embrulhada em dois xales.

A menina estendeu a mão inchada para uma borboleta castanha que voejava por ali e não quisera pousar nela.

— Aquela nuvem lá não é igualzinha a uma foca?

Lib apertou os olhos.

— Acho que você nunca viu uma foca de verdade, Anna.

— De verdade num quadro, vi.

É claro que crianças gostavam de nuvens: eram amorfas, ou melhor, viviam em eterna mutação, caleidoscópicas. A mente caótica dessa menina nunca fora posta em ordem. Não era de admirar que se houvesse tornado presa de uma ambição tão fantasiosa quanto uma vida isenta de apetite.

Quando voltaram, um homem alto, barbudo, fumava num banquinho, junto à cadeira boa. Virou-se e abriu um sorriso para Anna.

— A senhora deixou entrar um estranho no minuto em que virei as costas? — Lib perguntou a Rosaleen O'Donnell, num cochicho ríspido.

— O John Flynn não é nenhum estranho, ora essa. — A mãe não baixou a voz. — Ele tem uma bonita fazendona ali adiante, na estrada, e por acaso não é comum dar uma parada aqui, à noitinha, para trazer o jornal para o Malachy?

— *Nada de visitas* — Lib lhe recordou.

A voz que emergiu daquela barba foi muito grave:

— Sou membro da comissão que está pagando o seu salário, sra. Wright.

De novo apanhada no contrapé.

— O senhor queira me desculpar. Eu não sabia.

— Aceita uma dose de uísque, John? — A sra. O'Donnell foi buscar a garrafinha guardada para as visitas no nicho ao lado da lareira.

— Não, não neste momento. Anna, como está passando hoje? — Flynn perguntou com voz branda, fazendo sinal para que a menina se aproximasse.

— Muito bem — Anna lhe assegurou.

— Você não é maravilhosa? — Os olhos do fazendeiro pareciam vidrados, como se ele estivesse tendo uma visão. Uma de suas manoplas se estendeu, como se quisesse afagar a cabeça da menina. — Você dá esperança a todos nós. É justamente do que precisamos, nestes tempos de depressão — disse-lhe. — Um facho de luz brilhando por estes campos. Por toda esta ilha tenebrosa!

Anna apoiava-se numa das pernas, constrangida.

— Quer fazer uma oração comigo? — pediu Flynn.

— Ela precisa tirar essa roupa molhada — disse Lib.

— Então reze baixinho uma oração por mim, quando for dormir — gritou ele, enquanto Lib apressava a menina de volta ao quarto.

— É claro que rezo, sr. Flynn — disse Anna, virando-se para trás.

— Deus a abençoe!

Muito acanhado e sombrio lá dentro, sem o lampião.

— Vai escurecer logo — disse Lib.

— *Quem me segue não andará nas trevas* — citou Anna, desabotoando os punhos da blusa.

— É melhor você pôr logo a sua roupa de dormir.

— Está bem, dona Elizabeth. Ou será Eliza, talvez? — A fadiga deixou torto o sorriso da menina.

Lib concentrou-se nos botões miúdos de Anna.

— Ou será que é Lizzy? Gosto de Lizzy.

— Não é Lizzy — disse Lib.

— Izzy? Ibby?

— Iddly-diddly!

Anna transbordou de rir.

— Então, vou chamá-la assim, dona Iddly-Diddly.

— Não vai não, menina sapeca — disse Lib. Estariam os O'Donnell e seu amigo Flynn intrigados com todas essas risadas que saíam pela parede?

— Vou, sim — retrucou Anna.

— Lib. — A palavra saiu dela sozinha, como uma tosse. — Era de Lib que me chamavam. — E já se arrependia de ter-lhe contado.

— Lib — repetiu Anna, com um aceno satisfeito da cabeça.

Foi doce ouvi-lo. Como nos tempos da infância, quando sua irmã ainda a admirava, quando elas achavam que sempre teriam uma à outra.

Lib afastou um pouco as lembranças.

— E você, já teve algum apelido?

Anna abanou a cabeça.

— Poderia ser Annie, talvez. Hanna, Nancy, Nan...

— Nan — disse a menina, pronunciando a sílaba.

— Você gosta mais de Nan?

— Mas ela não seria eu.

Lib deu de ombros.

— A mulher pode mudar de nome. No casamento, por exemplo.

— A senhora era casada, dona Lib.

Ela assentiu com a cabeça, desconfiada.

— Sou viúva.

— Fica triste o tempo todo?

Lib ficou desconcertada.

— Convivi com meu marido por menos de um ano. — Será que isso tinha soado frio?

— A senhora devia amá-lo — disse Anna.

A isso Lib não soube responder. Evocou mentalmente a imagem de Wright; seu rosto era um borrão.

— Às vezes, quando a desgraça bate, não há nada a fazer senão recomeçar.

— Começar o quê?

— Tudo. Toda uma vida nova.

A menina absorveu essa ideia em silêncio.

Ficaram meio cegas quando Kitty entrou, carregando o lampião reluzente. Mais tarde, entrou Rosaleen O'Donnell com o *Irish Times* deixado por John Flynn. Nele estava a fotografia de Anna, tirada por Reilly na tarde de segunda-feira, mas agora transformada numa xilogravura, com todas as linhas e sombras mais cruas. O efeito irritou Lib, como se seus dias e noites nessa cabana apertada se estivessem traduzindo numa história de advertência. Ela confiscou o jornal antes que Anna pudesse vê-lo.

— Tem uma reportagem grande embaixo. — A mãe estava trêmula de satisfação.

Enquanto Anna escovava o cabelo, Lib foi até o lampião e passou uma vista d'olhos no texto. Era o primeiro despacho de William Byrne, ela se deu conta — o que citava Petrônio, redigido às pressas na manhã de quarta-feira, quando ele não tinha nenhuma informação concreta sobre o caso. Lib não teve como discordar no tocante à ignorância provinciana.

O segundo parágrafo foi novo para ela:

Faz muito tempo, é claro, que a abstinência é uma arte inconfundivelmente irlandesa. Como diz o velho ditado hibérnico, *Deixe a cama com sono, deixe a mesa com fome*.

Isso não era notícia, pensou Lib, apenas conversa fiada; o tom insolente deixou-a com um gosto ruim na boca.

Talvez esses metropolitanos sofisticados que se desfizeram do gaélico precisem ser lembrados de que, em nossa língua antiga, a quarta-feira é designada por uma palavra que significa "primeiro jejum", e a sexta-feira, por "segundo jejum". (Em ambos os dias, diz a tradição que se deve deixar os bebês impacientes chorarem três vezes antes de receberem a mamadeira.) A palavra correspondente à quinta-feira, num contraste encantador, significa "dia entre jejuns".

Poderia tudo isso ser verdade? Lib não confiava naquele sujeito; Byrne tinha bastante erudição, mas a usava para fazer graça.

Nossos antepassados tinham o costume (no idioma hibérnico) de *jejuar contra* os transgressores ou os devedores, isto é, de passar fome conspicuamente, diante da porta deles. Dizem que o próprio São Patrício jejuou contra seu Criador na montanha que leva o seu nome, em Mayo, com notável sucesso: levou o Todo-Poderoso, constrangido pela vergonha, a lhe conceder o direito de julgar os irlandeses nos Últimos Dias. Também na Índia, o protesto por meio do jejum à porta de terceiros tornou-se tão prevalente que o vice-rei está propondo bani-lo. Quanto a saber se a pequena srta. O'Donnell está expressando alguma queixa juvenil, ao prescindir de quatro meses de desjejuns, almoços e jantares, este correspondente ainda não pôde determinar.

Lib teve vontade de jogar o jornal no fogo. Será que o sujeito não tinha coração? Anna era uma criança com problemas, não uma distração de veraneio para leitores de jornais.

— O que diz aí sobre mim, dona Lib?

Ela abanou a cabeça.

— Não é sobre você, Anna.

Para se distrair, Lib passou os olhos pelas manchetes em negrito, assuntos de importância mundial. A eleição geral; a união da Moldávia com a Valáquia; o cerco ao porto de Veracruz; a erupção vulcânica ininterrupta no Havaí.

Não adiantou. Ela não se importava com nenhuma dessas coisas. A enfermagem privada era sempre limitante, e a peculiaridade deste trabalho, em particular, havia intensificado esse efeito, fazendo o mundo dela reduzir-se a um quartinho.

Lib enrolou o jornal como um cilindro apertado e o deixou em sua bandeja de chá junto à porta. Em seguida, tornou a verificar todas as superfícies, não por ainda acreditar que houvesse algum reservatório oculto que Anna buscasse furtivamente para comer, durante os plantões da freira, mas apenas para arranjar algo que fazer.

De camisola, a menina, sentada, tricotava meias de lã. Seria possível que Anna tivesse alguma *queixa* não verbalizada?, perguntou-se Lib.

— Hora de ir para a cama — disse. Bateu os travesseiros, moldando-os numa forma que mantivesse a cabeça da menina levantada no ângulo correto. Fez suas anotações.

Sem melhora do edema.
Idem quanto às gengivas.
Pulso: 98 batidas por minuto.
Pulmões: 17 respirações por minuto.

Quando a freira chegou para seu plantão, Anna já estava cochilando. Lib achou que tinha de falar, mesmo que a mulher resistisse a cada aproximação sua.

— Cinco dias e quatro noites, irmã, e não vi nada. Diga-me, por favor, pelo bem de sua paciente: a senhora viu?

Uma hesitação, depois a freira abanou a cabeça. Ainda mais baixinho, disse:

— Talvez não haja nada para ver.

O que significava o quê? Que não houvera alimentação sub-reptícia, porque Anna era mesmo uma maravilha viva, que vicejava tão somente com uma dieta de orações? Um bafo incômodo do inefável enchia essa cabana — esse país inteiro — e fazia o estômago de Lib dar voltas.

Ela falou com todo o tato que lhe foi possível:

— Tenho uma coisa para dizer. Não é propriamente sobre a Anna, mas sobre nós.

Isso fisgou a atenção da freira. Após um longo momento, ela disse:

— Nós?

— Estamos aqui para observar, não é?

A irmã Michael fez que sim, com um meneio da cabeça.

— Mas estudar uma coisa pode significar interferir nela. Quando alguém põe um peixe num tanque, ou uma planta num vaso, tendo por objetivo sua observação, altera suas condições. Como quer que a Anna tenha vivido nos últimos quatro meses, tudo está diferente agora, não concorda?

A freira apenas inclinou a cabeça para um lado.

— Por nossa causa — explicitou Lib. — A vigília alterou a situação vigiada.

As sobrancelhas da irmã Michael subiram a ponto de desaparecer por trás da faixa de linho branco.

Lib continuou:

— Se porventura andou acontecendo algum subterfúgio nesta casa nos últimos meses, nossa vigilância deve ter posto fim a ele, a contar de segunda-feira. Portanto, há uma possibilidade muito real de que agora a senhora e eu sejamos as pessoas que estão impedindo a Anna de obter alimentos.

— Não estamos fazendo nada!

— Estamos observando a cada minuto. Por acaso não a prendemos, como se fosse uma borboleta? — Imagem errada, mórbida demais.

A freira abanou a cabeça, não uma vez, porém repetidamente.

— Espero estar errada — disse Lib —, mas, se estiver certa, se já fizer cinco dias que a menina não come nada...

Irmã Michael não disse *Isso seria impossível*, nem *Anna não precisa de comida*. Sua única resposta foi:

— A senhora notou alguma mudança significativa no estado dela?

— Não — Lib admitiu. — Nada em que eu possa pôr o dedo.

— Bem, então.

— "Bem, então" o quê, irmã? Será que *Deus está no paraíso e que tudo vai bem no mundo*? O que faremos?

— O que a senhora foi contratada para fazer, sra. Wright. Nem mais nem menos.

E, com isso, a freira sentou-se e abriu seu livro sagrado, como uma barricada.

Essa peoa de fazenda, que havia acabado na Casa de Misericórdia, era uma boa alma, sem dúvida, pensou Lib com exasperação. E devia ser inteligente, lá à maneira dela, quando ao menos deixava sua mente perambular para além das fronteiras prescritas por seus superiores e pelo mestre de todos em Roma. *Nós juramos ser úteis*, gabara-se a irmã Michael, mas que serventia tinha ela ali, de verdade? Lib pensou no que a srta. N. dissera a uma enfermeira a quem tinha mandado de volta para Londres, depois de apenas uma quinzena em Scutari: "No front, quem não é útil é um empecilho".

Na cozinha, havia começado o terço. Os O'Donnell, John Flynn e a criada já estavam de joelhos quando Lib passou por eles, todos entoando: "O pão nosso de cada dia nos dai hoje". Será que essa gente não escutava o que dizia? Que tal o pão de cada dia de Anna O'Donnell?

Lib abriu a porta com um safanão e saiu para a noite.

⁂

O sono tornou a levá-la, vez após outra, à base daquele penhasco desenhado no santinho, o que tinha a cruz avultando no ponto mais alto e o coração vermelho gigantesco abaixo dela, pulsando. Lib tinha que subir os degraus escavados na face rochosa. Suas pernas ficavam tensas e trêmulas sob o corpo e, por mais que ela subisse inúmeros degraus, nunca chegava mais perto do topo.

Era manhã de sábado, percebeu, ao acordar no escuro.

Quando chegou à cabana, viu a roupa lavada estendida sobre os arbustos, parecendo mais molhada do que nunca, depois da chuva da véspera.

Irmã Michael estava junto à cama, observando o frágil peito de Anna subir e descer sob o cobertor embolado. As sobrancelhas de Lib arquearam-se numa pergunta muda.

A freira abanou a cabeça.

— Quanta água ela bebeu?

— Três colheres — cochichou a irmã Michael. Não que isso importasse; era apenas água.

A freira recolheu suas coisas e se retirou sem mais uma palavra. Um quadrado de luz moveu-se lentamente sobre Anna: mão direita, peito, mão esquerda. Era comum as crianças de onze anos dormirem tantas horas?, perguntou-se Lib. Ou isso se dava porque o organismo de Anna estava funcionando sem combustível?

Foi nesse momento que Rosaleen O'Donnell veio chegando da cozinha e Anna piscou os olhos, acordando. Lib afastou-se para a cômoda, permitindo o cumprimento matinal.

A mulher postou-se entre a filha e o sol pálido, quase cor de limão. Quando se curvou para envolvê-la no abraço costumeiro, Anna espalmou a mão na vastidão do ossudo peito materno.

Rosaleen O'Donnell congelou.

Anna abanou a cabeça, muda.

Rosaleen O'Donnell endireitou o corpo e tocou a face da menina com os dedos. Na saída, lançou um olhar venenoso a Lib.

A enfermeira sentiu-se abalada; não tinha feito nada. Seria culpa sua a menina, enfim, se cansasse de ser paparicada por aquela mãe hipócrita? Quer Rosaleen O'Donnell estivesse por trás do embuste, quer houvesse meramente fechado os olhos para ele, no mínimo o estava apoiando, agora que a filha iniciava seu sexto dia de jejum.

"Rejeitou o cumprimento da mãe", Lib anotou na agenda. Depois, desejou não o ter feito, já que esse registro deveria limitar-se, supostamente, a fatos médicos.

Ao voltar para o vilarejo nessa tarde, Lib abriu o portão enferrujado do cemitério. Sentia curiosidade de ver o túmulo de Pat O'Donnell.

As lápides não eram tão antigas quanto ela havia esperado; não foi possível encontrar nenhuma inscrição anterior a 1850. Lib supôs que devia ser o solo macio que fazia tantas delas se inclinarem de lado, e devia ser o ar úmido que as revestia de musgo.

Tende misericórdia de... Em carinhosa memória de... Em afetuosa rememoração de... Aqui jaz o corpo... Sagrado para... Em memória de sua primeira esposa, que deixou esta vida... Erigido para a posteridade de... Também de sua segunda esposa... Orai pela alma de... Que morreu exultando com seu Salvador, na esperança certeira e segura da Ressurreição. (Francamente, pensou Lib, quem é que morria exultando? O idiota que redigira essa frase nunca havia sentado junto a um leito, espichando os ouvidos para escutar o derradeiro estertor.)

Aos cinquenta e seis anos de idade... Aos vinte e três anos... Noventa e dois anos... Trinta e nove anos. Louvado seja Deus, que lhe deu a vitória. Lib notou um pequeno entalhe em quase todas as sepulturas: *IHS*, dentro de uma espécie de explosão solar. Tinha uma vaga lembrança de que isso queria dizer *Eu Sofri*. Havia uma sepultura incongruente, sem lápide e larga o bastante para conter vinte caixões, lado a lado; quem estaria ali? Então ela se deu conta de que deveria ser uma sepultura coletiva, cheia de indigentes anônimos.

Estremeceu. Por profissão, mantinha um íntimo convívio com a morte, mas isto era como entrar na casa da inimiga.

Toda vez que via uma referência a uma criança pequena, ela desviava os olhos. *Também um filho e duas filhas... Também três filhos... Também seus filhos, que morreram na meninice... De oito anos de idade... De dois anos e dez meses...* (Aqueles pais desolados, contando cada mês.)

> *Os anjos viram a flor se abrindo*
> *E, ágeis na alegria e no amor,*
> *A um lar gentil a levaram sorrindo,*
> *Para florescer nos campos do Senhor.*

Lib apanhou-se cravando as unhas na palma das mãos. Se a Terra era um solo tão indigno para os melhores espécimens de Deus, por que Ele os plantava aqui, perversamente? Qual poderia ser o objetivo dessas vidas breves, malsinadas?

Quando já ia desistindo da busca, encontrou o menino.

PATRICK MARY O'DONNELL
3 DE DEZEMBRO DE 1843 — 21 DE NOVEMBRO DE 1858
ADORMECIDO EM JESUS

Fitou as palavras cinzeladas com simplicidade, tentando sentir o que elas significariam para Anna. Visualizou um garoto desengonçado, com a carne quente, de botas rachadas e calças sujas de lama, com toda a irrequieta energia dos catorze anos.

O túmulo de Pat era o único da família O'Donnell, o que sugeria que ele tinha sido a única esperança de passar adiante o sobrenome de Malachy, pelo menos nesse vilarejo. E também que, se a sra. O'Donnell tivera outras gestações depois de Anna, elas não haviam chegado a termo. Lib suspendeu por um momento sua antipatia pela mulher e considerou o que Rosaleen O'Donnell deveria ter passado, o que a havia endurecido. *Sete anos de escassez e pestilência*, como dissera Byrne, em tom bíblico. Um menino e sua irmãzinha, com pouco ou nada para comer durante os tempos *ruins*. E, então, depois de Rosaleen haver atravessado aqueles anos terríveis, perder o filho quase adulto, da noite para o dia... Um desgosto assim poderia ter causado uma estranha alteração. Em vez de se apegar ainda mais à criança que lhe restara, talvez Rosaleen houvesse descoberto que seu coração estava congelado. Lib podia compreender isso, a sensação de não ter mais nada para dar. Seria por isso que agora a mulher fazia um estranho culto de Anna, aparentemente preferindo que a filha fosse mais santa do que humana?

Uma brisa atravessou o campo-santo e Lib apertou a capa em torno do corpo. Ao fechar o portão rangente, virou à direita, passando pela capela. Exceto pela cruzinha de pedra acima das telhas, a capela lhe parecia pouco diferente de qualquer das casas vizinhas; no entanto, quanto poder exercia o sr. Thaddeus em seu altar!

Quando ela chegou ao vilarejo, o sol havia tornado a sair e tudo cintilava. Uma mulher de rosto corado segurou-a pela manga, no momento em que ela entrou na rua.

Lib retraiu-se.

— Desculpe, dona. Eu só queria saber como vai a garotinha.

— Não posso lhe dizer. — Para o caso de não se ter feito entender, acrescentou: — É uma questão de sigilo.

Será que a mulher conhecia essa palavra? Não ficou claro por seu olhar. Dessa vez, Lib virou à direita, na direção de Mullingar, meramente por nunca ter ido por esse caminho. Estava sem apetite e não suportava a ideia de se encerrar em seu quarto na taberna do Ryan, ainda não.

Um tropel metálico de cascos de cavalo às suas costas. Só quando o cavaleiro a alcançou foi que Lib reconheceu os ombros largos e os cachos avermelhados. Cumprimentou-o com um aceno da cabeça e esperou que William Byrne levasse a mão ao chapéu e trotasse adiante.

— Sra. Wright. Que prazer encontrá-la. —Byrne apeou da sela.

— Preciso da minha caminhada diária — foi tudo em que ela conseguiu pensar para dizer.

— E a Polly e eu, da nossa cavalgada.
— Ela ficou boa, então?
— Perfeitamente, e está gostando da vida no campo. — Byrne deu um tapa no flanco brilhoso. — E a senhora, já esbarrou em algum *ponto turístico*?
— Nenhum, nem mesmo um círculo de pedras. Acabo de visitar o cemitério — mencionou —, mas lá não havia nada de interesse histórico.
— Bem, antigamente era contra a lei sepultarmos os nossos, de modo que todas as sepulturas católicas mais antigas estariam no cemitério protestante, na cidade mais próxima — explicou ele.
— Ah. Perdoe a minha ignorância.
— Com prazer — retrucou Byrne. — O mais difícil é desculpar sua resistência aos encantos desta adorável paisagem — acrescentou, com um floreio da mão.

Lib franziu os lábios.

— Um interminável lodaçal encharcado. Ontem caí nele, de ponta-cabeça, e achei que nunca mais conseguiria sair.

Ele sorriu.

— Seu único temor deve ser o tremedal. Ele parece sólido, mas, na verdade, é uma esponja flutuante. Se você pisar nele, afunda direto nas águas escuras por baixo.

Ela fez uma careta. Sentia-se muito satisfeita por falar de qualquer outra coisa que não a vigília.

— E há também o charco móvel — ele prosseguiu —, que é uma espécie de avalanche...

— Ora, isso é pura invenção.

— Eu juro — disse Byrne. — Depois de uma chuva forte, toda a camada superficial da terra pode se soltar, e são centenas de hectares de turfa, deslizando mais depressa do que um homem é capaz de correr.

Lib abanou a cabeça.

Com a mão no coração, ele continuou:

— Juro por minha honra de jornalista! Pergunte a qualquer pessoa daqui.

Ela olhou para o lado, imaginando uma onda marrom rolando em direção aos dois.

— São uma coisa extraordinária, os charcos — observou Byrne. — A pele macia da Irlanda.

— Boa para queimar, suponho.

— O quê, a Irlanda?

Lib caiu na gargalhada ao ouvir isso.

— A senhora seria capaz de pôr fogo em tudo, desconfio, se primeiro fosse possível secar o lugar.

— O senhor está pondo palavras na minha boca.

William Byrne deu um risinho de troça.

— Sabia que a turfa possui o misterioso poder de preservar as coisas tais como eram no momento da imersão? Inúmeros tesouros foram retirados desses charcos: espadas, caldeirões, livros com iluminuras... Sem falar num ou noutro cadáver ocasional, em admirável estado de conservação.

Lib estremeceu.

— O senhor deve estar sentindo falta dos prazeres mais urbanos de Dublin — disse, para mudar de assunto. — Tem família por lá?

— Meus pais e três irmãos varões — respondeu Byrne.

Não era o que Lib tinha pretendido perguntar, mas supôs que havia obtido sua resposta: o homem era solteiro. É claro, ainda era moço.

— A verdade, sra. Wright, é que eu trabalho feito um mouro. Sou o correspondente irlandês de vários jornais ingleses e, além disso, produzo continuamente um sindicalismo severo para o *Dublin Daily Express*, um ardor feniano para o *Nation*, devotas afirmações católicas para o *Freeman's Journal*...

— Um mouro ventríloquo, então — disse Lib, o que o fez dar um risinho. Ela pensou na carta do dr. McBrearty sobre Anna, que dera início a toda a controvérsia. — E para o *Irish Times*, comentários satíricos?

— Não, não. Opiniões *moderadas* sobre questões nacionais e assuntos de interesse geral — retrucou Byrne, com a entonação trêmula de uma viúva aristocrática. — E, nos momentos de folga, é claro, faço estudos de direito.

A espirituosidade dele tornava suportável sua fanfarrice. Lib pensou no artigo que tivera vontade de jogar no fogo, na noite da véspera. Calculou que o homem só estava fazendo o seu trabalho com os meios disponíveis, como ela mesma fazia o seu. Se não podia nem mesmo pôr os olhos em Anna, o que poderia escrever, senão frivolidades eruditas?

Agora ela estava com muito calor; tirou a capa e passou a carregá-la no braço, deixando o ar entrar por seu vestido de tweed.

— Diga-me, a senhora costuma levar a sua jovem pupila para passear? — perguntou Byrne.

Lib lançou-lhe um olhar repressor.

— Têm ondulações estranhas esses campos — disse.

— Devem ter sido canteiros de batatas — retrucou Byrne. — As sementes eram dispostas em fila, e a turfa, dobrada por cima delas.

— Mas estão cobertos de grama.

Ele encolheu os ombros.

— Bem, há menos bocas a alimentar por aqui, desde a Grande Fome.

Ela pensou na sepultura coletiva no cemitério.

— A culpa não foi de uma espécie de fungo da batata?

— Houve mais coisas nisso do que um fungo — retrucou Byrne, com tanta veemência que Lib deu um passo atrás. — Metade do país não teria morrido, se os proprietários de terras não houvessem continuado a exportar o milho, a confiscar cabeças de gado, a cobrar aluguéis extorsivos, a despejar moradores, incendiar cabanas... Ou se o governo de Westminster não tivesse achado que o curso de ação mais prudente era não tirar o rabo da cadeira e deixar os irlandeses morrerem de fome. — Ele enxugou uma película de suor da testa.

— Mas *o senhor*, pessoalmente, não passou fome, passou? — indagou ela, castigando-o por sua rudeza.

Ele absorveu bem a pergunta, com um sorriso irônico.

— O filho de um negociante raras vezes passa fome.

— O senhor ficou em Dublin durante aqueles anos?

— Até fazer dezesseis anos e conseguir meu primeiro emprego como correspondente especial — disse ele, pronunciando a expressão com leve ironia. — O que significa que um editor consentiu em me despachar para o olho do furacão, à custa do meu pai, para descrever os efeitos do fracasso da lavoura de batata. Procurei manter um tom neutro e não fazer acusações. Mas, ali pela minha quarta matéria, achei que não fazer nada era o mais mortal dos pecados.

Lib observou o rosto tenso de Byrne.

Ele fitava um ponto distante na rua estreita.

— Assim, escrevi que Deus podia ter mandado a praga, mas os ingleses haviam criado a fome.

Lib ficou pasma.

— O editor publicou isso?

Byrne fez uma voz engraçada, arregalando os olhos.

— "Sedição!", ele gritou. Foi então que bati em retirada para Londres.

— Para trabalhar para os mesmos vilões ingleses?

Ele fez a mímica de uma facada no coração.

— Que talento o seu para encontrar o lugar dolorido, sra. Wright! Sim, um mês depois, eu estava dedicando meus talentos inatos a debutantes e corridas de cavalos.

Ela deixou de lado a zombaria.

— O senhor tinha feito o melhor possível.
— Em suma, sim, aos dezesseis anos. Depois, calei a boca e aceitei os denários de prata.

Fez-se silêncio entre os dois, enquanto caminhavam. Polly fez uma pausa para mordiscar uma folha.

— O senhor ainda é um homem de fé? — quis saber Lib. Era uma pergunta chocantemente pessoal, mas ela sentiu que os dois haviam deixado as trivialidades para trás.

Byrne fez que sim.

— Por algum motivo, nem todas as desgraças que vi chegaram a arrancar isto de mim, não inteiramente. E a senhora, dona Elizabeth Wright, é totalmente ateia?

Lib empertigou-se. Byrne fazia parecer que ela era uma bruxa enlouquecida, invocando Lúcifer nos urzais.

— O que lhe dá o direito de presumir...?

Ele a interrompeu:

— Foi a senhora quem fez a pergunta. Os verdadeiros fiéis nunca perguntam.

O homem tinha razão.

— Eu acredito no que posso ver.

— Nada além da prova fornecida pelos seus sentidos, então? — Uma sobrancelha ruiva arqueou-se.

— Ensaio e erro. Ciência — disse ela. — É tudo em que podemos confiar.

— Foi a viuvez que causou isso?

O sangue lhe ferveu, da garganta à raiz dos cabelos.

— Quem andou dando informações a meu respeito ao senhor? E por que sempre se tem de supor que as opiniões de uma mulher se baseiam em considerações pessoais?

— Foi a guerra, então?

A inteligência dele pôs o dedo na ferida.

— Em Scutari — disse Lib —, eu me vi pensando: *se o Criador não pode impedir essas abominações, de que serve Ele?*

— E, se pode, mas não impede, Ele deve ser um demônio.

— Eu nunca disse isso.

— Hume disse — retrucou Byrne.

Ela não reconheceu o nome.

— Um filósofo morto há muito tempo — esclareceu o jornalista. — Mentes mais ilustres que a sua chegaram ao mesmo impasse. É um grande enigma.

Como únicos sons, as solas de suas botas pisando na lama seca e o suave pocotó dos cascos da Polly.
— E o que deu na sua cabeça para levá-la à Crimeia, para começo de conversa?
Lib deu um meio sorriso.
— Um artigo de jornal, por coincidência.
— Do Russell, no *Times*?
— Não conheço esse indivíduo...
— Billy Russell é um dublinense como eu — disse Byrne. — Aquelas matérias que ele mandou do front modificaram tudo. Tornaram impossível fechar os olhos.
— Todos aqueles homens apodrecendo — disse Lib, assentindo com a cabeça —, e ninguém para ajudar.
— O que foi o pior?
A franqueza de Byrne a fez encolher-se. Mas ela respondeu:
— A papelada.
— Como assim?
— Para arranjar, digamos, um leito para um soldado, levava-se um papelzinho colorido ao médico-chefe da enfermaria, depois ao fornecedor, para uma segunda assinatura, para que então, e só então, a intendência fornecesse o leito — contou Lib. — Para conseguir uma dieta líquida, ou à base de carne, ou um medicamento, ou até um analgésico opiáceo urgentemente necessário, era preciso levar um formulário de cor diferente a um médico, e convencê-lo a encontrar tempo para fazer a requisição ao oficial pertinente da intendência, e depois pegar a assinatura de outros dois oficiais. E, a essa altura, era muito provável que o paciente estivesse morto.
— Cacete!
Ele não pediu desculpas por praguejar.
Lib não conseguia lembrar-se da última vez que alguém a havia escutado com tanta atenção.
— *Itens injustificados*, era esse o termo da intendência para designar as coisas que, por definição, não podiam ser fornecidas, porque se esperava que os homens carregassem as deles na mochila: camisas, garfos e assim por diante. Mas, em alguns casos, as mochilas nem tinham sido descarregadas dos navios.
— Burocratas — murmurou Byrne. — Uma falange de Pilatinhos frios, lavando as mãos para tudo.
— Tínhamos três colheres para alimentar uma centena de homens. — Só na palavra "colheres" foi que a voz dela se embargou. — Havia boatos sobre

uma reserva escondida delas num armário de suprimentos, mas nós nunca a encontramos. No fim, a srta. Nightingale enfiou sua própria bolsa na minha mão e me mandou ao mercado comprar cem colheres.

O irlandês deu uma quase risada.

Naquele dia, Lib estivera apressada demais para se perguntar por que, dentre todas, a srta. N. a havia mandado fazer essa compra. Neste momento, percebeu que não tinha sido uma questão de habilidades de enfermagem, mas de confiabilidade. Ocorreu-lhe o quanto tinha sido uma honra ser escolhida para aquela tarefa — melhor que qualquer medalha presa em seu capote.

Os dois caminharam em silêncio, agora muito longe do vilarejo.

— Talvez eu seja uma criança, ou um tolo, por ainda acreditar — disse William Byrne. — *Há mais coisas entre o céu e a terra, Horácio* etc. etc.

— Eu não pretendi implicar...

— Não, eu admito: não consigo enfrentar o horror sem o escudo do consolo.

— Ah, eu aceitaria o consolo, se pudesse consegui-lo — disse Lib, entredentes.

Suas passadas, as da Polly, e um pássaro fazendo um som tilintante na cerca viva.

— Pessoas de todas as épocas e lugares não clamaram a seu Criador? — perguntou Byrne. Por um momento, soou pomposo e juvenil.

— O que só vem provar que nós o desejamos — resmungou Lib. — Será que a própria intensidade desse anseio não torna ainda mais provável que isso seja apenas um sonho?

— Nossa, que frieza!

Ela mordeu o lábio.

— E quanto aos nossos mortos? — indagou Byrne. — A impressão de que eles não se foram inteiramente, isto é uma mera confusão dos desejos com a realidade?

A lembrança apossou-se de Lib como uma cãibra. O peso em seus braços; a doce carne pálida, ainda morna, imóvel. Enceguecida pelas lágrimas, ela avançou aos tropeços, tentando fugir do irlandês.

Byrne a alcançou e a segurou pelo cotovelo.

Ela não soube se explicar. Mordeu o lábio e sentiu gosto de sangue.

— Eu sinto muitíssimo — disse ele, como se compreendesse.

Lib o afastou com um repelão, cruzou os braços em volta do corpo. As lágrimas correram pelo tecido impermeável da capa dependurada no braço.

— Desculpe-me. Falar é minha profissão — disse Byrne. — Mas eu deveria aprender a calar a boca.

Lib tentou sorrir. Teve medo de que o efeito fosse grotesco.

Por alguns minutos, enquanto caminhavam, Byrne manteve a boca fechada, como que para provar que sabia fazê-lo.

— Não tenho sido eu mesma — disse Lib, por fim, com a voz rouca. — Este caso... tem-me inquietado.

Ele apenas assentiu com a cabeça.

De todas as pessoas com quem ela não devia tagarelar... um repórter. No entanto, quem mais no mundo compreenderia?

— Tenho vigiado a menina até meus olhos doerem. Ela não come, mas está viva. Mais viva que qualquer pessoa que eu conheça.

— Então, ela meio que a influenciou? — perguntou Byrne. — Quase a convenceu, por mais cabeça-dura que seja a senhora?

Lib não soube dizer quanto disso era sarcasmo. Tudo o que conseguiu dizer foi:

— Simplesmente não sei o que pensar dela.

— Então, deixe-me tentar.

— Sr. Byrne...

— Considere-me um novo par de olhos. Modéstia à parte, sei falar com as pessoas. Talvez consiga arrancar alguma verdade da menina.

De olhos baixos, ela abanou a cabeça. Ah, o homem sabia falar com as pessoas, isto era inegável; tinha o dom de arrancar informações de quem não deveria deixar-se levar.

— Faz cinco dias que estou aqui — disse ele, em tom mais duro —, e o que foi que arranjei até agora?

O sangue de Lib subiu à cabeça. É claro que o jornalista devia considerar um desperdício e uma chatice todo esse tempo, puxando conversa com a enfermeira inglesa. Não era bonita nem brilhante, já não era jovem; como podia Lib ter esquecido que era apenas um meio para um fim?

Ela não tinha nenhuma obrigação de trocar nem mais uma palavra com esse provocador. Girou nos calcanhares e foi andando de volta para o vilarejo.

4
VIGÍLIA

VIGÍLIA
observância religiosa
ocasião em que se fica acordado para determinado fim
celebração na véspera de uma festa sagrada

A roupa lavada tinha sumido dos arbustos e a cabana cheirava a vapor e metal quente; as mulheres deviam ter ficado a tarde inteira passando roupa. Não haveria terço nesta noite, ao que parecia. Malachy O'Donnell fumava um charuto e Kitty incentivava as galinhas a entrarem no armário.

— Sua patroa saiu? — Lib lhe perguntou.

— Sábado é a Irmandade Feminina dela — respondeu Kitty.

— O que é isso?

Mas a criada corria atrás de uma ave recalcitrante.

Lib tinha perguntas mais urgentes, que lhe haviam ocorrido naquela tarde, enquanto ficara deitada sem dormir. De alguma forma, no grupo inteiro, Kitty era a pessoa em quem ela mais se inclinava a confiar, ainda que a cabeça da moça estivesse abarrotada de fadas e anjos. Na verdade, Lib gostaria de ter-se empenhado mais em cultivar a amizade da criada desde o primeiro dia. Chegou alguns passos mais perto, neste momento:

— Kitty, por acaso você se lembra da última coisa que sua prima comeu, antes do aniversário dela?

— Lembro, é claro; como podia esquecer, ora?

Seu tom era alvoroçado. Dobrada ao meio, fechando a porta do armário, ela acrescentou alguma coisa que soou como *tosta*.

— Tosta?

— Hóstia, foi isso que ela disse — corrigiu Malachy O'Donnell, com uma olhadela para trás. — O corpo de Nosso Senhor, *hmm*... sob a forma de pão.

Lib imaginou Anna abrindo a boca para receber a rodelinha assada que os católicos romanos acreditavam ser a própria carne de seu Deus.

De braços cruzados, a empregada assentiu com a cabeça para seu patrão.

— A primeira Santa Comunhão dela, Deus a abençoe.

— Não foi nada de comida terrena que quis na última refeição dela, não é, Kitty? — murmurou o pai, os olhos novamente postos no fogo.

— Foi não.

Última refeição dela; como uma prisioneira condenada. Portanto, Anna havia recebido a hóstia pela primeira e única vez, e depois fechara a boca. Que estranha distorção da doutrina poderia tê-la impelido a isso, foi o que Lib se perguntou. Teria Anna, de algum modo, absorvido a ideia de que, agora que lhe fora concedido o alimento divino, não mais teria necessidade do alimento de tipo terreno?

O rosto do pai inclinava-se para baixo, distorcido sob o tremeluzir das chamas. Algum adulto mantivera Anna viva durante todos aqueles meses, Lib lembrou a si mesma. Poderia ter sido Malachy? Era difícil acreditar.

Claro, havia uma zona obscura entre a inocência e a culpa. E se o homem houvesse descoberto o embuste — de sua mulher, ou do padre, ou de ambos —, mas, já então, a fama de sua filhinha querida se houvesse alastrado a tal ponto que ele não encontrara ânimo para interferir?

No quarto, ao lado da menina adormecida, irmã Michael já estava abotoando a capa.

— O dr. McBrearty deu uma passada hoje à tarde — cochichou.

Será que tudo o que Lib lhe dissera tinha, enfim, entrado em sua cabeça?

— Que instruções ele deu?

— Nenhuma.

— Mas... o que ele disse?

— Nada em particular. — A expressão da freira era indecifrável. De todos os médicos sob cujas ordens Lib trabalhara, aquele velho afável era o mais difícil.

A freira se foi, e Anna continuou a dormir.

O plantão noturno foi tão calmo que Lib teve de ficar andando de um lado para outro para repelir o sono. Em dado momento, pegou o brinquedo de Boston. A ave canora estava de um lado, a gaiola do outro, mas, quando Lib torceu as cordas o mais rápido que pôde, seus sentidos foram tapeados pelo truque e duas coisas incompatíveis tornaram-se uma só: um pássaro vibrante, gorjeando numa gaiola.

Passava de três horas quando Anna piscou e acordou.

— Posso fazer alguma coisa por você? — perguntou Lib, inclinando-se sobre ela. — Para deixá-la mais confortável?

— Meus pés.

— O que há com eles?

— Não estou sentindo os dois — sussurrou Anna.

Sob o cobertor, os dedinhos estavam gelados. Tão má circulação numa pessoa tão jovem!

— Venha, saia da cama um minuto, para o sangue voltar a circular.

A menina assim fez, devagar e com o corpo rígido. Lib a ajudou a atravessar o quarto.

— Esquerda, direita, como um soldado.

Anna conseguiu fazer uma marcha desajeitada, sem sair do lugar. Tinha os olhos voltados para a janela aberta.

— Hoje há uma porção de estrelas.

— Elas têm sempre o mesmo número, se pudéssemos ver todas — disse Lib. Apontou para a Ursa Maior, a estrela polar, Cassiopeia.

— A senhora conhece todas elas? — perguntou Anna, maravilhada.

— Bem, só as nossas constelações.

— Quais delas são nossas?

— As que são fáceis de ver no hemisfério Norte, eu quis dizer — respondeu Lib. — No Sul elas são diferentes.

— É mesmo? — A menina estava batendo os dentes, por isso Lib a ajudou a voltar para a cama.

Embrulhado em flanelas, o tijolo ainda acumulava o calor do fogo em que passara a noite toda. Lib o encaixou sob os pés da menina.

— Mas ele é seu — disse Anna, tiritando.

— Não preciso dele numa noite amena de verão. Já está sentindo esquentar? Anna abanou a cabeça.

— Mas vou sentir, com certeza.

Lib baixou os olhos para aquela figurinha, deitada tão reta quanto um cruzado em seu túmulo.

— Agora, durma de novo.

Mas os olhos de Anna permaneceram abertos. Ela murmurou sua oração da Dora, aquela que rezava tantas vezes que Lib já mal a notava. Depois, cantou alguns hinos, que mal passaram de um sussurro:

A noite é escura
E estou longe de casa,
Guia-me para eu prosseguir.

⁂

Na manhã de domingo, Lib deveria estar pondo o sono em dia, mas o badalar dos sinos da igreja tornou essa meta impossível. Ficou acordada na cama, com os membros enrijecidos, repassando tudo o que aprendera a respeito de Anna O'Donnell. Muitos sintomas peculiares, mas que não constituíam nada que ela reconhecesse como uma doença. Seria preciso falar novamente com o dr. McBrearty e, desta vez, obrigá-lo a se posicionar com clareza.

À uma hora, a freira informou que a menina tinha-se afligido por não ter permissão para ir à missa, mas concordara, em vez disso, em recitar a liturgia do dia em seu missal, na companhia da irmã Michael.

Na caminhada, Lib estabeleceu um ritmo muito lento, para não cansar Anna em demasia, como fizera dias antes. Vasculhou o horizonte antes de as duas saírem, para ter certeza de que não havia bisbilhoteiros por perto.

Caminharam pelo terreiro, as botas escorregando.

— Se você estivesse com uma aparência mais forte — disse à menina —, poderíamos andar uns oitocentos metros naquela direção — apontou para o oeste —, até um pilriteiro muito curioso que encontrei, com tiras de pano amarradas por toda parte.

Anna meneou a cabeça com entusiasmo, num gesto afirmativo.

— A árvore de trapos do nosso poço sagrado.

— Ela não tinha nada que eu chamasse exatamente de poço, apenas uma pocinha de água.

Lib lembrou-se do cheiro alcatroado da água; teria ela, talvez, um leve poder desinfetante? Por outro lado, não adiantava buscar sementes de ciência numa superstição.

— Os trapos são algum tipo de oferenda?

— São para mergulhar na água e esfregar num machucado, ou num lugar dolorido — respondeu Anna. — Depois, você amarra o trapo na árvore, entendeu?

Lib abanou a cabeça.

— O que é ruim fica no trapo, e você o deixa lá. Quando ele apodrece, aquilo que lhe causava dor também vai embora.

O que significava que o tempo cura todos os males, supôs Lib. Uma lenda esperta, esta, pois o trapo levaria tanto tempo para se desintegrar que era quase certo que, àquela altura, a queixa do doente estivesse curada.

Anna parou para afagar uma vívida almofada de limo numa parede, ou talvez para recobrar o fôlego. Um par de pássaros bicava groselhas-vermelhas na sebe.

Lib pegou um cacho dos globos reluzentes e o aproximou do rosto da menina.

— Lembra-se do gosto que elas tinham?

— Acho que sim. — Os lábios de Anna estavam a um palmo das groselhas.

— Sua boca não fica cheia d'água? — perguntou Lib, com a voz sedutora. A menina abanou a cabeça.

— Foi Deus que criou estas groselhas, não? — *O seu Deus*, quase disse Lib.

— Deus criou tudo — retrucou Anna.

Lib esmagou uma groselha entre os dentes e o sumo inundou-lhe a boca tão depressa que quase se derramou. Ela nunca havia provado nada tão esplêndido.

Anna tirou uma bolinha vermelha do cacho.

O coração de Lib bateu tão alto que se podia ouvi-lo. Seria este o momento? Tão fácil assim? A vida cotidiana, tão perto quanto aquelas groselhas pendentes.

Mas a menina manteve a palma bem aberta, com a groselha no meio, e esperou que o mais valente dos pássaros desse um voo rasante para pegá-la.

No trajeto de volta para o casebre, Anna moveu-se devagar, como se andasse na água.

⁕

Lib estava tão cansada, ao regressar com passos trôpegos para a mercearia-taberna naquela noite de domingo, que teve certeza de que dormiria assim que encostasse a cabeça no travesseiro.

Em vez disso, sua mente ganhou vida, como uma vespa zumbindo. Pesava-lhe na consciência a ideia de que teria feito mau juízo de William Byrne na tarde da véspera. O que fizera ele senão pedir, mais uma vez, uma entrevista com Anna? Não havia propriamente insultado Lib; ela é que se precipitara em suas conclusões, cheia de melindres. Se o jornalista realmente achasse tão maçante sua companhia, não teria abreviado as conversas dos dois e mantido o foco em Anna O'Donnell?

O quarto de Byrne ficava logo do outro lado do corredor, mas era provável que ele ainda não tivesse ido dormir. Lib desejou poder conversar com o rapaz — um católico romano inteligente — sobre o fato de a última refeição da menina ter sido a Santa Comunhão. A verdade é que estava ficando aflita por ouvir a opinião de outra pessoa sobre Anna. Alguém em cuja mente pudesse confiar; não o Standish, com sua hostilidade, nem McBrearty, com sua esperança fantasiosa, nem a freira de antolhos ou o padre insípido, nem os pais inebriados e, provavelmente, corruptos. Alguém que pudesse dizer-lhe se ela estava perdendo o contato com a realidade.

Deixe-me tentar, Byrne tornou a dizer em sua cabeça. Provocante, sedutor.

Duas coisas podiam ser verdadeiras ao mesmo tempo. Ele era jornalista, pago para desencavar a história, mas não poderia ter também um verdadeiro desejo de ajudar?

Uma semana exata desde que Lib chegara de Londres. Cheia de confiança — uma confiança equivocada na própria acuidade, como se revelara. Ela havia pensado que, àquela altura, estaria de volta ao hospital, pondo a enfermeira-chefe em seu lugar. Em vez disso, via-se presa ali, nos mesmos lençóis que pareciam ensebados, tão longe de compreender Anna O'Donnell quanto estivera uma semana antes. Só que mais atarantada, e exausta, e perturbada pela própria participação nos acontecimentos.

✵

Antes do alvorecer, na segunda-feira, enfiou um bilhete por baixo da porta de Byrne.

Quando chegou ao casebre, precisamente às cinco horas, Kitty ainda estava deitada no banco de madeira. Disse que não se faria nenhum trabalho naquele dia, exceto o que fosse indispensável, porque era um dia santo de obrigação.

Lib se deteve; era uma rara oportunidade de conversar com Kitty a sós.

— Imagino que você goste da sua prima, não? — perguntou num sussurro.

— É claro, por que não havia de gostar daquela gracinha?

Alto demais. Lib pôs o dedo sobre os lábios.

— Alguma vez ela lhe insinuou — Lib procurou uma palavra mais simples —, lhe deu alguma ideia de por que não quer comer?

Kitty abanou a cabeça.

— Alguma vez você insistiu em que ela comesse alguma coisa?

— Eu não fiz nada. — Sentando-se no banco, a criada piscou, assustada.

— Vá embora com as suas acusações!

— Não, não, eu só quis dizer...

— Kitty? — Era a voz da sra. O'Donnell, vinda do puxado.

Bem, Lib fizera uma tremenda trapalhada. Esgueirou-se prontamente para dentro do quarto.

A menina continuava dormindo, embaixo de três cobertores.

— Bom dia — cochichou a irmã Michael, mostrando a Lib o registro quase vazio da noite:

Recebeu banho de esponja.
Tomou 2 c. chá de água.

— A senhora está parecendo cansada, sra. Wright.

— É mesmo? — rebateu Lib.

— Viram-na andando por todo o condado.

Lib fora vista sozinha, era isso que a freira quisera dizer? Ou com o jornalista? O pessoal do lugar estaria comentando?

— O exercício me ajuda a dormir — mentiu.

Depois que a irmã Michael se foi, Lib passou algum tempo estudando as próprias anotações. As páginas brancas aveludadas pareciam zombar dela. Os números não faziam sentido; não conseguiam contar história alguma, exceto que Anna era Anna e não se parecia com mais ninguém. Frágil, bochechuda, ossuda, cheia de vida, enregelada, risonha, miúda. A menina continuava a ler, a separar seus santinhos, a costurar, tricotar, rezar, cantar. Uma exceção a todas as regras. Milagre? Lib evitava essa palavra, mas estava começando a ver por que alguns poderiam dar este nome ao que vinha acontecendo.

Os olhos de Anna se arregalaram, o castanho-claro salpicado de âmbar. Lib curvou-se sobre ela.

— Está se sentindo bem, criança?

— Mais do que bem, dona Lib. Hoje é Dia da Assunção de Nossa Senhora.

— Foi o que entendi — disse Lib. — Quando ela foi elevada aos céus, correto?

Anna fez que sim, apertando os olhos em direção à janela.

— Hoje a luz está muito brilhante, com auréolas coloridas em volta de tudo. Que perfume o dessa urze!

O quarto pareceu úmido e bolorento a Lib, e os tufos roxos na jarra não tinham fragrância alguma. Só que as crianças eram muito receptivas a sensações, especialmente esta criança.

Segunda-feira, 15 de agosto, 6h17min
Informa ter dormido bem.
Temperatura axilar ainda baixa.
Pulso: 101 batidas por minuto.
Pulmões: 18 respirações por minuto.

As medições subiam e desciam, mas, de modo geral, iam subindo de forma insidiosa. Perigosamente? Lib não tinha certeza. Os médicos é que eram preparados para formar tais juízos. Se bem que o McBrearty não parecia apto a cumprir a tarefa.

Os O'Donnell e Kitty chegaram cedo, para dizer a Anna que estavam indo à capela.

— Para oferecer os primeiros frutos? — indagou Anna, com os olhos iluminados.

— É claro — disse a mãe.

— O que é isso, exatamente? — perguntou Lib, para ser gentil.

— Pão feito da primeira colheita do trigo — respondeu Malachy — e, ah, que leva também um pouco de aveia e cevada.

— Não esqueça que também vão oferecer mirtilo — acrescentou Kitty.

— E umas batatas novas, não maiores que a ponta do polegar, que Deus as abençoe — disse Rosaleen.

Pela janela suja, Lib viu o grupo partir, o fazendeiro alguns passos atrás das mulheres. Como era possível que se importassem com uma festa na segunda semana daquela vigília? Será que isso queria dizer que nada pesava na consciência deles, ela se perguntou, ou que eles eram monstros de insensibilidade? Kitty não parecera insensível, mais cedo; antes, dava a impressão de estar preocupada com a prima. Tão nervosa com a enfermeira inglesa, no entanto, que havia entendido mal a pergunta de Lib e pensara estar sendo acusada de alimentar a menina em segredo.

Lib só levou Anna para sair às dez horas daquela manhã, porque fora este o horário que havia especificado em seu bilhete. Fazia um dia lindo, o melhor desde a chegada dela; sol propriamente dito, luminoso como o da Inglaterra. Prendeu o braço da menina no seu e deu início a uma caminhada de ritmo muito cauteloso.

Anna estava andando de um jeito que lhe pareceu estranho, com o queixo projetado para fora. Mas a menina mostrava gosto por tudo. Aspirava o ar como se fosse uma fragrância de rosas, em vez de cheiro de bois e galinhas. Afagava cada pedra limosa por que passava.

— O que há com você hoje, Anna?

— Nada, estou contente.

Lib a olhou, intrigada.

— Nossa Senhora está derramando tanta luz em tudo que eu quase sinto o cheiro da luz.

Será que comer pouco ou nada abria os poros?, Lib se perguntou. Aguçava os sentidos?

— Eu vejo meus pés — disse Anna —, mas é como se eles pertencessem a outra pessoa. — Baixou os olhos para as botas surradas do irmão.

Lib segurou a menina com mais firmeza.

Ao fim da trilha, fora do campo visual do casebre, uma silhueta de casaco preto: William Byrne. Ele levantou o chapéu e soltou os cachos.

— Sra.Wright.

— Ah, acho que conheço esse senhor — comentou Lib, com toda a descontração que pôde. E pensou: será que o conhecia mesmo? A comissão poderia demiti-la pelo arranjo dessa entrevista, se algum dos membros tomasse conhecimento dela.

— Sr.Byrne, esta é Anna O'Donnell.

— Bom dia, Anna — fez ele, e apertou a mão da menina. Lib o viu olhando para os dedos inchados.

Ela começou por algumas banalidades sobre o clima, enquanto o pensamento saltitava, ligeiro. Onde poderiam caminhar os três, para fugir do menor risco de ser vistos? A que horas a família voltaria da missa? Foi conduzindo Byrne e Anna para longe do vilarejo, rumando por uma trilha de carroças que parecia pouco usada.

— O sr. Byrne é uma visita, dona Lib?

Assustada com a pergunta da menina, ela abanou a cabeça. Não podia deixar Anna contar aos pais que a enfermeira havia transgredido sua própria regra.

— Só estou passando um tempinho nesta região, para ver as paisagens — disse Byrne.

— Com seus filhos? — perguntou Anna.

— Infelizmente, ainda não tenho nenhum.

— Tem esposa?

— Anna!

— Tudo bem — disse Byrne a Lib, virando-se novamente para a menina.

— Não, minha cara. Quase tive uma esposa, certa vez, mas, no último minuto, a moça mudou de ideia.

Lib desviou os olhos, voltando-os para um pedaço de charco salpicado de poças reluzentes.

— Ah — fez Anna, com ar pesaroso.

Byrne encolheu os ombros.

— Ela se instalou em Cork, e já foi tarde.

Lib o apreciou por dizer isso.

Byrne descobriu que Anna gostava muito de flores, o que era uma esplêndida coincidência, porque ele também gostava, disse à menina. Quebrou uma haste vermelha de um abrunheiro, na qual restava um último botão branco, e a deu a ela.

— Lá na missão — Anna lhe contou —, aprendemos que a cruz foi feita de abrunheiro, e é por isso que agora essa árvore só cresce baixa e retorcida, por se arrepender.

Byrne inclinou-se todo para ouvi-la.

— As flores parecem uma cruz, está vendo? Duas pétalas compridas, duas curtas — disse Anna. — E aqueles pedacinhos marrons são as marcas dos cravos, e aquela é a coroa de espinhos, ali no meio.

— Fascinante — disse o jornalista.

Lib estava contente por ter arriscado esse encontro, afinal. Até então, Byrne só pudera fazer piadas sobre o caso; agora, estava tendo uma ideia de como era a menina real.

Ele contou a história de um rei persa que fizera seu exército parar durante dias, só para admirar um plátano. Interrompeu-se para apontar um tetraz que corria ali perto, o corpo castanho-alaranjado destacando-se vividamente do capim.

— Viu as sobrancelhas vermelhas dele, iguais às minhas?

— Mais vermelhas que as suas. — Anna riu.

Ele mesmo estivera na Pérsia, contou à menina, e também no Egito.

— O sr. Byrne é um viajante e tanto — comentou Lib.

— Ah, eu pensei em ir mais longe — disse ele.

A enfermeira o olhou de esguelha.

— Em me instalar no Canadá, talvez, ou nos Estados Unidos, até na Austrália ou na Nova Zelândia. Horizontes mais largos.

— Mas cortar todos os seus contatos, tanto profissionais quanto pessoais... — Lib atrapalhou-se na busca das palavras. — Não seria como uma pequena morte?

Byrne confirmou com um aceno da cabeça.

— Creio que a emigração, geralmente, é assim. É o preço de uma vida nova.

— O senhor quer ouvir uma charada? — Anna lhe perguntou, de repente.

— Muito — respondeu ele.

Anna repetiu as do vento, do papel e da chama; virou-se para Lib, apenas para confirmar uma ou duas palavras. Byrne não decifrou nenhuma, e dava um tapinha na própria cabeça todas as vezes que ouvia as respostas.

Em seguida, testou Anna em matéria de cantos de pássaros. Ela identificou corretamente o soluçar melódico de um maçarico-real e o tamborilar produzido pelas asas do que chamou de *balidor-do-charco*, que veio a se revelar um nome irlandês da narceja-comum.

Por fim, Anna admitiu estar meio cansada. Lib lançou-lhe um olhar perscrutador e pôs a mão em sua testa, que continuava fria como pedra, apesar do sol e do esforço físico.

— Quer descansar um pouco aqui e se fortalecer para a caminhada de volta? — perguntou Byrne.

— Sim, por favor.

Ele tirou o casaco com um esvoaçar das abas traseiras e o estendeu sobre uma pedra grande e plana, para a menina.

— Sente-se — disse Lib, agachando-se para dar um tapinha no forro marrom, ainda quente das costas dele.

Anna arriou sobre o casaco e alisou o cetim com um dedo.

— Ficarei de olho em você o tempo todo — Lib prometeu à menina. E então, ela e Byrne afastaram-se um pouco.

Foram vagando até chegarem a um muro quebrado. Pararam tão próximos que Lib pôde sentir o calor que emanava da camisa dele, como um vapor.

— Bem?

— Bem o quê, sra. Lib? — A voz dele estava estranhamente tensa.

— O que acha dela?

— É um encanto. — Byrne falou tão baixo que ela teve de aproximar a cabeça para entender.

— Não é?

— Uma encantadora menina moribunda.

Lib sentiu uma súbita falta de ar. Olhou por cima do ombro para Anna, uma figura impecável, sentada numa porta do casaco longo do homem.

— A senhora é cega? — perguntou Byrne, ainda muito baixo, como quem dissesse uma gentileza. — A menina está definhando, bem diante dos seus olhos.

Lib estava quase gaguejando.

— Sr. Byrne, como, como...

— Suponho que seja exatamente isto: a senhora está perto demais para ver.

— Como é que o senhor pode... o que lhe dá tanta certeza?

— Mandaram-me estudar a fome quando eu era apenas cinco anos mais velho do que ela — o jornalista lhe recordou, no mais baixo dos rosnados.

— A Anna não está... a barriga dela está redonda — foi a débil argumentação de Lib.

— Uns morrem depressa de inanição, outros, devagar — disse Byrne. — O tipo lento incha, mas é apenas água, não há nada ali. — Ele manteve os olhos na campina verde. — Aquele andar bamboleante, aquela penugem pavorosa no rosto. E a senhora já cheirou o hálito dela, ultimamente?

Lib tentou lembrar-se. Esta não era uma das medidas que fora ensinada a anotar.

— Ele vai ficando avinagrado, à medida que o corpo se volta contra si mesmo; devorando-se, imagino.

Lib olhou para a menina e viu que ela se amarfanhara como uma folha. Correu para lá.

— Eu não desmaiei — Anna ficou insistindo, enquanto William Byrne a carregava para casa, enrolada em seu casaco. — Só estava descansando. — Os olhos pareciam fundos como os buracos dos charcos.

A garganta de Lib estava apertada de medo. "Uma encantadora menina moribunda." Ele tinha razão, o danado do homem.

— Deixe-me entrar — Byrne disse a Lib, do lado de fora do casebre. — Você pode dizer aos pais dela que eu ia passando, por acaso, e acudi para ajudá-la.

— Saia daqui.

Arrancou Anna dos braços dele. Só depois que Byrne se virou para a trilha, Lib afundou o nariz junto ao rosto da menina e aspirou. Lá estava ele: um vago e terrível aroma frutado.

⁂

Quando acordou, na tarde de segunda-feira, sob o tamborilar da chuva no telhado da mercearia-taberna do Ryan, Lib estava grogue. Um retângulo branco na base da porta confundiu sua vista; ela achou que era luz, e só quando se arrastou da cama até lá viu que se tratava de uma página. Manuscrita às pressas, mas sem erros:

> *Um encontro casual e fugaz com a própria Menina Jejuadora deu a este correspondente, enfim, a oportunidade de formar uma opinião pessoal sobre a acaloradíssima controvérsia a respeito de ela estar ou não sendo usada para perpetrar uma fraude execrável contra o público.*
>
> *Primeiro, convém dizer que Anna O'Donnell é uma donzela excepcional. Apesar de haver recebido apenas uma instrução limitada na Escola Nacional do vilarejo, com um professor que é obrigado a complementar sua renda trabalhando como sapateiro, a srta. O'Donnell fala com meiguice, compostura e franqueza. Além da devoção pela qual é conhecida, demonstra grande apreço pela natureza e uma solidariedade que é notável em alguém tão jovem. Escreveu o sábio egípcio, cinco milênios atrás: "As palavras sensatas são mais raras que esmeraldas, mas saem da boca de jovens escravas pobres".*
>
> *Segundo, cabe a este correspondente desmentir as informações sobre a saúde de Anna O'Donnell. Seu caráter estoico e seu espírito elevado podem obscurecer a verdade, mas o andar cambaleante e a postura tensa, os dedos distendidos e gelados, os olhos fundos e, acima de tudo, o hálito de cheiro ácido, conhecido como odor da fome, tudo isto atesta o seu estado de desnutrição.*
>
> *Sem especular sobre os recursos ocultos que possam ter sido usados para manter Anna O'Donnell viva durante quatro meses, até se iniciar a vigília, no dia 8 de agosto, pode-se dizer — ou melhor, deve-se dizer, sem nenhum rodeio — que a menina encontra-se em grave perigo, neste momento, e que seus supervisores devem tomar cuidado.*

Lib amassou o papel numa bola tão apertada que esta desapareceu em sua mão. Como era contundente cada palavra dele!

Ela havia anotado em sua agenda tantos sinais de alerta... por que havia resistido à conclusão óbvia de que a saúde da menina estava em declínio? Arrogância, supôs; havia se agarrado ao próprio juízo e superestimado seus conhecimentos. Otimismo fantasioso, também, tão nocivo quanto o que vira em famílias de doentes de quem havia cuidado. Por querer ver a menina protegida do mal, Lib se entregara durante toda a semana a fantasias sobre refeições noturnas inconscientes, ou sobre inexplicáveis poderes mentais que estariam fazendo a menina resistir. Mas, para alguém de fora, como William Byrne, ficava claro como água que Anna estava simplesmente morrendo de inanição.

"Seus supervisores deviam tomar cuidado."

A culpa de Lib deveria tê-la feito sentir-se grata ao homem. Então, por que, ao visualizar o belo rosto dele, sentia-se enfurecida?

Puxou o urinol de baixo da cama e vomitou o presunto cozido que comera no jantar.

☙❦❧

O sol se pôs pouco antes de ela chegar ao casebre, naquela noite, e a lua despontou, cheia, como um globo branco e intumescido.

Lib entrou apressada, passando pelos O'Donnell e por Kitty, que tomavam suas xícaras de chá, e mal os cumprimentou. Tinha de alertar a freira. Ocorreu-lhe que talvez o dr. McBrearty ouvisse a verdade mais facilmente da irmã Michael, se fosse possível convencer a freira a enfrentá-lo.

Mas, para quebrar a monotonia, encontrou Anna deitada de costas e a irmã da Casa de Misericórdia sentada na beirada da cama; a menina tão absorta numa história contada pela freira que nem sequer levantou os olhos para Lib.

— Cem anos de idade e com uma dor terrível, o tempo todo — dizia a irmã Michael. Seu olhar correu até Lib e voltou para Anna. — A anciã confessou que, quando era pequena, na missa, tinha feito a Santa Comunhão, mas não havia fechado a boca na hora certa e a hóstia havia caído no chão. Ela ficara envergonhada demais para contar a quem quer que fosse, sabe, e havia deixado a hóstia lá.

Anna prendeu o fôlego.

Lib nunca tinha ouvido sua colega de enfermagem falar com tanta fluência.

— E, então, sabe o que esse padre fez?

— Quando ela deixou cair a hóstia da boca? — perguntou Anna.

— Não, o padre com quem a mulher estava se confessando, aos cem anos de idade. Ele voltou àquela mesma igreja, que estava em ruínas — contou a irmã Michael —, mas um arbusto brotava bem do meio das pedras quebradas do piso. Ele procurou entre as raízes, e o que foi que encontrou senão a própria hóstia, fresca como no dia em que caíra da boca da menina, quase um século antes?

Anna fez um sonzinho deslumbrado.

Foi muito difícil para Lib não agarrar a freira pelo cotovelo e arrancá-la do quarto. Que tipo de história era esta para se contar à menina?

— Ele a levou de volta e a pôs na língua da anciã, e a maldição se desfez e ela se livrou da dor.

Meio atrapalhada, a menina fez o sinal da cruz.

— *Dai-lhe, Senhor, o descanso eterno, e que a luz perpétua a ilumine, e que ela descanse em paz.*

Livrou-se da dor queria dizer que a mulher havia morrido, percebeu Lib. Só na Irlanda é que isso seria visto como um final feliz.

Anna piscou, virando-se para ela.

— Boa noite, dona Lib. Não vi que a senhora estava aqui.

— Boa noite, Anna.

A irmã Michael levantou-se e juntou suas coisas. Aproximou-se e murmurou no ouvido de Lib:

— Extremamente agitada, a tarde inteira, cantando um hino atrás do outro.

— E a senhora achou que essa história macabra ia acalmá-la?

O rosto da freira crispou-se em sua moldura de tecido.

— Creio que a senhora não compreende as nossas histórias.

Esta fora uma fala belicosa, para a irmã Michael. E a freira retirou-se do quarto antes que Lib pudesse dizer o que havia esperado a tarde inteira para dizer: que, na sua opinião — não poderia mencionar Byrne, é claro —, Anna corria um grave perigo.

Atarefou-se ajeitando o lampião, a lata de fluido combustível, a tesoura usada para cortar o pavio, o copo de água, os cobertores, aprontando tudo para a noite. Pegou a agenda e levantou o pulso de Anna. *Uma encantadora menina moribunda...*

— Como se sente?

— Muito contente, dona Lib.

Os olhos de Anna estavam fundos, Lib percebeu neste momento, envolvidos pelo tecido edemaciado.

— No seu corpo, eu quis dizer.

— Flutuando — respondeu a menina, após um longo momento.

"Tonteira?", escreveu Lib.

— Há mais alguma coisa incomodando?

— A flutuação não me incomoda.
— Então, hoje há alguma outra coisa diferente? — Lápis metálico a postos.

Anna inclinou-se para a frente, como que para confidenciar um grande segredo.

— Parecem sinos, bem longe.

"Tinido nos ouvidos", escreveu Lib.

Pulso: 104 batimentos por minuto.
Pulmões: 21 respirações por minuto.

Decididamente, os movimentos da menina estavam mais lentos, percebeu Lib, agora à procura de provas; mãos e pés um pouco mais frios e azulados do que uma semana antes. Mas o coração batia mais depressa, como asas de passarinho. O sangue se agitava nas faces de Anna nessa noite, deixando-as vermelhas. A pele, em alguns pontos, estava áspera como um ralador de noz-moscada. Ela exalava um odor meio azedo, e Lib gostaria de lhe dar um banho de esponja, mas teve medo de deixar a menina ainda mais gelada.

— *Adoro-te, ó preciosíssima cruz...* — Anna murmurou a oração da Dora, os olhos cravados no teto.

De repente, Lib perdeu a paciência.

— Por que recitar essa prece com tanta frequência? — Esperou que Anna voltasse a lhe dizer que isso era *particular*.

— Trinta e três.

— Perdão, o que disse?

— Só trinta e três vezes por dia — repetiu Anna.

Lib sentiu a cabeça rodar. Isso dava mais de uma vez por hora, porém, descontando o sono, significava mais de duas vezes em cada hora de vigília. O que diria Byrne se estivesse ali? Como deslindaria a história?

— Foi o sr. Thaddeus quem lhe disse que você tinha de fazer isso?

Anna abanou a cabeça.

— Essa era a idade dele.

Lib levou um momento para compreender.

— De Cristo?

Um meneio afirmativo.

— Quando ele morreu e ressuscitou.

— Mas por que você tem que rezar essa oração, em particular, trinta e três vezes por dia?

— Para tirar o Pat do... — Ela se interrompeu.

Na porta aberta estava a sra. O'Donnell, estendendo os braços.

— Boa noite, mamãe — disse a menina.

Aquele rosto de pedra; de onde estava, Lib podia sentir a mágoa da mulher. Ou seria fúria, por lhe ser negada uma coisa tão pequena quanto um abraço? Acaso uma filha não devia ao menos isso à mãe, que a trouxera ao mundo?

Rosaleen fez meia-volta e bateu a porta ao sair. Sim, fúria, concluiu Lib; não só contra a menina, que vinha mantendo a mãe à distância, mas contra a enfermeira que assistia a isso.

Ocorreu-lhe que Anna poderia — sem sequer ter consciência disso — estar tentando fazer a mulher sofrer. Jejuando para se opor a uma mãe que a havia transformado numa espécie de atração de parque de diversões.

Através da parede, ouviram-se as jaculatórias e as respostas gemidas do rosário. Anna não tinha pedido para participar dele naquela noite, notou Lib; mais um sinal de que sua força começava a se extinguir.

A menina encolheu-se, deitada de lado. Por que as pessoas falavam em *dormir como um bebê*, para se referirem a alguém que dormia serenamente?, perguntou-se Lib. Era comum os bebês se esparramarem feito coisas quebradas, ou se enroscarem feito bolas, como que para retroceder no tempo e voltar ao longo olvido de que tinham sido arrancados.

Ela ajeitou os cobertores em volta de Anna e acrescentou mais um, o quarto, porque a menina continuava a tiritar de frio. Ficou em pé, à espera de que Anna pegasse no sono e a cantoria do cômodo ao lado chegasse ao fim.

— Sra. Wright. — Era a irmã Michael novamente, parada à porta.

— Ainda aqui? — perguntou Lib, aliviada por ter outra oportunidade de falar com ela.

— Fiquei para o rosário. Será que posso...

— Entre, entre. — Desta vez, Lib explicaria tudo com clareza suficiente para convencer a freira.

A irmã Michael fechou cuidadosamente a porta.

— A lenda — disse, baixinho —, a antiga história que eu estava contando à Anna.

Lib franziu o cenho.

— Sim?

— É sobre a confissão. A menina da história não estava sendo punida por deixar a hóstia cair, mas por ter guardado segredo do seu erro durante a vida inteira.

Isso era discutir minudências teológicas, e Lib não tinha tempo para essas coisas.

— A senhora está falando por enigmas.

— Quando a anciã finalmente confessou, sabe, ela se livrou do seu fardo — murmurou a freira, os olhos voltados para a cama.

Lib pestanejou. Poderiam essas insinuações significar que a freira achava que Anna tinha um segredo terrível para confessar — que a menina nada tinha de milagrosa, afinal?

Tentou recordar as breves conversas que as duas haviam mantido na semana anterior. Teria a freira realmente dito, em algum momento, acreditar que Anna estava vivendo sem comer?

Não; com os antolhos do preconceito, Lib havia meramente presumido que essa era a visão dela. A irmã Michael tinha guardado suas opiniões, ou proferido generalidades anódinas.

Nesse momento, Lib chegou bem perto dela e murmurou:

— A senhora sabia desde sempre.

As mãos da irmã Michael se ergueram no mesmo instante.

— Eu só estava...

— A senhora está tão familiarizada com os fatos da nutrição quanto eu. Nós duas sabíamos, desde o começo, que isso devia ser um embuste.

— Não *sabíamos* — cochichou a irmã Michael. — Não temos certeza de nada.

— A Anna está definhando depressa, irmã. Fica mais fraca a cada dia que passa, mais gelada, mais entorpecida. A senhora cheirou o hálito dela? Aquilo é o estômago se consumindo.

Os olhos protuberantes da freira reluziram.

— A senhora e eu temos de descobrir a verdade — disse Lib, segurando a outra pelo pulso. — Não só por termos sido encarregadas dessa tarefa, mas também porque a vida dessa criança depende disso.

A irmã Michael girou nos calcanhares e fugiu do quarto.

Lib não poderia ir atrás dela, estava agrilhoada ali. Gemeu consigo mesma. De manhã, porém, a freira teria de voltar, e Lib estaria pronta para ela.

Anna passou a noite acordando e dormindo. Virava a cabeça, ou se enroscava para o outro lado. Faltavam seis dias para o fim da vigília. *Não*, corrigiu-se Lib, isto só se Anna durasse mais seis dias. Por quanto tempo uma criança podia agarrar-se à vida com goles de água?

Uma encantadora menina moribunda. Ainda bem que sabia a verdade, disse Lib a si mesma; agora poderia agir. Mas, pelo bem de Anna, teria de agir com extremo cuidado, sem demonstrar arrogância, nem perder novamente as estribeiras. *Lembre-se*, disse a si mesma, *você é uma estranha aqui*.

Jejum não era veloz; era o que havia de mais lento. Jejum significava uma porta fechada depressa, com firmeza. Uma solidez, uma fortaleza. Jejuar era agarrar-se firmemente ao vazio, dizer não, não e não, mais uma vez.

Anna fitava com ar letárgico as sombras que o lampião projetava nas paredes.

— Quer alguma coisa?

Um abanar da cabeça.

Os estrangeiros desfalecem e, tremendo, saem de suas fortalezas. Lib sentou-se e observou a menina. Piscou com os olhos secos.

⁂

Quando a freira pôs a cabeça na abertura da porta, logo depois das cinco da manhã, Lib levantou-se num salto tão rápido que um músculo de suas costas vibrou. Quase fechou a porta na cara de Rosaleen O'Donnell.

— Escute, irmã — disse, mal dando voz às palavras —, precisamos dizer ao dr. McBrearty que a menina está se matando aos poucos, por excesso de luto pelo irmão. É hora de suspender a vigília.

— Nós aceitamos esta incumbência — disse a freira em tom débil, como se cada sílaba saísse de um buraco profundo na terra.

— Mas, em algum momento, a senhora pensou que chegaríamos a este ponto? — retrucou Lib, gesticulando para a criança adormecida na cama.

— A Anna é uma menina muito especial.

— Não tão especial que não possa morrer.

A irmã Michael estremeceu.

— Fiz um voto de obediência. Nossas ordens foram muito claras.

— E nós as temos seguido ao pé da letra, como fazem os torturadores. — Lib viu o rosto da freira registrar o golpe. A desconfiança apoderou-se dela. — A senhora tem outras ordens, irmã? Do sr. Thaddeus, talvez, ou dos seus superiores no convento?

— O que quer dizer?

— A senhora foi instruída a não ver nada, não ouvir nada e não dizer nada, independentemente do que realmente ache que está acontecendo neste casebre? — Era quase um rosnado. — Foi instruída a atestar um milagre?

— Sra. Wright! — O rosto da freira estava lívido.

— Peço-lhe desculpas, se estou errada. — O tom de Lib foi taciturno, mas ela realmente acreditava na mulher. — Então, por que não quer ir comigo conversar com o médico?

— Porque sou apenas uma enfermeira — respondeu a irmã Michael.

— A mim me ensinaram o sentido pleno dessa palavra — rebateu Lib, furiosa. — À senhora não?

A porta se abriu com estrondo. Rosaleen O'Donnell.

— Posso ao menos dar um bom-dia a minha filha?

— Anna ainda está dormindo — disse Lib, virando-se para a cama.

Só que os olhos da menina estavam arregalados. Quanto ela teria ouvido?

— Bom dia, Anna — disse Lib, com a voz trêmula.

A menina realmente parecia insubstancial, um desenho num antigo pergaminho.

— Bom dia, sra. Wright. Irmã. Mamãe. — Seu sorriso irradiou-se debilmente em todas as direções.

※

Às nove horas — havia esperado tanto quanto lhe fora possível, em nome das boas maneiras —, Lib entrou na casa de McBrearty.

— O doutor saiu — disse a empregada.

— Saiu para onde? — Estava trêmula demais de cansaço para fazer uma enunciação mais polida.

— É a menina O'Donnell; ela não está passando bem?

Lib fitou o rosto agradável da mulher sob a touca engomada. *Anna não faz uma refeição adequada desde abril*, teve vontade de gritar, *como pode estar bem?*

— Preciso falar com ele sobre um assunto urgente.

— Ele foi chamado para atender Sir Otway Blackett.

— Quem é esse?

— Um baronete — respondeu a mulher, claramente chocada por Lib não saber —, e o magistrado residente.

— Onde é a residência dele?

A empregada retesou-se ante a ideia de que a enfermeira fosse procurar o médico lá. Ficava a quilômetros dali. Seria muito melhor a sra. Wright voltar mais tarde.

Lib deixou-se oscilar apenas o suficiente para sugerir que poderia ter um colapso na porta de entrada.

— Ou, então, a senhora poderia esperar na minha sala, lá embaixo, imagino — disse a mulher.

Estava em dúvida quanto à posição de uma Nightingale, Lib percebeu, sem saber ao certo se seria mais adequado colocá-la na cozinha.

A inglesa passou hora e meia sentada diante de uma xícara de chá frio. Que bom se pudesse contar com o apoio daquela infeliz da enfermeira...

— O doutor voltou e vai recebê-la agora. — Era a empregada.

Lib levantou-se num salto tão rápido que sua vista escureceu.

O dr. McBrearty estava em seu estúdio, remexendo papéis aleatoriamente.

— Sra. Wright, que bom a senhora ter vindo.

A calma era crucial; quando estrídula, a voz feminina fazia os ouvidos dos homens se fecharem. Lib se lembrou de começar perguntando pelo baronete.

— Uma dor de cabeça, nada sério, felizmente.

— Doutor, estou aqui por uma grave preocupação com o bem-estar da Anna.

— Ai, ai, ai.

— Ontem, ela desmaiou. Seu pulso tem-se acelerado, mas a circulação está ficando tão arrastada que mal consegue sentir os pés. A respiração...

McBrearty levantou uma das mãos para detê-la.

— *Hmm*, tenho pensado muito na pequena Anna e me empenhado com extrema diligência no exame do registro histórico, em busca de esclarecimentos.

— Registro histórico? — repetiu Lib, atônita.

— A senhora sabia... ora, por que haveria de saber? Na Idade Média, muitos santos foram afligidos por uma perda completa do apetite durante anos, décadas, até. *Inedia prodigiosa*, era assim que o chamavam: o jejum prodigioso.

Com que, então, eles tinham um nome especial para isso, para aquele espetáculo bizarro, como se fosse uma coisa tão real quanto uma pedra ou um sapato. *Idade Média*, pois sim; ela não havia acabado. Lib pensou no faquir de Lahore. Será que todos os países tinham essas histórias absurdas de sobrevivência sobrenatural?

O velho prosseguiu, animado:

— Eles aspiravam a ser como Nossa Senhora, entende? Na primeira infância, dizem que ela mamava apenas uma vez por dia. Já Santa Catarina, depois de se forçar a engolir um pouco de comida, enfiava um graveto na garganta e devolvia tudo.

Com um arrepio, Lib pensou em cilícios e correntes com espinhos, e monges se açoitando nas ruas, até ficarem em carne viva.

— Eles pretendiam rebaixar a carne e elevar o espírito — explicou o médico.

Mas por que tem que ser uma coisa ou outra?, Lib se intrigou. *Não somos as duas?*

— Doutor, estamos em tempos modernos e Anna O'Donnell é apenas uma criança.

— Admito, admito — disse ele. — Mas haveria algum mistério fisiológico por trás dessas histórias antigas? O frio persistente que a senhora mencionou, por exemplo... Formulei uma hipótese provisória sobre ele: não estaria o metabolismo da menina se alterando, assumindo uma natureza mais reptiliana do que mamífera?

Reptiliana?, foi o que ela sentiu vontade de gritar.

— Todos os anos, acaso os homens de ciência não descobrem fenômenos aparentemente inexplicáveis, em cantos longínquos do globo? Talvez nossa jovem amiga represente um tipo raro que poderá tornar-se comum no futuro. — A voz de McBrearty estremeceu de empolgação. — Um tipo que possa oferecer esperança para toda a raça humana.

O homem estaria louco?

— Que esperança?

— A libertação da necessidade, sra. Wright! Se estivesse dentro dos limites do possível a vida perseverar sem alimentação... ora, que causa haveria para lutas pelo pão ou pela terra? Isso poderia pôr fim ao cartismo, ao socialismo, à guerra.

Que conveniente para todos os tiranos do mundo!, pensou Lib: populações inteiras subsistindo mansamente do nada.

A expressão do médico era beatífica.

— Talvez nada seja impossível para o Grande Curandeiro.

Lib demorou um instante para entender a quem ele se referia. Sempre Deus — o verdadeiro tirano, nesta região do mundo. Ela se esforçou para responder nos mesmos termos:

— Sem o alimento que Ele nos proporcionou — disse —, nós morremos.

— Até *agora*, morríamos. Até agora.

E Lib enxergou com clareza, finalmente, a natureza deplorável do sonho de um ancião.

— Mas, quanto à Anna — tinha de trazer McBrearty de volta ao assunto —, ela está definhando depressa, o que significa que devia estar recebendo alimentação até nós a impedirmos. A culpa é nossa.

Ele franziu o sobrolho, remexendo nas hastes dos óculos.

— Não vejo como isso possa ser uma consequência.

— A criança que conheci na segunda-feira passada era vigorosa — disse Lib —, e agora mal consegue ficar em pé. O que posso deduzir, senão que o senhor deve suspender a vigília e empenhar todos os seus esforços em persuadi-la a comer?

As mãos dele, de pele fina e ressecada como papel, subiram num átimo.

— Minha cara, a senhora está ultrapassando seus limites. A senhora não foi solicitada a "deduzir" coisa nenhuma. Se bem que sua postura protetora seja perfeitamente natural — acrescentou, em tom mais gentil. — Imagino que os deveres de uma enfermeira, especialmente para com uma paciente tão jovem, devam estimular a capacidade materna adormecida. Seu próprio neném não viveu, pelo que entendo, pois não?

Lib desviou os olhos, para que ele não pudesse ler seu rosto. O que o médico havia cutucado era uma antiga ferida, mas ele o fizera sem aviso prévio, e ela ficou zonza de dor. E também de indignação; teria a enfermeira-chefe sido realmente obrigada a revelar sua história àquele homem?

— Mas a senhora não deve deixar sua perda pessoal distorcer seu julgamento. — McBrearty balançou um dedo torto, com ar quase jocoso. — Se tiver rédea solta, esse tipo de angústia materna pode levar a um pânico irracional e a um toque de autoenaltecimento.

Lib engoliu em seco e modulou a voz no tom mais suave e feminino que pôde:

— Por favor, doutor. Talvez, se o senhor reunir sua comissão e alertá-la sobre a deterioração do estado da Anna...

Ele a interrompeu com um gesto:

— Tornarei a dar uma passada por lá ainda hoje à tarde; será que isto a deixará tranquila?

Lib arrastou-se até a porta.

Havia estragado a entrevista. Deveria ter conduzido McBrearty aos poucos, até um ponto em que ele julgasse ser ideia sua — e seu dever — abortar a vigília, tal como a havia iniciado. Desde a chegada àquele país, oito dias antes, Lib havia cometido um erro após outro. Como se envergonharia dela a srta. N.!

<hr />

À uma da tarde, encontrou Anna deitada na cama, com tijolos quentes levantando os cobertores em volta dos pés.

— Ela precisou de um pequeno cochilo depois de caminharmos pelo quintal — murmurou irmã Michael, fechando bem a capa.

Lib não conseguiu falar. Era a primeira vez que a menina se deitava no meio do dia. A inglesa examinou a poça minúscula no urinol. Uma colher de chá, no máximo, e muito escura. Poderia aquilo ser sangue na urina?

Quando Anna acordou de seu cochilo, ela e Lib conversaram sobre a luz do sol. O pulso da menina estava em cento e doze batimentos, o número mais alto já registrado por Lib.

— Como está se sentindo, Anna?
— Muito bem. — Quase inaudível.
— Sua garganta está seca? Quer beber água?
— Se a senhora quiser.

Anna soergueu o corpo e bebeu um gole.

Um pequeno filete vermelho marcou a colher.

— Pode abrir a boca, por favor?

Lib espiou o interior da boca, inclinando o maxilar da menina em direção à luz. Um vermelho-vivo contornava diversos dentes. Bem, pelo menos o sangramento vinha da gengiva, não do estômago. Um dos molares achava-se num ângulo estranho. Lib o cutucou com a unha, e ele se inclinou para o lado. Quando ela o puxou entre o indicador e o polegar, viu que não era um dente de leite, e sim um dos permanentes.

Anna piscou para o dente, depois para Lib. Como se desafiasse a enfermeira a dizer alguma coisa.

Lib o enfiou no bolso do jaleco. Esperaria para mostrá-lo a McBrearty. Seguiria as ordens recebidas, continuaria a colher informações para fortalecer sua posição e esperaria o momento propício — porém não muito mais.

A menina tinha uma sombra escura ao redor da boca e embaixo dos olhos. Lib anotou tudo na agenda. A penugem simiesca nas faces havia engrossado e ia chegando ao pescoço. Um conjunto de marcas marrons em volta da clavícula, escamosas. Até onde ainda era alva, a pele estava ficando áspera feito lixa. As pupilas de Anna também pareciam mais dilatadas que de hábito, como se os buracos negros crescessem dia a dia, engolindo o castanho-claro.

— Como está sua vista? Você consegue enxergar como antes?
— Eu vejo o que preciso ver — respondeu Anna.

"Visão enfraquecida", Lib acrescentou a suas anotações.

— Há mais alguma coisa... você está sentindo dor em algum lugar?
— Está só... — Anna fez um gesto vago, mais ou menos no meio do tronco — passando.
— Passando por você?
— Por mim não. — Tão baixo que Lib não ficou certa de ter ouvido direito.

A dor não era de Anna? A menina por quem a dor passava não era Anna? Anna não era Anna? Talvez o cérebro da menina estivesse começando a ter suas forças drenadas. Talvez o de Lib também.

A menina ficou virando as páginas do seu Livro dos Salmos e, vez por outra, resmungava um versículo em voz alta:

— *Tu, que me salvas das portas da morte, livra-me das mãos dos meus inimigos.*
Lib não sabia se Anna ainda conseguia enxergar as letras, ou se estava recitando de memória.
— *Salva-me, mísero, da boca do leão e dos chifres dos unicórnios.*
Unicórnios? Lib nunca havia imaginado essas criaturas de contos de fada como predadores.
Anna levantou a mão para colocar o livro em cima da cômoda. Em seguida, deixou-se escorregar para a cama, agradecida, como se houvesse anoitecido novamente.
No silêncio, Lib pensou em se oferecer para ler alguma coisa para a menina.
Era comum que as crianças preferissem que lhes contassem histórias a lê-las, não é? Lib não conseguiu pensar em nenhuma. Nem mesmo em alguma música. Anna, geralmente, cantava baixinho; quando havia parado de cantar?
Os olhos da menina deslocaram-se de uma parede para outra, como se procurassem uma saída. Nada em que pousarem senão os quatro cantos e o rosto tenso da enfermeira.
Da porta, Lib chamou a empregada, estendendo-lhe o jarro.
— Kitty, roupa de cama limpa, por favor, e será que você pode encher isto de flores?
— Mas quais?
— Qualquer coisa colorida.
Kitty voltou em dez minutos, com um par de lençóis e um punhado de ervas e flores. Virou a cabeça de lado para observar a garotinha na cama.
Lib examinou as feições largas da criada. Aquilo seria apenas ternura, ou era culpa? Seria possível que Kitty soubesse como Anna fora alimentada até recentemente, ainda que ela própria não o tivesse feito? Lib tentou pensar em como formular a pergunta sem assustar a empregada, em como persuadi-la a dar qualquer informação que possuísse, se isso pudesse salvar Anna.
— Kitty! — O grito de Rosaleen O'Donnell soou irritado.
— Estou indo. — A criada se retirou às pressas.
Lib ajudou Anna a se levantar e a sentar-se numa cadeira, para poder trocar a roupa de cama.
A menina abraçou o jarro de flores, arrumando as hastes. Uma delas era de corniso; os dedos de Lib comicharam de vontade de rasgar a flor cruciforme, as marcas marrons dos pregos romanos.
Anna afagou uma folha sem maior distinção.

— Olhe, dona Lib, até os dentinhos dela são cheios de dentinhos ainda menores.

Lib pensou no molar caído que estava em seu avental. Esticou bem os novos lençóis, alisando-os. ("Uma dobra pode riscar tanto a pele quanto um chicote", sempre dizia a srta. N.) Tornou a acomodar Anna na cama e a cobriu com três cobertores.

O jantar, às quatro da tarde, foi uma espécie de peixe ensopado. Lib estava limpando o prato com pão de aveia quando entrou o dr. McBrearty, alvoroçado. Ela se levantou tão depressa que quase derrubou a cadeira, estranhamente envergonhada de ser flagrada comendo.

— Boa tarde, doutor — disse a menina, com voz rouca, esforçando-se para soerguer o corpo na cama, e Lib correu para pôr outro travesseiro em suas costas.

— Bem, Anna, hoje você está com uma boa cor.

Seria mesmo possível que o velho estivesse confundindo aquele rubor febril com saúde?

Ele foi delicado com a menina, pelo menos, examinando-a enquanto conversava sobre o tempo inusitadamente bom. Continuou a se referir a Lib, em tom apaziguador, como "a nossa cara sra. Wright".

— A Anna acabou de perder um dente — disse Lib.

— Sei — disse o médico. — Sabe o que eu lhe trouxe, menina, por um gentil empréstimo feito pessoalmente por Sir Otway Blackett? Uma cadeira para banho de sol, com rodinhas, para que você possa tomar um ar fresco sem se cansar em demasia.

— Obrigada, doutor.

Passado mais um minuto, ele se despediu, mas Lib o seguiu até o lado de fora da porta do quarto.

— Fascinante — murmurou o médico.

A palavra a deixou pasma.

— O edema dos membros, a pele escurecida, aquela coloração azulada nos lábios e nas unhas... Creio que Anna está passando por alterações num nível sistêmico — o homem confidenciou no ouvido de Lib. — É de se esperar que uma constituição mantida por outra coisa que não o alimento funcione de forma diferente.

Lib teve de desviar o rosto para que McBrearty não visse sua raiva.

A cadeira do baronete estava parada do lado de dentro, bem junto à porta de entrada: uma coisa volumosa, de veludo verde surrado, com três rodas e capota dobrável. Kitty postava-se diante da mesa comprida, os olhos vermelhos e lacrimejantes, picando cebolas.

— Mas ainda não vejo nenhum risco iminente real, na ausência de uma queda acentuada da temperatura, ou de palidez constante — continuou Mc Brearty, coçando as suíças.

Palidez! Será que o homem havia estudado medicina lendo romances franceses?

— Vi homens no leito de morte que pareciam mais amarelos ou vermelhos do que brancos — Lib lhe disse, a voz se elevando apesar de seus esforços.

— Viu mesmo? Mas a Anna também não tem convulsões, como a senhora deve ter notado, nem delírios — arrematou. — É escusado dizer, é claro, que a senhora deverá mandar me chamar, caso ela exiba algum sinal de exaustão grave.

— Ela já está de cama!

— Uns dias de repouso hão de fazer-lhe um bem enorme. Eu não me surpreenderia se estivesse recuperada no fim da semana.

Portanto, McBrearty era duas vezes mais idiota do que ela havia suposto.

— Doutor, se o senhor não suspender esta vigília...

A sugestão de ameaça no tom de Lib o fez amarrar a cara. Ele rebateu:

— Para começar, tal medida exigiria o consentimento unânime da comissão.

— Pois, então, peça-o a ela.

O médico falou ao pé do ouvido de Lib, fazendo-a sobressaltar-se:

— Se eu propusesse abortarmos a vigília, sob a alegação de que ela está pondo em risco a saúde da criança, por impedir algum método secreto de alimentação, o que é que isso pareceria? Seria o mesmo que declarar que meus velhos amigos, os O'Donnell, são vis embusteiros!

Lib retribuiu o cochicho:

— E qual será a impressão se os seus velhos amigos deixarem a filha morrer?

McBrearty prendeu a respiração.

— Foi assim que a srta. Nightingale lhe ensinou a falar com seus superiores?

— Ela me ensinou a lutar pela vida dos meus pacientes.

— Sra. Wright, tenha a bondade de soltar minha manga.

Lib nem havia notado que a estava segurando.

O velho a soltou com um puxão e se dirigiu para fora do casebre.

Kitty estava boquiaberta.

Ao voltar às pressas para o quarto, Lib tornou a encontrar Anna dormindo, soltando um levíssimo ronco pelo nariz arrebitado. Ainda estranhamente encantadora, apesar de tudo o que havia de errado nela.

Com toda justiça, Lib deveria estar fazendo a mala e chamando o cocheiro da charrete irlandesa para levá-la à estação de Athlone. Se considerava essa vigília indefensável, não deveria mais ter qualquer participação nela.

Mas não conseguiu ir embora.

⁂

Às dez e meia daquela noite de terça-feira, na mercearia-taberna do Ryan, Lib atravessou o corredor, pé ante pé, e bateu de leve na porta de William Byrne.

Nenhuma resposta.

E se ele já tivesse regressado a Dublin, revoltado com o que Lib estava deixando acontecer com Anna O'Donnell? E se outro hóspede viesse à porta, de que modo ela se explicaria? De repente, viu a cena como os outros a veriam: uma mulher desesperada, do lado de fora do quarto de um homem.

Ela contaria até três, depois...

A porta se escancarou. William Byrne, com o cabelo desgrenhado e sem camisa.

— Você

Lib enrubesceu tão depressa que chegou a sentir dor no rosto. Só deu graças por ele não estar de camisolão.

— Desculpe-me, por favor.

— Não, não. Houve algum problema? Não quer... — Os olhos dele correram até a cama e voltaram.

O quartinho dele ou o dela, ambos igualmente impossíveis para uma conversa. Lib não poderia pedir-lhe para descer, o que chamaria ainda mais atenção, àquela hora da noite.

— Eu lhe devo desculpas. O senhor tem toda razão sobre o estado da Anna — cochichou ela. — Esta vigília é uma abominação. — A palavra saiu alta demais; daquele jeito, ela faria Maggie Ryan subir a escada correndo.

Byrne assentiu com a cabeça, sem ar de triunfo.

— Falei com a irmã Michael, mas ela se recusa a dar um único passo sem a permissão expressa dos superiores — Lib lhe contou. — Insisti com o dr. McBrearty para suspender a vigília e se concentrar em dissuadir a criança de se matar de fome, mas ele me acusou de um pânico irracional.

— Perfeitamente racional, eu diria.

A voz serena de Byrne fez Lib sentir-se ligeiramente melhor. Como se tornara necessária para ela a conversa com este homem, e com que rapidez!

Ele se recostou no batente da porta.

— Vocês fazem um juramento? Como aquele antigo juramento hipocrático dos médicos, de curar e nunca matar?

— Está mais para juramento dos hipócritas!

Isso fez Byrne sorrir.

— Não temos juramento — informou ela. — Como profissão, a enfermagem está na primeira infância.

— Nesse caso, para a senhora, é uma questão de consciência.

— Sim — confirmou Lib. Só neste momento ela compreendeu. As "ordens" não vinham ao caso; havia um dever mais profundo.

— E, mais do que isso, creio eu — disse Byrne —, a senhora se importa com a criança sob seus cuidados.

Byrne não acreditaria se ela negasse.

— Creio que eu já teria voltado para a Inglaterra se não me importasse.

"É melhor a gente não se afeiçoar demais às coisas", dissera Anna, um dia desses. A srta. N. alertava tanto contra as afeições pessoais quanto contra os romances. Lib fora ensinada a observar qualquer forma de apego e a erradicar todas. Então, o que dera errado desta vez?

— Alguma vez a senhora disse à Anna, em termos claros e simples, que ela precisa comer?

Lib fez um esforço para se lembrar.

— Levantei a questão, com certeza. Mas, de modo geral, procurei me manter objetiva, neutra.

— A hora da neutralidade já passou — disse Byrne.

Passos na escada; havia alguém subindo.

Lib fugiu para seu quarto e fechou a porta com toda a delicadeza, para não fazer um único som.

Bochechas quentes, cabeça latejando, mãos geladas. Se Maggie Ryan pegasse a enfermeira inglesa falando com o jornalista, tão tarde da noite, o que haveria de pensar? E estaria errada?

Todo mundo era um repositório de segredos.

O estado de Lib era terrivelmente previsível. Ela teria detectado o perigo mais cedo, se não estivesse tão preocupada com Anna. Ou talvez não o detectasse, já que era algo novo para ela. Nunca havia sentido isso por seu marido, nem por qualquer outro homem.

Quão mais moço do que Lib era Byrne, com sua energia entusiástica e a tez leitosa? Ela podia ouvir o resumo da srta. N.: *Um desses anseios que brotam feito ervas daninhas no solo seco da vida de uma enfermeira.* Será que Lib não tinha o menor respeito próprio?

Estava zonza de cansaço, mas demorou muito a adormecer.

Andava novamente na estrada verde, de mãos dadas com um menino que, de algum modo, era seu irmão. No sonho, a relva dava lugar a uma área selvagem de charco e a trilha ficava indistinta. Ela não conseguiu acompanhar o ritmo; atolou-se naquele emaranhado úmido e, apesar de seus protestos, o irmão soltou sua mão e seguiu adiante dela. Quando já não conseguia ouvir os chamados dele, ou distingui-los dos sons das aves no céu, descobriu que ele havia marcado o caminho com migalhas de pão. No entanto, por mais depressa que ela as seguisse, os pássaros eram mais rápidos e as levavam embora em seus bicos afiados. Agora, não havia nenhum sinal da trilha e Lib estava só.

Na manhã de quarta-feira, seu rosto no espelho parecia acabado.

Chegou ao casebre antes das cinco horas. A cadeira para banho de sol fora deslocada para o lado de fora da porta e tinha o veludo molhado de orvalho.

Encontrou Anna mergulhada no sono, o rosto marcado pelas dobras da fronha. O urinol continha apenas um filete enegrecido.

— Sra. Wright — começou a irmã Michael, como que para se justificar. Lib a fitou nos olhos.

A freira hesitou, depois saiu sem mais uma palavra.

Durante a noite, Lib tomara uma decisão sobre sua tática. Havia escolhido a arma que teria maior probabilidade de abalar a menina: as Escrituras Sagradas. Pôs no colo toda a pilha de volumes religiosos de Anna e começou a folheá-los, marcando passagens com tiras de papel rasgadas da última página de sua agenda.

Quando a menina acordou, um pouco depois, Lib ainda não estava pronta, de modo que repôs os livros na caixa dos tesouros.

— Tenho uma charada para você.

Anna conseguiu dar um sorriso e um aceno com a cabeça. Lib pigarreou.

Eu a vi onde você nunca esteve
E onde nunca estará,
Mas, nesse mesmo lugar,
Ainda pode ser vista por mim.

— No espelho — disse Anna, quase no mesmo instante.

— Você está ficando esperta demais — retrucou Lib. — Minhas charadas estão acabando.

Num impulso, segurou o espelhinho diante do rosto de Anna.

A menina se assustou. Depois, examinou o próprio reflexo com firmeza.

— Está vendo como anda a sua aparência, ultimamente? — perguntou Lib.

— Estou vendo — respondeu Anna. E se benzeu e levantou com esforço da cama.

Só que cambaleava tanto que Lib a fez sentar-se na mesma hora.

— Deixe-me trocar sua camisola — disse. Tirou a limpa da gaveta.

A menina batalhou com os botões miúdos, de modo que Lib teve que desabotoá-los. Ao tirar a camisola pela cabeça de Anna, prendeu o fôlego ante a extensão das manchas marrons em sua pele, das nódoas azul-avermelhadas que agora pareciam moedas dispersas. Havia novos hematomas também, em lugares estranhos, como se agressores invisíveis andassem espancando a menina na madrugada.

Com Anna vestida e embrulhada em dois xales, para parar de tremer de frio, Lib a convenceu a tomar uma colherada de água.

— Outro colchão, por favor, Kitty — gritou da porta.

A criada tinha os braços mergulhados até os cotovelos num balde de louça.

— Não temos outro, mas a menina pode ficar com o meu.

— E o que você vai fazer?

— Eu acho alguma coisa, até a hora de dormir. Não faz mal.

O tom de Kitty foi desolado.

Lib hesitou.

— Está bem, então. Será que você também arranja alguma coisa macia para pôr em cima?

A criada enxugou a sobrancelha com o braço vermelho.

— Um cobertor?

— Mais macio que isso — respondeu Lib.

Tirou os três cobertores da cama e os sacudiu com tanta força que eles chegaram a estalar. "Empilhamos todas as cobertas da casa na cama dele", dissera Rosaleen O'Donnell. Essa deveria ter sido a cama do Pat, ocorreu a Lib; não havia outra, a não ser no puxado em que os pais dormiam. Ela arrancou o lençol de forrar, ensebado, e expôs o colchão. Seus olhos percorreram as manchas indeléveis. Então, Pat havia morrido bem ali, esfriando no abraço cálido da irmã caçula.

Na cadeira, Anna estava tão dobradinha que se reduzia a quase nada, como as luvas Limerick em sua casca de noz. Lib ouviu vozes discutindo na cozinha.

Rosaleen O'Donnell irrompeu quarto adentro, quinze minutos depois, com o colchão da Kitty e uma pele de carneiro que pegara emprestada com os Corcoran.

— Está quietinha hoje, dorminhoca? — Segurou as mãos deformadas da filha entre as suas.

Como podia aquela mulher achar que *dorminhoca* era a palavra para designar tamanha letargia?, intrigou-se Lib. Porventura não via que Anna estava derretendo como uma vela barata?

— Ora, tudo bem. Uma mãe entende o que o filho não fala, como diz o ditado. Olhe aí o papai.

— Bom dia, filhota — disse Malachy, do vão da porta.

Anna pigarreou.

— Bom dia, papai.

Ele se aproximou para lhe afagar o cabelo.

— Como está passando hoje?

— Bastante bem — ela lhe respondeu.

O pai assentiu com a cabeça, como se estivesse convencido.

Os pobres viviam o presente, seria isso?, perguntou-se Lib. Sem controle sobre a própria situação, aprendiam a não arranjar encrencas por olhar para mais adiante no futuro.

Ou, então, aquela dupla de criminosos sabia exatamente o que estava fazendo com a filha.

Depois que saíram, Lib tornou a fazer a cama, agora com os dois colchões e com a pele de carneiro sob o lençol de baixo.

— Agora, torne a pular na cama e descanse mais um pouco.

"Pular": uma palavra ridícula para expressar o modo como Anna rastejou para a cama.

— Macia — murmurou a menina, dando um tapinha na superfície esponjosa.

— É para prevenir escaras — Lib explicou.

— Como foi que a senhora recomeçou, dona Lib? — As palavras saíram graves e ásperas.

Lib inclinou a cabeça de lado.

— Quando ficou viúva. "Toda uma vida nova", a senhora disse.

Lib ficou dolorosamente impressionada com a capacidade da menina de se elevar acima do sofrimento pessoal e se interessar pelo passado dela.

— Havia uma guerra terrível no leste e eu queria ajudar os doentes e feridos.

— E ajudou?

Os homens tinham vomitado, defecado, urinado, sangrado, morrido. Os homens de Lib, os que a srta. N. lhe designara. Às vezes, morriam nos braços dela, porém, com mais frequência, partiam quando ela era obrigada a estar em outro cômodo, mexendo mingau ou dobrando ataduras.

— Creio que ajudei alguns deles. Um pouco. — Lib estivera lá, pelo menos. Havia tentado. Até que ponto isso importava? — Minha professora dizia que aquilo era o reino do inferno e que era nossa incumbência puxá-lo para um pouco mais perto do céu.

Anna fez que sim, como se isso fosse evidente.

"Quarta-feira, 17 de agosto, 7h49min", anotou Lib. "Décimo dia de vigília."

Pulso: 109 batimentos por minuto.
Pulmões: 22 respirações por minuto.
Impossibilitada de andar.

Tornou a pegar os livros e os examinou até dispor do que precisava. Esperava que Anna lhe perguntasse o que estava fazendo, mas não. A menina permaneceu imóvel, os olhos nas partículas de poeira que dançavam nos raios de luz da manhã.

— Gostaria de outra charada? — perguntou-lhe, enfim.
— Ah, sim.

Dois corpos tenho eu,
Se bem que unidos num só.
Quanto mais imóvel fico,
Mais veloz sou ao correr.

— "Quanto mais imóvel fico" — repetiu Anna, num murmúrio. — "Dois corpos."

Lib fez que sim, esperou.
— Vai desistir?
— Só um minuto.

Lib viu o segundo ponteiro de seu relógio girar.
— Nenhuma resposta?

Anna abanou a cabeça.
— Uma ampulheta — disse Lib. — O tempo escoa como areia pelo vidro, e nada é capaz de fazê-lo ir mais devagar.

A criança a fitou, sem se abalar.

Lib puxou a cadeira para bem junto da cama. Hora da batalha.

— Anna. Você se convenceu de que Deus a escolheu, dentre todas as pessoas do mundo, para não comer?

Anna respirou para falar.

— Escute-me, por favor. Esses seus livros sagrados estão cheios de instruções no sentido contrário. — Lib abriu *O jardim da alma* e encontrou a frase que havia marcado: — *Olha para tua carne e tua bebida como remédios necessários à tua saúde.* Ou este trecho aqui, dos Salmos. — Virou para a página certa: — *Estou queimado como a erva e meu coração murcha, pois que esqueci de comer meu pão.* E que tal este: *Comei, bebei e alegrai-vos?* Ou esta frase que a ouço dizer o tempo todo: "*O pão nosso de cada dia nos dai hoje*".

— Não é pão de verdade — resmungou Anna.

— É de pão de verdade que precisa uma criança de verdade — Lib lhe disse. — Jesus dividiu os pães e os peixes com os cinco mil, não foi?

Anna engoliu devagar, como se estivesse com uma pedra na garganta.

— Ele foi misericordioso porque eles eram fracos.

— Porque eram humanos, você quer dizer. Ele não disse "Ignorem o seu estômago e continuem a ouvir enquanto eu prego". Ele lhes deu de comer. — A voz de Lib estremeceu de ira. — Na Última Ceia, ele dividiu o pão com seus seguidores, não foi? O que disse a eles, quais foram as palavras exatas?

Muito baixo:

— *Tomai e comei.*

— Aí está!

— Depois que Ele o consagrou, o pão deixou de ser pão, tornou-se *Ele* — disse Anna, de um só fôlego. — Como o maná. — Afagou a capa de couro dos Salmos, como se o livro fosse um gato. — Durante meses, fui alimentada com o maná dos céus.

— Anna! — Lib puxou o livro de sua mão, com força exagerada, e ele foi bater no chão, espalhando a carga de santinhos preciosos.

— O que é essa comoção toda? — Rosaleen O'Donnell enfiou o rosto pela abertura da porta.

— Nada — disse Lib, de joelhos, o coração em disparada, enquanto recolhia as pequenas imagens.

Uma pausa terrível.

Lib não queria olhar para cima. Não suportaria enfrentar o olhar da mulher, caso seus sentimentos transparecessem.

— Tudo bem, filhota? — Rosaleen perguntou à filha.

— Sim, mamãe.

Por que Anna não dissera que a inglesa havia derrubado seu livro e a estava intimidando, para que quebrasse o jejum? Neste caso, os O'Donnell decerto fariam uma queixa contra Lib, e ela seria sumariamente despedida.

Anna não disse mais nada e Rosaleen se retirou.

Quando as duas voltaram a ficar sozinhas, Lib se levantou e repôs o livro no colo da menina, com os santinhos em cima, numa pequena pilha.

— Desculpe-me por eles estarem fora do lugar.

— Sei o lugar de todos eles.

Com os dedos grossos ainda ágeis, Anna recolocou cada um no lugar certo.

Lib lembrou a si mesma que estava preparada para perder o emprego. Então William Byrne não fora despedido aos dezesseis anos, por causa das verdades rebeldes que dissera sobre seus conterrâneos famintos? Provavelmente, isso tinha sido a causa do desenvolvimento do homem. Não tanto pela perda em si, mas por ele ter sobrevivido a ela, reconhecendo que era possível fracassar e começar de novo.

Anna respirou fundo e Lib ouviu uma crepitação levíssima. "Água nos pulmões", registrou. O que significava que restava pouco tempo.

Eu a vi onde você nunca esteve e onde nunca estará.

— Você quer me escutar, por favor? — Quase acrescentou "querida criança", mas esta era a linguagem suave da mãe; Lib tinha de falar com clareza. — Você deve perceber que está piorando.

Anna abanou a cabeça.

— Isso dói? — Lib curvou-se e apertou o ponto em que a barriga estava mais redonda.

A agonia perpassou o rosto da menina.

— Desculpe — disse Lib, sincera apenas em parte. Tirou a touca de Anna. — Olhe quanto cabelo você está perdendo, todos os dias.

— *Até os cabelos da vossa cabeça estão todos contados* — sussurrou a menina.

A ciência era a mais mágica força que Lib conhecia. Se alguma coisa poderia quebrar o feitiço que dominava essa criança...

— O corpo é uma espécie de máquina — começou, procurando empregar o tom mais professoral da srta. N. — A digestão é a queima do combustível. Sendo-lhe negado o combustível, o corpo destrói os próprios tecidos. — Sentou-se e tornou a pôr a mão na barriga de Anna, desta vez com delicadeza. — Aqui é o fogão. A comida que você ingeriu durante o ano em que tinha dez anos, o tanto que você cresceu naquele ano, em consequência disso, tudo foi usado nos últimos quatro meses. Pense no que você comeu aos nove anos, aos oito. Já transformado em cinzas. — O tempo foi retrocedendo, de um modo nauseante. — Ou quando você tinha sete, seis, cinco anos. Cada refeição que o seu pai batalhou para pôr na mesa, cada garfada que a sua mãe cozinhou, tudo está sendo consumido, agora, pelo fogo desesperado que há dentro de você. — Anna aos quatro anos, aos três, antes de formar sua primeira frase. Aos dois, aprendendo a andar. Com um ano. Remontando até o seu primeiro dia, à primeira sucção do leite materno. — Mas a máquina não pode funcionar por muito mais tempo sem o combustível adequado, entende?

A calma de Anna era uma camada de cristal inquebrável.

— Não é só uma questão de haver menos de você a cada dia — Lib lhe disse —, é que todo o seu funcionamento está parando, começando a travar.

— Não sou máquina.

— *Como* uma máquina, foi só isto que eu quis dizer. Não é um insulto ao seu Criador. Pense nele como o mais talentoso dos engenheiros.

Anna abanou a cabeça.

— Sou filha dele.

— Posso falar com a senhora na cozinha, sra. Wright? — Rosaleen O'Donnell estava no vão da porta, os braços compridos dobrados, as mãos nas cadeiras.

Quanto teria ouvido a mulher?

— Não é um momento conveniente.

— Tenho que insistir, dona.

Lib levantou-se, com um pequeno suspiro.

Estava desobedecendo à regra referente a deixar Anna sozinha no quarto, mas que importância tinha isso agora? Ela não conseguia imaginar a menina inclinando-se para fora da cama, a fim de raspar migalhas de algum esconderijo, e, francamente, se isso acontecesse, Lib ficaria contente. *Engane-me, passe--me para trás, desde que você coma.*

Fechou a porta ao sair, para que Anna não ouvisse uma só palavra. Rosaleen O'Donnell estava só, olhando pela janelinha menor da cozinha. Virou-se e brandiu um jornal.

— O John Flynn pegou isto em Mullingar, hoje de manhã.

Lib foi apanhada de surpresa. Então, isso não tinha a ver com as coisas que ela estivera dizendo à menina pouco antes. Olhou para o jornal, dobrado para mostrar uma página interna. O cabeçalho no alto o identificava como o *Irish Times*, e os olhos de Lib captaram prontamente a reportagem de Byrne que falava do declínio de Anna. "Um encontro casual e fugaz com a própria Menina Jejuadora..."

— Como foi que esse cafajeste veio a ter um encontro casual com a minha filha, posso perguntar? — quis saber Rosaleen.

Lib ponderou quanto deveria admitir.

— E de onde ele tirou esse disparate sobre ela estar "correndo grave perigo"? Peguei a Kitty abrindo o berreiro e enxugando as lágrimas no avental, hoje de manhã, por ter ouvido a senhora dizer alguma coisa ao médico sobre um "leito de morte".

Lib decidiu partir para o ataque:

— Que nome a senhora daria a isso, sra. O'Donnell?

— Que atrevimento o seu!

— A senhora tem olhado para sua filha, ultimamente?

— Ah, é que a senhora sabe mais que o próprio médico da menina, não é? A senhora, que nem soube distinguir uma criança morta de uma viva? — zombou Rosaleen, apontando a fotografia no console da lareira.

Isso doeu.

— O McBrearty imagina que a sua filha esteja se transformando numa espécie de lagarto. É a esse velho senil que a senhora está confiando a vida dela.

Os punhos da mulher estavam cerrados, os brancos nós dos dedos destacando-se contra o vermelho.

— Se a senhora não tivesse sido nomeada pela comissão, eu a botava para fora da minha casa neste minuto.

— Para quê, para a Anna poder morrer ainda mais depressa?

Rosaleen O'Donnell partiu para cima dela.

Assustada, Lib deu um passo de lado, para se esquivar do golpe.

— A senhora não sabe nada sobre nós! — rugiu a mulher.

— Sei que a Anna está faminta demais para sair da cama.

— Se a menina está... lutando um pouco, é só pela tensão nervosa de ser vigiada feito uma prisioneira.

Lib deu uma bufadela. Chegou mais perto da mulher, sentindo o corpo todo enrijecido.

— Que espécie de mãe deixaria as coisas chegarem a esse ponto?

Rosaleen O'Donnell fez a última coisa que Lib esperava: irrompeu em prantos.

Lib fixou os olhos nela.

— Eu não tentei fazer o melhor que pude? — lamentou-se a mulher, as lágrimas correndo pelas rugas do rosto. — Então ela não é carne da minha carne, minha última esperança? Eu não a botei no mundo e a criei com ternura, e não a alimentei enquanto ela deixou?

Por um momento, Lib vislumbrou como deveria ter sido. Aquele dia de primavera em que a menininha dos O'Donnell havia completado onze anos — e depois, sem explicação alguma, tinha-se recusado a comer outra garfada. Para seus pais, talvez tivesse sido um horror tão acachapante quanto a doença que lhes levara o filho no outono anterior. A única maneira de Rosaleen O'Donnell poder dar sentido a tais cataclismos teria sido convencer-se de que eles faziam parte do plano de Deus.

— Sra. O'Donnell — começou ela —, deixe-me garantir-lhe...

Mas a mulher fugiu, indo esconder-se no puxado atrás da cortina de saco.

Lib voltou para o quarto, trêmula. Aquilo a confundia, sentir toda essa comiseração por uma mulher a quem abominava.

Anna não deu sinal de ter ouvido a briga. Deitava-se apoiada nos travesseiros, absorta em seus santinhos.

A enfermeira tentou recompor-se. Por cima do ombro de Anna, olhou para a imagem da menina que flutuava numa canoa em forma de cruz.

— O mar é bem diferente de um rio, você sabe.

— Maior — disse Anna. Tocou na imagem com a ponta de um dedo, como se quisesse sentir a água.

— Infinitamente maior — afirmou Lib —, e, enquanto o rio se move apenas numa direção, o mar parece respirar, entrando e saindo, entrando e saindo.

Anna inspirou, esforçando-se para encher os pulmões.

Lib consultou o relógio: quase na hora. "Meio-dia" fora tudo o que ela havia escrito no bilhete que enfiara embaixo da porta de Byrne, antes do amanhecer. Não gostou da aparência das nuvens cinzentas como ardósia, mas não se podia fazer nada. E, depois, o tempo na Irlanda virava a cada quinze minutos.

Exatamente às doze horas, elevou-se o clamor do *Angelus* na cozinha. Lib contava com isso como uma distração.

— Vamos dar uma voltinha, Anna?

Rosaleen O'Donnell e a criada estavam ajoelhadas — *O anjo do Senhor anunciou a Maria...* — quando Lib correu para buscar a cadeira para banho de sol do lado de fora da porta de entrada. *Agora e na hora da nossa morte, amém.*

Empurrou-a pela cozinha, com a roda traseira rangendo. Anna havia conseguido sair da cama e ajoelhar-se ao lado dela.

— *Faça-se em mim segundo a Tua Palavra* — estava entoando. Lib cobriu a cadeira com um cobertor, ajudou a menina a se acomodar e acrescentou outros três, envolvendo bem seus pés inchados. Empurrou-a rapidamente, passando pelos adultos que rezavam e saindo porta afora.

O verão já começava a mudar de cores; algumas daquelas flores estreladas amarelas iam ganhando um bronze escuro. Uma massa de nuvens dividiu-se como que ao longo de uma costura, e a luz derramou-se pelo intervalo.

— Aí está o sol — disse Anna com a voz rouca, a cabeça apoiada no encosto acolchoado.

Lib apressou-se pela trilha, chacoalhando a cadeira por entre sulcos de rodas e por cima de pedras. Entrou na ruela e lá estava William Byrne, a poucos metros de distância.

Ele não sorriu.

— Desmaiada?

Só então Lib viu que Anna havia escorregado na cadeira e jazia com a cabeça pendendo de lado. Deu um leve peteleco na face da menina, e a pálpebra mais próxima estremeceu, para seu alívio.

— Só cochilando — disse a ele.

Byrne não estava para conversinhas neste dia.

— Bem, os seus argumentos adiantaram alguma coisa?

— Passam por ela sem surtir o menor efeito — Lib admitiu, virando a cadeira para o lado oposto ao do vilarejo e empurrando-a para manter a menina adormecida. — Esse jejum é a rocha da Anna. É sua tarefa diária, sua vocação.

Ele assentiu com a cabeça, com expressão sombria.

— Se ela continuar ladeira abaixo com essa rapidez...

O que aconteceria?

Os olhos de Byrne estavam escuros, quase azul-marinho:

— A senhora... a senhora consideraria alimentá-la à força?

Lib se obrigou a imaginar o procedimento: imobilizar Anna, introduzir um tubo em sua garganta e administrar a dose recomendada. Levantou os olhos e deparou com o olhar premente do jornalista.

— Acho que eu não conseguiria. Não se trata de melindres — assegurou-lhe.

— Sei o que isso lhe custaria.

Também não se tratava disso, ou isso não era tudo. Ela não conseguiu explicar.

Andaram por um minuto, talvez dois. Ocorreu a Lib que os três poderiam ser confundidos com uma família tomando ar.

Byrne recomeçou, num tom mais vigoroso:

— Bem, constatou-se que o padre não está por trás do embuste, afinal.

— O sr. Thaddeus? Como o senhor pode ter certeza?

— O O'Flaherty, o professor da escola, disse que pode ter sido o McBrearty quem persuadiu todos eles a formarem essa comissão, mas foi o padre que insistiu em que eles montassem uma guarda formal junto à menina, com enfermeiras tarimbadas.

Lib refletiu sobre isso. Byrne tinha razão: por que um homem culpado quereria que Anna fosse observada? Talvez ela houvesse se apressado demais a acompanhar as suspeitas de Byrne sobre o sr. Thaddeus, por causa de sua desconfiança dos padres.

— Também descobri mais coisas sobre essa missão que a Anna mencionou — prosseguiu Byrne. — Na última primavera, redentoristas da Bélgica baixaram aqui...

— Redentoristas?

— Padres missionários. O papa os despacha por toda a cristandade, como cães de caça, para arrebanhar os fiéis e farejar heterodoxias. Eles martelam as regras na cabeça dos camponeses, reinstalando o temor a Deus na alma deles — explicou. — Pois então... Durante três semanas, três vezes por dia, esses redentoristas atormentaram os charqueiros desta região. — Seu dedo deslizou pela paisagem da terra multicor. — De acordo com a Maggie Ryan, um dos sermões foi um verdadeiro espetáculo: chuva de fogo e enxofre, crianças dando guinchos e, depois da encenação, filas tão urgentes para a confissão que um sujeito caiu sob os pés da multidão e teve as costelas quebradas. A missão terminou numa enorme *Quarantore*...

— Uma o quê? — perguntou Lib, novamente perdida.

— Quarenta horas, é o que isso significa: a duração do tempo que Nosso Senhor passou no sepulcro. — Byrne adotou um pesado sotaque irlandês: — A senhora não sabe nada, sua pagã?

Isso a fez sorrir.

— Durante quarenta horas, o Santíssimo Sacramento ficou exposto em todas as capelas a que se pudesse chegar a pé, com uma multidão de fiéis empurrando-se pelas ruas para se prostrar diante dele. Todo esse espalhafato culminou na crisma de todos os meninos e meninas habilitados a recebê-la.

— Inclusive a Anna — adivinhou Lib.

— Na véspera do aniversário dela de onze anos.

Sacramento da *confirmação*: o momento da decisão. "É quando a gente deixa de ser criança": fora assim que Anna tinha descrito a crisma. Depositada em sua língua, a Hóstia sagrada — seu Deus, sob a forma de uma rodelinha de pão. Mas como poderia ela ter tomado a atroz decisão de fazer daquela sua última refeição? Teria entendido mal alguma coisa dita pelos padres estrangeiros, enquanto eles conduziam a multidão a um clímax febril?

Lib sentiu-se tão nauseada que teve de parar por um momento e se apoiar nas barras forradas de couro por onde empurrava a cadeira.

— Sobre o que foi o sermão que causou todo esse tumulto, você soube?

— Ora, a fornicação, o que mais?

A palavra fez Lib desviar o rosto.

— Aquilo lá é uma águia? — A voz fina os assustou.

— Onde? — Byrne perguntou a Anna.

— Lá no alto, acima da estrada verde.

— Acho que não — disse ele à menina —, é só o rei de todos os corvos.

— Um dia desses, andei pela chamada estrada verde — disse Lib, puxando conversa. — Uma longa e tortuosa perda de tempo.

— Uma invenção inglesa, aliás — disse Byrne.

Ela o olhou de esguelha. Seria uma de suas piadas?

— Foi no inverno de 47, quando a Irlanda estava afundada na neve até o peito, pela primeira vez na história. Como a caridade era considerada *corruptora* — disse ele, em tom irônico —, os famintos foram convidados a recorrer, em vez de a ela, às obras públicas. Nestas paragens, isso significava construir uma estrada do nada para lugar nenhum.

Lib franziu o cenho para ele, balançando a cabeça em direção à menina.

— Ah, tenho certeza de que ela ouviu todas essas histórias. — Mas ele se curvou para olhar para Anna.

Novamente adormecida, cabeça encostada no canto da cadeira. Lib ajeitou em volta dela os cobertores que se soltavam.

— Assim, os homens catavam pedras no chão e as quebravam com um martelo, recebendo uma ninharia por cada cesto — continuou Byrne, em voz baixa —, enquanto as mulheres carregavam os cestos e encaixavam as peças. As crianças...

— Sr. Byrne — protestou Lib.

— A senhora quis saber da estrada — ele lhe relembrou.

Será que o homem se ressentia dela pelo simples fato de ser inglesa?, perguntou a si mesma. Se ele soubesse dos sentimentos que ela nutria a seu respeito, reagiria com desprezo? Até com piedade? A piedade seria o pior.

— Mas serei breve — ele prosseguiu. — Quem fosse derrubado pelo frio, pela fome ou pela febre e não se levantasse, este era enterrado à margem da estrada, num saco, a um mero palmo de profundidade.

Lib pensou em suas botas caminhando pela margem macia e florida da estrada verde. O charco nunca se esquecia; mantinha as coisas *em admirável estado de conservação*.

— Chega — pediu ela. — Por favor.

Fez-se entre eles um misericordioso silêncio, finalmente.

Anna estremeceu e virou o rosto para o veludo puído. Uma gota de chuva, depois outra. Lib segurou a capota preta da cadeira para banho de sol, com suas dobradiças enferrujadas, e Byrne a ajudou a desdobrá-la acima da criança adormecida, um momento antes de desabar a chuvarada.

⁂

Lib não conseguiu dormir em seu quarto na mercearia do Ryan, não conseguiu ler, não conseguiu fazer nada senão se afligir. Sabia que deveria ter ceado alguma coisa, mas sentia a garganta fechada.

À meia-noite, o lampião ardia baixo sobre a cômoda de Anna e a criança era um punhado de cabelos pretos sobre o travesseiro, o corpo mal chegando a interromper o perfil plano das cobertas. Durante a noite toda, Lib havia conversado com a menina — *dirigido palavras à menina* — até ficar rouca.

Agora, sentava-se junto à cama, fazendo-se pensar num tubo. Um tubo muito fino, flexível, lubrificado, não mais grosso que um canudo, serpeando muito devagar por entre os lábios de Anna, com tanta delicadeza que era possível até que ela continuasse a dormir. Imaginou fazer gotejar leite fresco por esse tubo até o estômago da garota, só um pouquinho de cada vez.

Pois, e se a obsessão de Anna tanto fosse *resultado* quanto causa do jejum? Afinal, quem podia pensar direito com o estômago vazio? Talvez, paradoxalmente, a menina só pudesse reaprender a sentir uma fome normal depois de ter algum alimento no organismo. Se Lib a alimentasse pelo tubo, na verdade, estaria fortalecendo a criança. Puxando-a da beira do precipício, dando-lhe tempo para recobrar a razão. Isso menos significaria usar a força do que assumir a responsabilidade: a enfermeira Wright, única entre todos os adultos com coragem suficiente para fazer o que era necessário para salvar Anna O'Donnell dela mesma.

Os dentes de Lib cerraram-se com tanta força que chegaram a doer.

Então não era comum os adultos fazerem coisas dolorosas com as crianças, pelo bem delas? Ou as enfermeiras com os pacientes? Acaso Lib não havia desbridado queimaduras e retirado estilhaços de ferimentos, arrastando um bom número de pacientes para a terra dos vivos por meios dolorosos? E, afinal, havia loucos e prisioneiros que sobreviviam à alimentação forçada, praticada várias vezes por dia.

Imaginou Anna acordando, começando a se debater, engasgando, vomitando, olhos marejados de lágrimas pela traição. Lib segurando o narizinho da menina, pressionando sua cabeça para baixo no travesseiro. *Fique quieta, meu bem. Deixe-me fazer isto. Você precisa.* Empurrando o tubo, inexorável.

Não! Soou tão alto em sua cabeça que, por um momento, Lib pensou ter gritado.

Não funcionaria. Era o que ela deveria ter dito a Byrne, à tarde. Em termos fisiológicos, sim, ela supunha que a gororoba enfiada à força na garganta de Anna a supriria de energia, mas não a manteria viva. No mínimo, aceleraria seu retraimento do mundo. Abateria seu espírito.

Lib contou as respirações no relógio por um minuto inteiro. Vinte e cinco, numerosas demais, perigosamente aceleradas. Mas ainda tão perfeitamente regulares... Apesar de todo o cabelo ralo, das manchas castanhas, da lesão no canto da boca, Anna ainda era bela como qualquer criança adormecida.

Durante meses fui alimentada com o maná dos céus. Era o que Anna lhe dissera nessa manhã. *Eu vivo do maná dos céus,* tinha dito a seus visitantes espíritas da semana anterior. Mas hoje, Lib **notou,** a frase saíra diferente, num pretérito tristonho: *Durante meses fui alimentada com o maná dos céus".*

A não ser que ela tivesse ouvido mal, não é? Não *por meses.* Por *quatro meses,* seria isso? *Por quatro meses fui alimentada com o maná dos céus.* Anna havia iniciado seu jejum quatro meses antes, em abril, e subsistido com o maná — fosse qual fosse o meio secreto de alimentação a que ela se referia desta maneira — até a chegada das enfermeiras.

Mas, não, isso não fazia sentido, porque, neste caso, ela deveria ter começado a mostrar os efeitos de um jejum completo não mais que uns dois dias depois. Lib não havia notado nada dessa deterioração até Byrne a alertar para ela, na segunda-feira desta segunda semana. Seria realmente possível uma criança aguentar sete dias, antes de perder o vigor?

Lib folheou as páginas anteriores de sua agenda nesse momento — uma série de comunicações telegráficas de um campo de batalha distante. Todos os dias, durante a primeira semana, tinham sido praticamente iguais, até...

"Rejeitou o cumprimento da mãe."

Olhou para as palavras cuidadosamente escritas. Manhã de sábado, seis dias depois de iniciada a vigília. Aquilo não tinha nada de anotação médica; Lib fizera o registro simplesmente por se tratar de uma mudança inexplicável no comportamento da menina.

Como podia ter estado tão cega?

Não era um mero cumprimento, duas vezes por dia; um abraço em que a estrutura grande e ossuda da mulher bloqueava a visão do rosto da menina. Era um beijo como o de uma grande ave alimentando seus filhotes.

Lib quebrou a regra da srta. N. e acordou a menina com uma sacudidela. Anna pestanejou, retraindo-se ante a luz crua do lampião. Lib cochichou:

— Quando você estava sendo alimentada com maná, quem... — Não *quem o dava a você*, porque Anna diria que o maná vinha de Deus. — Quem o trazia para você?

Estava esperando resistência, negação. Alguma complicada história falsa sobre anjos.

— A mamãe — murmurou Anna.

Será que a menina estivera sempre pronta a responder com tanta franqueza, no momento em que lhe fosse feita a pergunta? Se Lib houvesse desdenhado um pouco menos das lendas carolas, poderia ter prestado mais atenção ao que a criança vinha tentando lhe dizer.

Lembrou-se de como Rosaleen O'Donnell costumava entrar meio furtiva para o abraço permitido, de manhã e à noite; risonha, mas estranhamente calada. Tão tagarela em outros momentos, mas não quando entrava para abraçar a filha. Sim, Rosaleen sempre mantivera a boca bem fechada, até depois de se curvar para envolver Anna com todo o seu corpo.

Lib chegou mais perto da orelha miúda.

— Ela o passava da própria boca para a sua?

— Com um beijo sagrado — disse Anna, fazendo que sim, sem sinal de vergonha.

A fúria disparou pelas veias de Lib. A mãe havia mastigado a comida na cozinha, até transformá-la numa papa, e alimentado Anna bem na frente das enfermeiras, fazendo troça delas duas vezes por dia.

— Que gosto tem o maná? — perguntou. — É parecido com leite, ou com mingau?

— Com o céu — disse Anna, como se a resposta fosse óbvia.

— Ela lhe disse que vinha do céu?

Anna pareceu confusa com a pergunta.

— É isso que é o maná.

— Alguém mais sabe? A Kitty? O seu pai?

— Acho que não. Nunca falei disso.

— Por quê? — indagou Lib. — Sua mãe a proibiu? Ameaçou você?

— Isso é particular.

Uma troca secreta, sagrada demais para ser posta em palavras. Sim, Lib conseguia imaginar uma mulher de caráter forte, convencendo a filha pequena deste caráter sagrado. Especialmente uma menina como Anna, criada num mundo de mistérios. Os jovens depositavam enorme confiança nos adultos em cujas mãos eram entregues. Teria a alimentação começado no décimo primeiro aniversário de Anna, ou se desenvolvido aos poucos, talvez, muito antes dele? Seria ela uma espécie de truque mágico, com a mãe lendo a história do maná bíblico para a filha e a confundindo com obscuridades místicas? Ou teriam ambas as partes contribuído com alguma coisa não dita para a invenção deste jogo mortífero? Afinal, a menina era mais inteligente do que a mãe, além de mais lida. Todas as famílias tinham suas peculiaridades, que não poderiam ser discernidas pelas pessoas de fora.

— Então, por que contar a mim? — perguntou Lib.

— A senhora é minha amiga.

O jeito de o queixo da menina se inclinar nesse momento... Aquilo deixou Lib com o coração partido.

— Você não está mais comendo o maná, não é? Desde sábado.

— Não preciso dele — respondeu Anna.

"Não a alimentei enquanto ela deixou?", Rosaleen tinha-se lamuriado. Lib ouvira a tristeza e o remorso da mulher e, mesmo assim, não havia compreendido. A mãe tinha posto Anna num pedestal, para que ela brilhasse como um facho de luz para o mundo. Tivera toda intenção de manter a filha viva, indefinidamente, com este suprimento oculto de alimento. Anna é que havia posto fim a isso, uma semana depois de iniciada a vigília.

Teria a criança tido alguma ideia de qual seria a consequência? Será que a captava agora?

— O que a sua mãe cuspia em sua boca — disse Lib, com crueza proposital — era comida vinda da cozinha. Foram aquelas doses de papa que mantiveram você viva durante todos esses meses.

Fez uma pausa, à espera de alguma reação, mas os olhos da menina haviam perdido o foco.

Lib segurou seus pulsos inchados.

— A sua mãe mentiu, não está vendo? Você precisa de comida, como qualquer outra pessoa. Não há nada de especial em você. — As palavras estavam saindo todas erradas, como uma chuva de grosserias. — Se você não comer, menina, vai morrer.

Anna a olhou diretamente, fez que sim com a cabeça e sorriu.

5
VIRADA

VIRADA
mudança, alteração
turno de trabalho
expediente, um meio para um fim
um movimento, um começo

A quinta-feira chegou escaldante, o sol de agosto num azul terrível. Quando William Byrne entrou na sala de jantar, ao meio-dia, Lib estava só, olhando fixamente para sua sopa. Levantou os olhos e tentou sorrir para ele.

— Como vai a Anna? — perguntou o jornalista, sentando-se defronte dela, joelhos encostados em sua saia.

Ela não conseguiu responder.

Byrne fez sinal com a cabeça para a tigela.

— Se a senhora não tem dormido, precisa conservar suas forças.

A colher emitiu um som raspado, metálico, quando Lib a levantou. Ela a levou quase até a boca, depois baixou-a, causando um pequeno borrifo.

Byrne inclinou-se por cima da mesa.

— Conte-me.

Lib afastou a tigela. Vigiando a porta, para detectar a garota da mercearia-taberna do Ryan, explicou sobre o maná dos céus que era entregue sob o disfarce de um abraço.

— Nossa! — ele se deslumbrou. — Que audácia da mulher.

Ah, o alívio de desabafar!

— Já era ruim o bastante a Rosaleen O'Donnell ter feito a filha subsistir com dois bocados de alimento por dia — disse Lib —, mas, nos últimos cinco dias, Anna se recusou a aceitar o maná, e a mãe não disse uma palavra.

— Imagino que ela não saiba falar sem se condenar.

Uma apreensão invadiu Lib.

— O senhor não pode publicar nada disto, ainda não.

— Por quê?

Como é que ele podia ter de perguntar?

— Estou ciente de que é da natureza da sua profissão divulgar tudo — rebateu ela —, mas o importante é salvar a menina.

— Sei disso. E a sua profissão? Apesar de todo o tempo que tem passado com a Anna, até onde a senhora chegou?

Lib pôs o rosto entre as mãos.

— Desculpe. — Byrne segurou os dedos dela. — Falei por frustração.

— É a pura verdade.

— Mesmo assim, perdoe-me.

Lib soltou a mão da dele, a pele ainda queimando.

— Acredite em mim — disse Byrne —, é pelo bem da Anna que o embuste deve ser gritado aos quatro ventos.

— Mas um escândalo público não ajudaria em nada para fazê-la comer!

— Como pode ter certeza?

— Agora a Anna está sozinha nisso. — A voz de Lib vacilou. — Ela parece acolher de bom grado a perspectiva da morte.

Byrne afastou os cachos do rosto.

— Mas por quê?

— Talvez porque a sua religião tenha enchido a cabeça dela de disparates mórbidos.

— Talvez por ela ter confundido disparates mórbidos com a verdadeira religião!

— Não sei por que ela está fazendo isso — admitiu Lib —, exceto que tem algo a ver com a saudade que sente do irmão.

Byrne franziu o cenho, intrigado.

— A senhora já falou com a freira sobre o maná?

— Não houve oportunidade hoje de manhã.

— E com o McBrearty?

— Não falei com ninguém, a não ser o senhor.

Byrne a olhou de um jeito que a fez desejar não ter deixado escapar essa afirmação.

— Bem, eu diria que a senhora deve compartilhar sua descoberta com a comissão inteira, hoje à noite.

— Hoje à noite? — ela repetiu, confusa.

— A senhora e a irmã não foram chamadas? Eles vão se reunir às dez horas, ali na sala dos fundos — balançou a cabeça na direção do papel de parede descascado —, a pedido do médico.

Talvez McBrearty houvesse absorvido alguma coisa do que Lib lhe dissera na véspera, afinal.

— Não — respondeu ela, sarcástica —, somos apenas as enfermeiras, por que eles quereriam nos ouvir? — Apoiou o queixo sobre as mãos cruzadas. — Talvez, se eu o procurasse agora e falasse do truque do maná...

Byrne abanou a cabeça.

— É melhor entrar marchando na reunião e anunciar à comissão inteira que a senhora teve êxito na tarefa para a qual eles a contrataram.

Sucesso? Mais parecia um fracasso irremediável.

— Mas em que isso ajudará a Anna?

As mãos dele se agitaram.

— Terminada a vigília, ela terá espaço... terá tempo, longe da opinião pública. Uma chance de mudar de ideia.

— Ela não vem mantendo o jejum para impressionar os leitores do *Irish Times* — disse Lib. — Isso é entre ela e o seu Deus ganancioso.

— Não o culpe pelas loucuras de seus seguidores. Tudo o que Ele nos pede que façamos é viver.

Os dois se encararam.

E um sorriso iluminou o rosto de Byrne.

— Sabe, nunca conheci uma mulher... uma pessoa tão blasfema quanto a senhora.

Enquanto o jornalista a observava, um calor lento espalhou-se por toda ela.

☙❦❧

Sol nos olhos. O uniforme de Lib já estava colado nas laterais do corpo. Ao chegar ao casebre, ela já havia decidido que tinha de ir à tal reunião da comissão naquela noite, convidada ou não.

Silêncio quando cruzou a porta. Rosaleen O'Donnell e a empregada depenavam uma galinha mirrada na mesa comprida. Estariam trabalhando num silêncio tenso, ou teriam estado conversando, talvez sobre a enfermeira inglesa, até a ouvirem entrar?

— Bom dia — disse Lib.

— Bom dia — responderam ambas, com os olhos na carcaça.

Lib olhou para as costas compridas de Rosaleen O'Donnell e pensou: *Descobri o seu segredo, seu demônio*. Chegava quase a haver certa doçura nisso, nessa sensação de ter nas mãos a única arma que seria capaz de demolir a impostura sórdida da mulher.

Mas ainda não. Não haveria como voltar atrás desse ponto. Se Rosaleen a expulsasse do casebre, Lib não teria mais chances de fazer Anna mudar de ideia.

No quarto, a menina estava encolhida na cama, de frente para a janela, as costelas subindo e descendo. A boca cheia de rachaduras tragava golfadas de ar. Nada no urinol.

O rosto da freira estava tenso. *Piorou*, murmurou ela, apenas mexendo a boca, enquanto recolhia a capa e a bolsa.

Lib pôs a mão em seu braço, para impedi-la de sair.

— Anna confessou — disse no ouvido da freira, mal dando som às palavras.

— Ao padre?

— A mim. Até sábado passado, a mãe a estava alimentando com comida mastigada, sob o disfarce de beijos, e convencendo a menina de que era maná.

A irmã Michael empalideceu e fez o sinal da cruz.

— A comissão se reunirá hoje na mercearia do Ryan, às dez horas da noite — prosseguiu Lib —, e devemos falar com eles.

— O dr. McBrearty disse isso?

Lib sentiu a tentação de mentir. Em vez disso, respondeu:

— O homem está delirando. Acha que a Anna está virando um ser de sangue frio! Não, devemos fazer nosso relatório ao resto da comissão.

— No domingo, como fomos instruídas.

— Mais três dias são tempo demais! A Anna pode não durar até lá — cochichou —, e a senhora sabe disso.

A freira desviou o rosto, piscando os grandes olhos.

— Eu me encarrego de falar, mas a senhora precisa ficar do meu lado.

A outra hesitou.

— Meu lugar é aqui.

— A senhora certamente pode arranjar alguém para vigiar a Anna por uma hora — disse Lib. — Até a empregada do Ryan.

A freira abanou a cabeça.

— Em vez de espionar a Anna, todos devíamos estar fazendo todo o possível para induzi-la a comer. A viver.

A cabeça coberta pela touca lisa continuou a balançar feito um sino.

— Não foram essas as nossas ordens. Tudo isto é terrivelmente triste, mas...

— Triste? — Voz alta demais de Lib, contundente. — É esta a palavra?

O rosto da irmã Michael murchou.

— As boas enfermeiras cumprem as normas — rosnou Lib —, mas as melhores sabem quando desrespeitá-las.

A freira fugiu do quarto.

Lib inspirou fundo, com a respiração entrecortada, e se sentou ao lado de Anna. Quando a menina acordou, seus batimentos cardíacos pareciam uma corda de violino, vibrando logo abaixo da pele. "Quinta-feira, 18 de agosto, 13h03min. Pulso 129, quase imperceptível", anotou Lib, a letra legível como sempre. "Respirando com esforço."

Chamou Kitty e a mandou recolher todos os travesseiros da casa.

Kitty a encarou, depois saiu correndo para cumprir a ordem.

Lib os ajeitou atrás de Anna, para que a menina ficasse com o tronco quase erguido, o que pareceu facilitar um pouco sua respiração.

— *Tu, que me salvas das portas da morte* — murmurou Anna, de olhos fechados —, *livra-me das mãos dos meus inimigos.*

Com que prazer Lib faria isto, se soubesse de que maneira: libertar Anna, livrá-la de seus grilhões. Como quem entregasse uma mensagem, desferisse um golpe, parisse um bebê.

— Mais água? — Ofereceu a colher.

As pálpebras de Anna tremeram, mas não se abriram; ela abanou a cabeça.

— *Faça-se em mim...*

— Você pode não estar com sede, mas precisa beber, assim mesmo.

Os lábios estavam grudados, ao se abrirem para deixar entrar uma colher de água.

Seria mais fácil falar com franqueza ao ar livre.

— Quer passear de novo na cadeira? Está uma tarde adorável.

— Não, obrigada, dona Lib.

Lib também anotou isto: "Fraca demais para ser empurrada na cadeira para banho de sol". A agenda já não servia apenas para complementar sua memória. Era a prova de um crime.

— Esta canoa é grande o bastante para mim — murmurou Anna.

Seria esta uma metáfora fantasiosa para a cama, única herança que a menina recebera do irmão? Ou estaria seu cérebro sendo afetado pelo jejum? Lib escreveu: "Ligeira confusão?" Então lhe ocorreu que talvez tivesse ouvido mal a palavra "cama", engrolada, como se ela tivesse dito "canoa".

— Anna. — Segurou uma das mãos inchadas entre as suas. Fria como a de uma boneca de porcelana. — Você conhece o pecado chamado suicídio.

Os olhos castanho-claros se abriram, mas se desviaram dela.

— Deixe-me ler para você um trecho de *O exame da consciência* — disse Lib, pegando o missal e encontrando a página que havia marcado na véspera: *Você fez alguma coisa para abreviar sua vida, ou para apressar a morte? Tem desejado sua própria morte, por paixão ou impaciência?*

Anna abanou a cabeça e sussurrou:

— *Voarei e encontrarei repouso.*

— Tem certeza? Os suicidas não vão para o inferno? — Lib forçou-se a continuar. — Você não será nem mesmo enterrada com o Pat, e sim fora do muro do cemitério.

Anna virou o rosto para o travesseiro, como uma criança pequena com dor de ouvido.

Lib pensou na primeira charada que propusera à menina: "Não sou nem posso ser visto". Inclinou-se para mais perto e cochichou:

— Por que você está tentando morrer?

— Tentando me dar — Anna a corrigiu, em vez de negar. Recomeçou a murmurar a oração da Dora, uma vez atrás da outra: *Adoro-te, ó preciosíssima cruz, adornada pelos membros tenros, delicados e veneráveis de Jesus, meu Salvador, salpicada e manchada pelo precioso sangue d'Ele.*

À última luz da tarde, Lib ajudou a menina a passar para uma cadeira, a fim de que ela pudesse arejar a roupa de cama e esticar os lençóis.

Anna sentou-se com os joelhos dobrados abaixo do queixo. Capengou até o urinol, mas só produziu um filete escuro. Depois, voltou para a cama, movendo-se como uma velha, a velha que ela nunca chegaria a ser.

Lib andou de um lado para outro enquanto a menina cochilava. Nada a fazer senão pedir mais tijolos aquecidos, porque nem todo o calor do dia era capaz de conter os tremores de Anna.

Os olhos da criada tinham um contorno escarlate, quinze minutos depois, quando ela trouxe quatro tijolos — ainda cheios de cinza do fogo — e os ajeitou sob as cobertas de Anna. Agora, a menina dormia um sono profundo.

— Kitty — disse Lib, antes de saber o que ia dizer. Seu pulso latejava. Se ela estivesse enganada, se a criada fosse tão má quanto a sra. O'Donnell e participasse do embuste com ela, essa tentativa faria mais mal do que bem. Como começar? Não com acusações, ou mesmo informações. Compaixão, era isso que precisava despertar na moça. — Sua prima está morrendo.

As lágrimas marejaram no mesmo instante os olhos de Kitty.

— Todos os filhos de Deus precisam comer — Lib lhe disse. Baixou ainda mais a voz. — Até alguns dias atrás, Anna era mantida viva por meio de um truque malvado, uma trapaça criminosa praticada no mundo inteiro. — Arrependeu-se do "criminosa", porque agora o medo faiscava nos olhos da criada. — Sabe o que estou para lhe contar?

— Ora, e como é que eu havia de saber? — perguntou Kitty, com uma expressão de coelho que fareja raposa.

— A sua patroa... — *tia?*, perguntou-se Lib, nesse momento. *Algum tipo de prima?* — A sra. O'Donnell vinha dando comida da própria boca à menina, fingindo beijá-la, sabia? — Ocorreu-lhe que Kitty poderia culpar a criança. — Na sua inocência, Anna pensou que estivesse recebendo o sagrado maná dos céus.

Os olhos arregalados apertaram-se de repente. Um som gutural. Lib se inclinou para a frente.

— O que você disse?

Nenhuma resposta.

— Deve ser um choque, eu sei...

— A senhora! — Desta vez, não houve como confundir as palavras nem a fúria que contorceram o rosto da criada.

— Estou lhe contando isto para que você possa me ajudar a salvar a vida da sua priminha.

Um par de mãos ásperas agarrou o rosto de Lib e lhe tampou a boca.

— Feche essa matraca mentirosa.

Lib tropeçou para trás.

— A senhora entrou nesta casa feito uma doença, espalhando o seu veneno. Sem Deus, sem coração, será que não tem vergonha?

A criança na cama se mexeu, como que perturbada pelas vozes, e as duas mulheres ficaram imóveis.

Kitty arriou os braços. Deu dois passos até a cama, curvou-se e plantou o mais leve dos beijos na têmpora de Anna. Quando endireitou o corpo, tinha o rosto riscado de lágrimas.

Bateu com a porta ao sair.

Você tentou, lembrou Lib a si mesma, muito quieta em sua posição.

Desta vez, não soube dizer o que fizera de errado. Talvez fosse inevitável Kitty tomar o partido dos O'Donnell, cegamente; eles eram tudo o que tinha no mundo — família, lar, o único meio de ganhar seu pão.

Tinha sido melhor tentar do que não fazer nada? Melhor para sua própria consciência, supôs Lib; para a menina que passava fome, não fizera diferença.

Ela jogou fora as flores murchas e rearrumou o missal em sua caixa.

Depois, num impulso, tornou a tirá-lo e o folheou mais uma vez, à procura da oração da Dora. Dentre todas as fórmulas que havia, por que Anna recitava essa, trinta e três vezes por dia?

Ali estava — a Oração de Sexta-Feira da Paixão pelas Santas Almas, como Revelada a Santa Brígida. O texto não disse nada de novo a Lib: *Adoro-te, ó preciosíssima cruz, adornada pelos membros tenros, delicados e veneráveis de Jesus, meu Salvador, salpicada e manchada pelo precioso sangue d'Ele.* Apertou os olhos para ler as notas em letra diminuta, na parte inferior. *Se rezada trinta e três vezes, em jejum, numa sexta-feira, três almas serão libertadas do purgatório, mas, se for na Sexta-Feira da Paixão, a colheita será de trinta e três almas.* Uma bonificação de Páscoa, multiplicando o prêmio por onze. Lib já ia fechando o livro quando, tardiamente, registrou uma palavra: "jejum".

Se rezada trinta e três vezes, em jejum.

— Anna. — Inclinou-se e tocou na face da menina. — Anna!

Ela piscou, olhando para Lib.

— A sua oração, *Adoro-te, ó preciosíssima cruz*, é por causa disso que você não quer comer?

O sorriso de Anna foi o que havia de mais estranho: alegre, com um toque sombrio.

Até que enfim, pensou Lib, *até que enfim...* Mas não houve satisfação nisso, apenas uma tristeza pesada.

— Ele lhe contou? — perguntou Anna.

— Quem?

Anna apontou para o teto.

— Não — respondeu Lib. — Eu adivinhei.

— Quando adivinhamos — disse a menina —, é Deus nos dizendo coisas.

— Você está tentando fazer seu irmão ir para o céu.

Anna fez que sim, com uma certeza de criança.

— Se eu fizer a oração em jejum, trinta e três vezes por dia...

— Anna — gemeu Lib —, fazê-la em jejum... Tenho certeza de que isso significa pular apenas *uma* refeição em *uma* sexta-feira, para salvar três almas, ou para salvar trinta e três, se for Sexta-Feira Santa. — Por que estava dando crédito a esses números absurdos, repetindo-os como se fossem algo tirado do livro-razão de um escriturário? — O livro não diz em parte alguma que se deve parar completamente de comer.

— As almas precisam de muita limpeza. — Os olhos de Anna reluziram. — Mas para Deus nada é impossível, então, não vou desistir, vou só continuar a fazer a oração e a implorar que ele leve o Pat para o céu.

— Mas o seu jejum...

— É para expiar os erros. — Ela se esforçou para respirar.

— Nunca ouvi falar numa barganha tão ridícula e horrenda — disse a enfermeira.

— Nosso Pai Celestial não faz barganhas — retrucou Anna, em tom reprovador. — Ele não me prometeu nada. Mas talvez tenha piedade do Pat. E até de mim também — acrescentou. — Aí, o Pat e eu poderemos ficar juntos de novo. Irmã e irmão.

Havia uma estranha plausibilidade naquele projeto, uma espécie de lógica onírica que faria sentido para uma criança de onze anos.

— Primeiro, viva — Lib a exortou. — O Pat vai esperar.

— Ele já esperou nove meses, queimando. — Com as faces ainda secas como giz, Anna soltou um soluço.

Será que já não restava líquido suficiente na menina para produzir lágrimas?, Lib se perguntou.

— Pense em como seu pai e sua mãe sentiriam sua falta — foi só o que conseguiu dizer. Teria Rosaleen O'Donnell tido alguma ideia de onde levaria esse terrível jogo de faz de conta, ao começá-lo?

O rosto de Anna se contorceu.

— Eles vão saber que o Pat e eu estamos seguros lá em cima. — Corrigiu-se: — Se for a vontade de Deus.

— No chão úmido, é nele que você estará — retrucou Lib, batendo com o salto no piso de terra batida.

— Isso é só o corpo — disse a menina, com um toque de desdém. — A alma só... — Contorceu o corpo.

— Só o quê? Ela faz o quê?

— Larga o corpo, feito um casaco velho.

Ocorreu a Lib que ela era a única pessoa no mundo a saber com certeza que aquela criança pretendia morrer. Parecia uma capa de chumbo sobre seus ombros.

— O seu corpo... todo corpo é uma maravilha. Uma maravilha da criação. — Atrapalhou-se em busca das palavras certas; aquela era uma língua estrangeira. Não adiantava falar de prazer ou felicidade com aquela pequena fanática, só de dever. Como é que dissera Byrne? — No dia em que você abriu os olhos pela primeira vez, Anna, Deus só lhe pediu uma coisa: que você vivesse.

Anna a fitou.

— Vi bebês nascerem mortos. Vi outros que sofreram durante semanas ou meses, antes de desistirem da luta — disse Lib, com a voz embargada a contragosto —, sem que isso tivesse a menor lógica.

— O plano d'Ele — disse Anna, a respiração chiando.

— Muito bem, então, também deve ser o plano dele que você sobreviva.

Lib visualizou a grande sepultura dos mortos de inanição no cemitério.

— Centenas de milhares, talvez milhões de compatriotas seus morreram quando você era bem pequena. Isso significa que é sua tarefa sagrada seguir em frente. Continuar respirando, comer como o resto de nós, executar o trabalho cotidiano de viver.

Ela viu apenas um movimento minúsculo no queixo da menina, dizendo não, sempre não.

Um imenso cansaço apoderou-se de Lib. Ela bebeu meio copo d'água, sentou-se e cravou os olhos no espaço.

Às oito horas da noite, quando Malachy O'Donnell entrou para dar boa-noite, Anna dormia a sono solto. Ele ficou por ali, com manchas de suor embaixo dos braços.

Com enorme esforço, Lib se levantou. Quando o lavrador se dirigiu à porta, aproveitou a oportunidade.

— Devo dizer-lhe, sr. O'Donnell — cochichou —, que sua filha não tem muito tempo de vida.

O pavor luziu nos olhos do homem.

— O médico disse...

— Ele está errado. O coração dela está disparado, a temperatura está caindo e os pulmões estão ficando cheios de líquido.

— Coitadinha! — O pai ficou olhando fixo para o corpo miúdo delineado pelas cobertas.

Lib sentiu na ponta da língua a história toda do maná, pronta para soltá-la. Mas era uma coisa grave interpor-se entre marido e mulher, além de arriscada, pois como é que Malachy poderia acreditar na palavra da inglesa contra a de Rosaleen? Se Kitty ficara indignada com a acusação de Lib a sua patroa, não aconteceria o mesmo com Malachy? Afinal, a enfermeira não tinha nenhuma prova sólida. Não tinha coragem de acordar Anna e tentar forçá-la a repetir a história para o pai e, além disso, duvidava muito que o conseguisse.

Não. O importante não era a verdade, e sim Anna. Era agarrar-se ao que Malachy pudesse ver por si, agora que ela havia arrancado o véu. Dizer-lhe só o bastante para despertar nele o pai protetor.

— A Anna tem a intenção de morrer — disse —, na esperança de tirar o seu filho do purgatório.

— O quê? — perguntou, desvairado.

— É uma espécie de troca — disse Lib. Estaria transmitindo direito aquela história terrível? — Um sacrifício.

— Deus nos acuda — murmurou Malachy.

— Quando ela acordar, será que o senhor não pode lhe dizer que ela está errada?

A manzorra do homem cobria seu rosto. Suas palavras ficaram abafadas.

— Perdão, o que disse?

— Não há jeito de dizer à Anna, com certeza.

— Não seja absurdo. Ela é uma criança — assinalou Lib. — Sua filha.

— Ela tem o dobro da minha inteligência, e mais até — retrucou Malachy. — Não sei de onde a tiramos.

— Bem, o senhor vai perdê-la, se não agir depressa. Seja firme com ela. Seja pai dela.

— Só o pai terreno — contrapôs Malachy, pesaroso. — Ele é o único a quem ela dá ouvidos — acrescentou, balançando a cabeça em direção ao céu.

A freira estava à porta: nove horas.

— Boa noite, sra. Wright.

Malachy saiu apressado, deixando Lib perplexa. Que gente!

Só quando ia vestindo a capa lembrou-se da droga da reunião.

— Pretendo me dirigir à comissão esta noite — lembrou à irmã Michael.

Um meneio da cabeça. A freira não havia trazido nenhuma substituta para o casebre, percebeu Lib, o que significava que estava firme em sua recusa a comparecer à reunião.

— Uma panela de água fervendo, para produzir vapor, pode facilitar a respiração da Anna — disse, ao se retirar.

<hr />

Esperou em seu quarto, no andar de cima, com um nó na boca do estômago. Não era só o nervosismo ante a ideia de irromper numa reunião de seus empregadores, mas uma ambivalência terrível. Se convencesse a comissão de que o objetivo da vigília fora atingido — se lhes contasse tudo sobre o embuste do maná —, era bem possível que eles a dispensassem no ato, com seus agradecimentos. Nesse caso, ela duvidava que sequer tivesse chance de se despedir de Anna antes de partir para a Inglaterra. (Visualizou mentalmente o hospital e, por algum motivo, não conseguiu imaginar-se retomando sua antiga vida nele.)

A perda pessoal era irrelevante, disse a si mesma; toda enfermeira tinha que se despedir de todos os pacientes, de um modo ou de outro. Mas, e quanto à Anna: quem cuidaria dela então, e alguém ou alguma coisa a persuadiria a abandonar o maldito jejum? Lib conscientizou-se da ironia: ainda não havia seduzido a menina a comer nem sequer uma migalha, mas estava convencida de que só ela conseguiria fazê-lo. Seria arrogante a ponto de delirar?

"Não fazer nada seria o mais mortal dos pecados"; isso era o que dissera Byrne a propósito de suas reportagens sobre a Grande Fome.

Lib consultou o relógio. Dez e quinze; a comissão deveria estar reunida, ainda que os irlandeses sempre se atrasassem. Levantando-se, ela ajeitou o uniforme cinza e alisou os cabelos.

Atrás da mercearia, esperou do lado de fora da sala da reunião até reconhecer algumas vozes: a do médico e a do padre. Então, bateu à porta.

Nenhuma resposta. Talvez não a tivessem ouvido. Aquilo era uma voz de mulher? Teria a irmã Michael conseguido ir à reunião, afinal?

Quando Lib abriu a porta e entrou, a primeira pessoa que viu foi Rosaleen O'Donnell. Seus olhares se cruzaram. Malachy, parado atrás da mulher. Ambos pareceram abalados ao ver a enfermeira.

Lib mordeu o lábio; não havia esperado que os pais estivessem lá.

Um homem baixo, de nariz comprido, vestido num brocado velho, sentava-se na cadeira grande de espaldar entalhado, presidindo uma mesa improvisada com três cavaletes. Sir Otway Blackett, ela supôs; militar da reserva, a julgar pelo porte. Ela reconheceu o *Irish Times* em cima da mesa; estariam discutindo a reportagem de Byrne?

— E essa é...? — indagou Sir Otway.

— A enfermeira inglesa, que veio sem ser chamada — disse o grandalhão John Flynn, na cadeira ao lado.

— Esta é uma reunião particular, sra. Wright — disse o dr. McBrearty.

O sr. Ryan — anfitrião dela — balançou a cabeça para Lib, como quem dissesse que ela deveria subir.

A única pessoa que lhe era estranha era um homem de cabelo oleoso, que só podia ser O'Flaherty, o professor primário. Lib olhou de um rosto para outro, recusando-se a ser intimidada. Começaria pelo terreno firme, com o que estava anotado na agenda.

— Com licença, senhores. Achei que os senhores deviam saber das últimas notícias sobre a saúde de Anna O'Donnell.

— Que *notícias*? — zombou Rosaleen O'Donnell. — Deixei-a dormindo tranquilamente não faz nem meia hora.

— Já fiz o meu relatório, sra. Wright — disse o dr. McBrearty, em tom de censura.

Lib virou-se para ele.

— O senhor disse à comissão que Anna está tão inchada, com a hidropisia, que não consegue mais andar? Ela está fraca e gelada, e com os dentes caindo. — Lib folheou suas notas, não porque precisasse delas, mas para mostrar que tudo isso estava registrado. — O pulso dela se acelera a cada hora que passa, e os pulmões têm uma crepitação, porque ela está começando a se afogar por dentro. A pele está coberta de crostas e hematomas e os cabelos caem em tufos, como os de uma velha...

Tardiamente, ela notou que Sir Otway mantinha uma das palmas levantada para detê-la.

— Entendemos o que quer dizer, minha senhora.

— Eu sempre disse que tudo isso era um disparate. — Foi Ryan, o taberneiro, quem quebrou o silêncio. — Ora, vamos, quem pode viver sem comer?

Se o homem tinha sido realmente tão cético, desde o começo, Lib teve vontade de perguntar, por que havia concordado em ajudar a patrocinar essa vigília?

John Flynn virou-se para ele.

— Cale a boca.

— Sou um membro tão bom quanto você nesta comissão.

— Ora, não precisamos nos rebaixar ao bate-boca — disse o padre.

— Sr. Thaddeus — interveio Lib, dando um passo em direção a ele —, por que o senhor não disse à Anna para acabar com o jejum?

— Creio que a senhora me ouviu fazer isso — retrucou o padre.

— Como a mais gentil das sugestões! Descobri que ela está se matando de fome na esperança louca de salvar a alma do irmão. — Olhou de um homem para outro, para ter certeza de que eles haviam registrado a informação. — Ao que parece, com a bênção dos pais — acrescentou, esticando o braço na direção dos O'Donnell.

Rosaleen explodiu.

— Sua herege ignorante!

Ah, o prazer de finalmente dizer o que pensava! Lib voltou-se para o sr. Thaddeus.

— O senhor representa Roma neste vilarejo; então, por que não ordena a Anna que ela coma?

O homem se espinhou.

— A relação entre padre e paroquiano é uma relação sagrada, madame, uma relação que de modo algum a senhora está habilitada a compreender.

— Se a Anna não quer lhe dar ouvidos, o senhor não pode chamar um bispo?

Os olhos dele se arregalaram.

— Não vou... não devo enredar meus superiores, nem a Igreja em geral, neste caso.

— Como assim, "enredar"? — quis saber Flynn. — Não será uma glória para a Igreja quando ficar provado que a Anna está vivendo apenas de meios espirituais? Essa menininha não poderia vir a ser a primeira santa canonizada da Irlanda desde o século XIII?

As mãos do sr. Thaddeus ergueram-se como uma cerca diante dele.

— Esse processo nem sequer começou. Somente após a coleta de amplos testemunhos e após a exclusão de todas as outras explicações possíveis é que ela poderá enviar uma delegação de comissários, para investigar se a santidade de um indivíduo praticou um milagre. Até lá, na ausência de qualquer prova, ela deve ter o escrúpulo de manter sua distância.

Ela; isso queria dizer a Igreja, Lib percebeu. Nunca tinha ouvido o padre simpático falar com tanta frieza, como quem lesse um manual. *Ausência de qualquer prova*. Estaria sugerindo ao grupo todo que as afirmações dos O'Donnell eram espúrias? Talvez Lib tivesse ao menos um apoio entre esses homens. Embora ele fosse amigo da família, lembrou-se, o sr. Thaddeus é que havia pressionado a comissão a financiar uma investigação rigorosa. As feições gorduchas do padre tremiam, como se ele soubesse que havia falado demais.

John Flynn estava inclinado para a frente, com o rosto rubro, apontando para ele.

— Você não está nem à altura de amarrar o sapatinho dela!

As botas grandes, Lib pensou; fazia muito tempo que os pés de Anna haviam inchado demais para qualquer outra coisa que não as botas de seu irmão morto. Para esses homens, a menina era um símbolo; já não tinha corpo.

Lib tinha de aproveitar esse momento de crise.

— Tenho outra coisa a relatar, senhores, algo de natureza grave e urgente, que espero que desculpe a minha vinda aqui sem ser convidada. — Não olhou na direção de Rosaleen O'Donnell, para o caso de o olhar aquilino da mulher fazê-la perder a coragem. — Descobri por qual meio a menina foi...

Um rangido. A porta da sala se abriu, depois quase voltou a se fechar, como se desse passagem a um fantasma. Em seguida, uma figura negra apareceu na abertura e a irmã Michael entrou de costas, puxando a cadeira de rodas.

Lib ficou sem fala. Havia insistido em que a freira comparecesse. Mas com a Anna?

A menina miúda estava meio torta na cadeira do baronete, embrulhada em cobertores. A cabeça pendia num ângulo estranho, mas os olhos estavam abertos.

— Papai — ela murmurou. — Mamãe. Sra. Lib. Sr. Thaddeus.

As faces de Malachy O'Donnell ficaram molhadas.

— Menina — disse o sr. Thaddeus —, soubemos que você anda meio indisposta.

Era um eufemismo irlandês para o que eles tinham de pior.

— Estou muito bem — respondeu Anna, com um fiapo de voz.

No mesmo instante, Lib soube que não poderia falar com eles sobre o maná. Não ali, não naquele momento. Porque era apenas um boato, afinal, um testemunho indireto sobre a palavra de uma criança. Rosaleen O'Donnell gritaria que a inglesa tinha inventado toda aquela história blasfema por picuinha. Os membros da comissão se voltariam para Anna e exigiriam saber se era verdade. E então? Para Lib, forçar a menina a escolher entre sua enfermeira e Rosaleen era arriscado demais; qual era a criança que não tomaria o partido da própria mãe? E, depois, seria de uma crueldade inadmissível.

Mudando de tática, ela fez sinal para a freira e andou até a cadeira de rodas.

— Boa noite, Anna.

Um lento sorriso da menina.

— Posso tirar suas cobertas, para esses senhores poderem vê-la melhor?

Um minúsculo assentimento com a cabeça. Sibilando, bocejando para conseguir respirar.

Lib descobriu a menina e aproximou a cadeira da mesa, para que a luz das velas iluminasse sua camisola branca. Para que a comissão pudesse vê-la em toda a sua grotesca desproporção: mãos e parte inferior das pernas de um gigante, enxertadas no esqueleto de um duende. Os olhos encovados, a flacidez, a coloração febril, os dedos azuis, as marcas estranhas nos tornozelos e no pescoço. O corpo destruído de Anna era a prova mais eloquente que Lib podia oferecer.

— Senhores, minha colega enfermeira e eu nos descobrimos supervisionando a lenta execução de uma criança. Duas semanas foram um período arbitrariamente escolhido, não é? Eu lhes rogo que a vigília seja suspensa esta noite e que todos os esforços sejam feitos para salvar a vida da Anna.

Durante um longo momento, nem uma palavra. Lib observou McBrearty. Sua confiança em suas teorias estava abalada, isto era perceptível; seus lábios, finos como papel, tremiam.

— Já vimos o bastante, creio — disse Sir Otway Blackett.

— Sim, pode levar a Anna para casa agora, irmã — disse McBrearty. Submissa como sempre, a freira fez que sim e saiu empurrando a cadeira. O'Flaherty levantou-se de um salto para manter a porta aberta para as duas.

— E os senhores podem nos deixar, sr. e sra. O'Donnell.

Rosaleen pareceu revoltada, mas saiu com Malachy.

— E sra. Wright... — O sr. Thaddeus fez um gesto para que ela também se retirasse.

— Não enquanto não terminar esta reunião — ela lhe disse, entredentes. A porta fechou-se atrás dos O'Donnell.

— Estou certo de que todos concordamos quanto à necessidade de estarmos absolutamente seguros, antes de nos desviarmos do curso de ação em que havíamos concordado e de reduzirmos a vigília, pois não? — indagou o baronete.

Muitos pigarros e gaguejos ao redor da mesa.

— Acho que só faltam uns dois dias — disse Ryan.

Meneios de assentimento por toda parte.

Não estavam querendo dizer que faltavam apenas três dias para o domingo, de modo que podiam muito bem encerrar a vigília agora, Lib se deu conta, atordoada. Sua intenção era dar prosseguimento a ela até domingo. Será que não tinham *visto* a criança?

O baronete e John continuaram a divagar sobre os procedimentos e o ônus da prova.

— Afinal, a vigília é a única maneira de descobrir a verdade, de uma vez por todas — McBrearty lembrou à comissão. — Pelo bem da ciência, pelo bem da humanidade...

Lib não suportou mais. Elevou a voz e apontou para o médico.

— O senhor terá seu registro cassado no Conselho de Medicina. — Era um blefe; ela não fazia ideia do que era preciso para que um médico fosse proibido de exercer a profissão. — Todos os senhores: sua negligência pode ser considerada *criminosa*. Deixar de prover, para uma criança, as necessidades básicas da vida — disse, improvisando à medida que movia o dedo acusador de um homem para outro. — Conspiração para desvirtuar o curso da Justiça. Cumplicidade num suicídio.

— Madame — vociferou o baronete —, permita-me lembrar-lhe de que a senhora foi empregada, por uma remuneração diária bastante generosa, pelo período acertado de uma quinzena. O seu depoimento final quanto à questão de a senhora haver observado se a menina ingeriu algum alimento lhe será solicitado no domingo.

— Anna estará morta no domingo!

— Sra. Wright, contenha-se — exortou o padre.

— Ela está violando os termos do contrato — assinalou Ryan. John Flynn assentiu com a cabeça. — Se faltassem mais de três dias, eu proporia que a substituíssemos.

— Decerto — concordou o baronete. — Perigosamente desequilibrada.

Lib dirigiu-se à porta aos tropeços.

※

No sonho, um barulho de arranhar. Os ratos inundavam a enfermaria comprida, enchendo o corredor, pulando de um catre para outro, lambendo o sangue fresco.

Os homens gritavam, mas, acima de suas vozes, havia o barulho arranhado que Lib escutava, o atrito furioso de patas na madeira...

Não. A porta. Alguém arranhava sua porta, no andar de cima da mercearia-taberna do Ryan. Alguém que não queria acordar ninguém senão Lib.

Ela se levantou da cama com esforço, atrapalhou-se para pegar o robe. Abriu uma fresta da porta.

— Sr. Byrne!

Ele não se desculpou por incomodá-la. Os dois se fitaram à luz trêmula da vela que ele trazia. Lib olhou de relance para o vão escuro da escada; alguém poderia subir a qualquer momento. Ela fez sinal para que Byrne entrasse.

Ele o fez sem hesitação. Tinha um cheiro quente, como se houvesse cavalgado naquele dia. Lib apontou para a cadeira solitária, e ele a ocupou. Ela escolheu uma beirada na cama desfeita, suficientemente longe das pernas do jornalista, mas perto o bastante para os dois poderem conversar em voz baixa.

— Eu soube da reunião — ele começou.

— Soube por qual deles?

Byrne abanou a cabeça.

— Pela Maggie Ryan.

Lib sentiu uma pontada ridícula de ciúme por ele tratar a empregada com tanta intimidade.

— Ela só captou um ou outro trecho do que foi dito, mas ficou com a impressão de que todos haviam-se abatido sobre você como uma alcateia.

Lib quase riu.

Falou-lhe de tudo: da esperança pervertida de Anna de expiar os pecados juvenis do irmão, oferecendo a si mesma em holocausto. De seu palpite de que o padre a havia trazido a este país na esperança de que a vigília expusesse o fato de que não havia milagre algum, salvando sua preciosa Igreja do constrangimento de uma santa falsa. Dos membros da comissão e de sua recusa obstinada a se desviar de seu plano.

— Esqueça-os — disse Byrne.

Lib o encarou.

— Duvido que, agora, algum deles possa persuadir a menina a abandonar sua loucura. Mas a senhora... ela gosta da senhora. A senhora tem influência.

— Não o bastante — protestou Lib.

— Se não quer vê-la estendida numa caixa, use essa influência.

Por um momento, Lib visualizou a caixa dos tesouros da menina; depois se deu conta de que ele se referia a um caixão. *Um metro e dezessete centímetros*, pensou, lembrando as primeiras medidas que havia tirado de Anna. Nem onze centímetros de crescimento por cada ano na terra.

— Eu estava deitado lá na minha cama pensando na senhora, dona Lib Wright.

Lib espinhou-se.

— Pensando o que sobre mim?

— Até que ponto a senhora iria para salvar essa menina?

Só quando ele lhe fez a pergunta foi que ela descobriu saber a resposta:

— Não vou parar diante de nada.

Uma sobrancelha arqueou-se, cética.

— Não sou o que o senhor pensa de mim, sr. Byrne.

— O que acha que penso da senhora?

— Uma intransigente niquenta, uma viúva pudica. Quando a verdade é que não tenho nada de viúva. — As palavras saíram de sua boca sem aviso prévio.

Isso fez o irlandês empertigar-se na cadeira.

— A senhora não era casada? — Seu rosto iluminou-se de curiosidade, ou seria nojo?

— Era. Ainda sou, ao que eu saiba. — Lib mal conseguia acreditar que estivesse contando seu pior segredo, e justamente a um jornalista. Mas também havia certa glória nisso, a rara sensação de arriscar tudo. — O Wright não morreu, ele... — *Evadiu-se? Deu no pé? Foi embora?* — Ele partiu.

— Por quê? — As sílabas irromperam de Byrne.

Lib encolheu os ombros com tanta força que eles chegaram a doer.

— Ou seja, o senhor está presumindo que ele teve um motivo.

Ela podia ter-lhe falado do bebê, mas não quis, não naquele momento.

— Não! A senhora está me entendendo mal, está...

Lib tentou lembrar se algum dia tinha visto esse homem ficar sem palavras. Byrne indagou:

— O que poderia dar na cabeça de um homem para deixar *a senhora*?

Neste momento, as lágrimas dela brotaram. Foi aquele toque de indignação em seu favor que a pegou desprevenida.

Seus pais não se haviam solidarizado. Antes, ficaram estarrecidos por Lib ter sido tão azarada a ponto de perder o marido, menos de um ano depois de agarrá-lo. (Acharam que ela fora negligente, talvez, em alguma medida, embora nunca o dissessem em voz alta.) Tinham sido leais o bastante para ajudá-la a se mudar para Londres e se fazer passar por viúva. Esta conspiração havia chocado tanto a irmã de Lib, que ela nunca mais havia falado com nenhum dos três. Mas a pergunta que seu pai e sua mãe nunca lhe formularam era: "Como ele pôde ter feito isso?"

Lib piscou várias vezes, por não suportar a ideia de Byrne achar que ela estava chorando pelo marido, o qual, na verdade, não valia uma só lágrima. Em vez de chorar, deu um sorrisinho.

— E os ingleses chamam os irlandeses de burros! — acrescentou ele.

Isso a fez dar uma risada alta, que ela abafou com a mão.

William Byrne a beijou, tão depressa e com tanta força que ela quase caiu. Não houve uma palavra, apenas esse único beijo, e ele se retirou do quarto.

༺❀༻

Estranhamente, Lib adormeceu depois disso, apesar de todo o clamor na cabeça.

Ao acordar, achou o relógio na mesinha e apertou o botão. Ele bateu as horas dentro de seu punho fechado: uma, duas, três, quatro. Manhã de sexta-feira. Só então ela se lembrou de como Byrne a havia beijado. Não, de como os dois tinham-se beijado.

A culpa a fez sentar-se, ereta. Como poderia ter certeza de que Anna não havia piorado durante a noite, não dera seu último e entrecortado suspiro? *Sempre me vela e guarda, protege e ilumina.* Ansiou por voltar àquele quartinho abafado. Será que os O'Donnell sequer a deixariam entrar nesta manhã, depois do que dissera na reunião?

Vestiu-se pelo tato, sem nem ao menos acender a vela. Desceu a escada pé ante pé e lutou com a porta da entrada, até a tranca se mover e deixá-la sair.

Ainda escuro; uma nuvem era uma atadura frouxa em torno da lua minguante. Tudo muito silencioso, muito solitário, como se uma desgraça houvesse destruído o país inteiro e Lib fosse a última a caminhar por suas trilhas lamacentas.

Havia uma luz na janelinha do casebre dos O'Donnell que não parava de brilhar, agora já fazia onze dias e onze noites, como um olho terrível que houvesse esquecido como piscar. Lib andou até o quadrado luminoso e espiou a cena no interior.

A irmã Michael, sentada ao lado da cama, olhos postos no perfil de Anna. O rostinho transfigurado pela luz. Beleza adormecida, inocência preservada; uma criança que parecia perfeita, talvez por não se mexer, não pedir nada, não criar nenhum problema. Uma ilustração saída de um jornal barato: *A Última Vigília.* Ou *O Repouso Final do Anjinho.*

Lib devia ter-se mexido, ou então a irmã Michael tinha aquela estranha capacidade de se sentir observada, porque olhou para cima e, com um meneio de cabeça, deu um cumprimento exausto.

A inglesa foi até a porta da frente e entrou, preparada para a rejeição. Malachy O'Donnell tomava chá junto ao fogo. Rosaleen e Kitty raspavam algo de uma panela em outra. A criada manteve a cabeça baixa. A patroa olhou de relance na direção de Lib, mas só brevemente, como se houvesse sentido uma corrente de ar. Portanto, os O'Donnell não iriam desafiar a comissão impedindo a entrada de Lib no casebre; ao menos não neste dia.

No quarto, Anna dormia um sono tão profundo que parecia uma estátua de cera.

Lib segurou a mão fria de irmã Michael e a apertou, o que assustou a freira.

— Obrigada por ter ido ontem à noite.

— Mas não adiantou nada, não é? — perguntou a irmã.

— Mesmo assim.

O sol saiu às seis e quinze. Como que convocada pela luz, Anna ergueu-se do travesseiro com esforço e baixou a mão para o urinol vazio. Lib correu a entregá-lo à menina.

O que ela vomitou foi amarelo como a luz do sol, mas transparente.

Como conseguia aquele estômago vazio criar uma cor tão berrante, a partir de nada além de água? Anna estremeceu, contraindo os lábios, como que para sacudir as gotas.

— Está sentindo dor? — Lib lhe perguntou. Eram os últimos dias, sem dúvida. Anna cuspiu, tornou a cuspir, depois voltou a se acomodar sobre o travesseiro, com a cabeça virada para a cômoda.

Lib anotou na agenda:

Vomitou bile; meio quartilho?
Pulso: 128 batimentos por minuto.
Pulmões: 30 respirações por minuto; crepitação úmida bilateral.
Veias do pescoço distendidas.
Temperatura muito baixa.
Olhos vidrados.

Anna envelhecia depressa, como se o próprio tempo acelerasse. Sua pele era um pergaminho enrugado, manchado, como se nele tivessem escrito mensagens a tinta e depois as houvessem raspado. Quando a menina esfregou a clavícula, Lib notou que a pele continuava franzida. Havia mechas vermelho-escuras espalhadas pelo travesseiro, e a enfermeira as recolheu e as guardou no bolso do jaleco.

— Está com torcicolo, menina?

— Não.

— Então, por que está virando o pescoço desse jeito?

— A janela está clara demais — disse Anna.

"Use sua influência", dissera Byrne. Mas que novos argumentos Lib poderia reunir?

— Diga-me — tentou —, que espécie de Deus tiraria sua vida, em troca da alma do seu irmão?

— Ele me quer — sussurrou Anna.

Kitty trouxe o desjejum numa bandeja e falou com voz alquebrada sobre o tempo extraordinariamente bom.

— E como está você hoje, filhota?

— Muito bem — Anna disse à prima num sibilo.

A criada cobriu a boca com sua mão vermelha. E voltou para a cozinha.

O desjejum eram panquecas com manteiga sem sal. Lib pensou em São Pedro, parado no portão, *à espera de uma panqueca com manteiga*. Sentiu gosto de cinzas. *Agora e na hora da nossa morte, amém.* Nauseada, devolveu a panqueca ao prato e depôs a bandeja junto à porta.

— Tudo esticando, dona Lib — disse Anna, num murmúrio catarral.
— Esticando?
— O quarto. O lado de fora cabe no de dentro.
Seria o começo do delírio?
— Você está com frio? — indagou Lib, sentando-se ao lado da cama.
Anna abanou a cabeça.
— Com calor? — perguntou Lib.
— Nada. Nenhuma diferença.

Aqueles olhos vidrados faziam-na lembrar do olhar pintado de Pat O'Donnell no daguerreótipo. Volta e meia, pareciam contrair-se. Problemas com a visão, talvez.

— Você consegue ver o que está bem à sua frente?
Uma hesitação.
— A maior parte.
— Você se refere à maior parte do que está presente?
— Tudo — Anna a corrigiu —, na maior parte do tempo.
— Mas, às vezes, não consegue enxergar?
— Fica preto. Mas vejo outras coisas — disse a menina.
— Que tipo de coisas?
— Coisas bonitas.

É nisso que dá passar fome, Lib teve vontade de berrar. Mas quem já fez uma criança mudar de ideia gritando com ela? Não, ela precisava era falar com mais eloquência do que jamais fizera na vida.

— Outra charada, dona Lib? — pediu a menina.

Lib levou um susto. Mas supôs que até os moribundos gostassem de um pouco de diversão, para ajudar a passar o tempo.

— Ah, vamos ver. Sim, acho que tenho mais uma. O que é o que é... que dá mais medo quanto menor é?
— Dá medo? — repetiu Anna. — Um camundongo?
— Mas um rato assusta as pessoas do mesmo jeito, se não mais, apesar de ser várias vezes maior — assinalou Lib.
— Está bem. — A menina deu um suspiro. — Uma coisa que causa *mais* medo quando é menor?
— Mais fina, melhor dizendo — Lib se corrigiu. — Mais estreita.
— Uma flecha? — murmurou Anna. — Uma faca? — Outra respiração entrecortada. — Dê uma pista, por favor.

— Imagine-se andando nela.
— Isso me machucaria?
— Só se você pisasse do lado de fora.
— Uma ponte! — exclamou Anna.
Lib confirmou com a cabeça. Por alguma razão, estava lembrando o beijo de Byrne. Nada poderia tirar isso dela; pelo resto da vida, ela teria aquele beijo. Isso que lhe deu coragem.
— Anna — disse —, você já fez o bastante.
A menina piscou os olhos para ela.
— Jejuou o bastante, rezou o bastante. Tenho certeza de que o Pat já está feliz no céu.
Um sussurro:
— Não dá para ter certeza.
Lib tentou outra tática.
— Todos os seus dons, sua inteligência, sua bondade, sua força, todos são necessários na terra. Deus quer que você faça o trabalho dele *aqui*.
Anna abanou a cabeça.
— Agora estou falando como sua amiga — disse a inglesa, com a voz embargada. — Você se tornou muito cara para mim, a menina mais querida do mundo.
Um pequeno sorriso.
— Você está me cortando o coração.
— Desculpe, dona Lib.
— Então, coma! Por favor. Uma colherada. Um gole. Eu lhe imploro.
O olhar de Anna foi grave, inexorável.
— Por favor! Por mim. Pelo bem de todos que...
Kitty falou da porta:
— É o sr. Thaddeus.
Lib pôs-se em pé num salto.
O padre parecia incomodamente acalorado em suas camadas de preto. Teria Lib conseguido alfinetar sua consciência na reunião da véspera? A boca rígida ainda se curvou para cima quando ele cumprimentou Anna, mas os olhos estavam acabrunhados.
Lib sufocou a antipatia pelo homem. Afinal, se havia alguém capaz de convencer Anna da insensatez de sua teologia, logicamente seria seu padre.
— Anna, você quer conversar sozinha com o sr. Thaddeus?
Um ligeiro abanar da cabeça.

Os O'Donnell espreitavam atrás dele.

O padre seguiu a deixa de Lib.

— Quer fazer sua confissão, menina?

— Agora não.

Rosaleen O'Donnell trançou os dedos nodosos.

— Ora, que pecados ela estaria cometendo, deitada aí feito um querubim?

Você tem medo de que ela fale com ele sobre o maná, disse Lib em pensamento. *Monstro!*

— Então, vamos cantar um hino? — perguntou o sr. Thaddeus.

— Boa ideia — disse Malachy O'Donnell, esfregando o queixo.

— Ótimo — arfou Anna.

Lib ofereceu o copo com água, mas a menina abanou a cabeça. Kitty também havia entrado de mansinho. Com seis pessoas dentro dele, o quarto estava insuportavelmente cheio.

Rosaleen O'Donnell deu início à primeira estrofe:

Da terra do meu exílio
Eu clamo a ti,
Maria, minha mãe,
Olha com bondade para mim.

Por que a Irlanda é a terra do exílio?, Lib se perguntou.

Os outros entraram no coro — o marido, a criada, o padre, até Anna, de sua cama.

Maria, por piedade,
Olha para mim.
É a voz da tua filha
Que clama por ti.

A ira parecia um espigão cravado na cabeça de Lib. *Não, esta é a sua filha, que precisa da sua ajuda*, disse em silêncio a Rosaleen O'Donnell.

Kitty cantou a estrofe seguinte num contralto de surpreendente doçura, alisadas todas as rugas do rosto:

Na tristeza, nas trevas,
Permanece a meu lado,

Minha luz e meu refúgio,
Minha guia e guardiã.
Ainda que ciladas me cerquem,
Por que haveria eu de temer?
Sei que sou fraca,
Mas minha mãe está aqui.

Lib então compreendeu: toda a Terra era a terra do exílio. Qualquer interesse, qualquer satisfação que a vida pudesse oferecer eram desdenhados como uma cilada para a alma decidida a se apressar para chegar ao céu.

Mas as ciladas estão aqui. Neste casebre sustentado por esterco e sangue, pelos e leite — uma armadilha para reter e destroçar uma garotinha.

— Deus a abençoe, minha filha — disse o sr. Thaddeus a Anna. — Passo aqui amanhã, de novo.

Era isso o melhor que ele podia fazer? Um hino, uma bênção, *e lá se ia embora*?

Os O'Donnell e Kitty retiraram-se em fila atrás do padre.

༺❦༻

Nem sinal de Byrne na mercearia dos espíritos. Nenhuma resposta quando Lib bateu à sua porta. Estaria arrependido do beijo?

A tarde inteira ela ficou deitada na cama, olhos secos como papel. O sono era um país distante.

"Cumpra o seu dever enquanto o mundo gira", ordenava sua mestra.

Qual era seu dever para com Anna, agora? *Livra-me das mãos dos meus inimigos*, rezara a menina. Seria Lib sua libertadora, ou outro inimigo? "Não vou parar diante de nada", ela se gabara diante de Byrne na noite anterior. Mas o que poderia fazer para salvar uma criança que se recusava a ser resgatada?

Às sete horas, obrigara-se a descer para comer alguma coisa, pois se sentia enfraquecida. Agora, a lebre ensopada pesava em seu estômago feito chumbo.

A noite de agosto era sufocante. Quando Lib chegou ao casebre, o horizonte escuro ia engolindo o sol. Ela bateu, tensa de pavor. Entre um plantão e outro, Anna poderia ter deslizado para a inconsciência.

A cozinha recendia a mingau e à chama perpétua do fogo.

— Como está ela? — perguntou Lib a Rosaleen O'Donnell.

— Praticamente na mesma, o anjinho.

Anjo não. Uma criança humana.

Anna estava estranhamente amarelada, contrastando com os lençóis desbotados.

— Boa noite, menina. Posso examinar seus olhos?

A menina os abriu, pestanejando.

Lib puxou a pele sob um dos olhos para baixo, a fim de verificar. Sim, o branco tinha a tonalidade amanteigada dos narcisos. Olhou de relance para a irmã Michael.

— O médico confirmou que era icterícia, quando deu uma passada hoje à tarde — murmurou a freira, amarrando a capa.

Lib virou-se para Rosaleen O'Donnell, parada no vão da porta.

— Isso é um sinal de que todo o organismo da Anna está entrando em colapso.

Diante disso, a mãe não pronunciou palavra; recebeu a afirmação como se fosse a notícia de uma tempestade ou de uma guerra distante.

O urinol estava seco. Lib o inclinou.

A freira abanou a cabeça.

Então, nenhuma urina fora eliminada. Era a este ponto que estavam chegando todas as medições. Tudo estava se paralisando dentro de Anna.

— Amanhã vai haver uma missa votiva, às oito e meia da noite — disse Rosaleen O'Donnell.

— Votiva? — indagou Lib.

— Dedicada a uma intenção em particular — explicou irmã Michael num sussurro.

— Pela Anna. Não é bom, filhota? — perguntou-lhe a mãe. — O sr. Thaddeus vai oferecer uma missa especial por você não estar bem, e todo mundo estará lá.

— Ótimo. — Anna respirou como se isso exigisse toda a atenção dela. Lib pegou o estetoscópio e esperou as outras duas mulheres saírem.

Pensou ter ouvido uma coisa nova no coração de Anna nesta noite: um galope. Estaria imaginando coisas? Escutou atentamente. Ali estava: três sons, em vez dos dois habituais.

Em seguida, contou as respirações. Vinte e nove por minuto; acelerando. A temperatura de Anna também parecia mais baixa, apesar do calor dos dois últimos dias.

Sentou-se e segurou a mão áspera da menina.

— Seu coração está começando a pular. Você sentiu? — Alguma coisa no modo de a menina se deitar, com braços e pernas muito parados... — Você deve estar sentindo dor.

— A palavra não é essa — sussurrou Anna.

— O que quer que você a chame, então.

— A irmã disse que é o beijo de Jesus.

— Beijo de Jesus é o quê? — perguntou Lib.

— Quando alguma coisa dói. Ela disse que isso quer dizer que cheguei tão perto da cruz que Ele pode se abaixar e me beijar.

A freira havia pretendido que isso fosse um consolo, sem dúvida, mas a ideia horrorizou Lib.

Uma respiração estertorante.

— Eu só queria saber quanto vai demorar.

Lib indagou:

— Morrer, você diz?

A menina fez que sim.

— Na sua idade, a morte não vem naturalmente. As crianças são muito cheias de vida. — Era a conversa mais estranha que Lib já tivera com um paciente. — Você está com medo?

Hesitação. Depois, um pequeno meneio afirmativo da cabeça.

— Não acredito que você queira realmente morrer.

Neste momento, viu o enorme sofrimento no rosto da menina. Anna nunca o havia deixado transparecer.

— *Seja feita a vossa vontade* — sussurrou ela, benzendo-se.

— Isso não é obra de Deus — Lib lhe recordou. — É sua.

As pálpebras flácidas estremeceram e, por fim, fecharam-se. A respiração ruidosa abrandou-se e se regularizou.

Lib continuou a segurar a mão inchada. Sono, uma bênção temporária. Torceu para que ele durasse a noite toda.

Começou o terço do outro lado da parede. Abafado, desta vez; a cantoria baixa. Lib esperou que terminasse, para o casebre se aquietar enquanto os O'Donnell se recolhiam a seu buraco na parede e Kitty se estendia sobre o banco da cozinha. O extinguir-se de todos os sons miúdos.

Por fim, restou apenas Lib acordada. A vigia. *Sempre me vela e guarda, protege e ilumina.*

Ocorreu-lhe perguntar a si mesma por que queria que Anna vivesse aquela noite de sexta-feira e a noite seguinte, e quantas outras noites restassem. Por compaixão, não deveria desejar que isso acabasse? Afinal, tudo o que fazia para deixar Anna mais confortável — um gole d'água, mais um travesseiro — só vinha a prolongar o sofrimento dela.

Por um momento, Lib se permitiu imaginar o ato de pôr fim àquilo: levantar e dobrar um cobertor, colocá-lo sobre o rosto da criança e fazer pressão sobre ele com todo o seu peso. Não seria difícil, nem levaria mais de uns dois minutos. Seria um ato de misericórdia, na verdade.

Um assassinato.

Como é que havia chegado ao ponto de contemplar o homicídio de uma paciente?

Culpou a falta de sono, a insegurança. Tudo desordem, confusão. Uma terra selvagem e pantanosa, uma criança perdida, e Lib aos tropeços atrás dela.

Nunca perca a esperança, ordenou a si mesma. Não era este um dos pecados imperdoáveis? Lembrou-se da história de um homem que lutava a noite inteira com um anjo e era derrubado, uma vez após outra. Sem jamais vencer, mas sem jamais desistir.

Pense, pense. Esforçou-se para fazer a mente treinada trabalhar. "Que história pode ter uma criança?" Rosaleen O'Donnell fizera esta pergunta, em resposta às indagações de Lib naquela primeira manhã. Mas toda doença tinha uma história, com começo, meio e fim. Como rastrear aquela até seu início?

Seus olhos correram pelo quarto. Ao pousarem sobre a caixa dos tesouros de Anna, ela se lembrou do castiçal que havia quebrado e da mecha de cabelos pretos. Do irmão, Pat O'Donnell, que Lib só conhecia de uma fotografia na qual os olhos tinham sido pintados. Como é que sua irmã caçula tinha-se convencido de que precisava comprar a alma dele com a dela própria?

Lib batalhou para compreender a luta de Anna nos termos dela. Para se colocar no lugar de uma menina para quem aquelas antigas narrativas eram verdades literais. Quatro meses e meio de jejum; como era possível que todo esse sacrifício não bastasse para redimir os pecados de um mero garoto?

— Anna. — Apenas um sussurro. Depois, mais alto: — Anna! — A menina fez força para emergir do sono. — Anna!

As pálpebras pesadas bateram.

Lib pôs a boca bem perto do ouvido da menina.

— O Pat fez alguma coisa errada?

Nenhuma resposta.

— Alguma coisa de que ninguém mais saiba?

Lib esperou. Observou o tremor das pálpebras. *Deixe-a em paz,* disse a si mesma, subitamente exausta. Que importância tem isso agora?

— Ele disse que estava tudo bem. — Anna mal enunciou as palavras. Ainda de olhos fechados, como se permanecesse no sonho.

Lib esperou, a respiração presa.
— Ele dizia que era o dobro.
Lib intrigou-se com isso.
— O dobro de quê?
— Do amor. — A boca se abrindo levemente no A, um mero sopro de ar, lábios colados para formar o M.
Meu Amor é meu e eu sou dele; um dos hinos de Anna.
— O que você quer dizer?
Agora os olhos de Anna estavam abertos.
— Ele se casou comigo de madrugada.
Lib piscou uma, duas vezes. O quarto permaneceu imóvel, mas o mundo ao redor dele desabou de forma atordoante.
Ele entra em mim assim que eu adormeço, dissera Anna, mas não tinha pretendido referir-se a Jesus. *Ele me quer.*
— Eu era irmã e noiva dele também — sussurrou a menina. — O dobro.
A náusea avolumou-se em Lib. Não havia outro quarto; os irmãos deveriam ter compartilhado aquele. O biombo que ela pusera fora do quarto, no primeiro dia, tinha sido tudo que separava a cama de Pat — esta cama, o leito de morte dele — do colchão de Anna, no chão.
— Quando foi isso? — perguntou Lib, as palavras arranhando a garganta.
Um leve dar de ombros.
— Quantos anos tinha o Pat, você se lembra?
— Treze, talvez.
— E você?
— Nove — respondeu Anna.
O rosto de Lib contraiu-se.
— Isso aconteceu uma vez só, Anna, numa única ocasião, ou...?
— Casamento é para sempre.
Ah, a terrível inocência da menina. Lib fez um som baixinho, encorajando-a a continuar.
— Quando irmão e irmã se casam, é um mistério sagrado. Um segredo entre nós e o céu, o Pat me disse. Mas aí, ele morreu — acrescentou Anna, a voz estalando feito uma concha, os olhos cravados na enfermeira. — Fiquei pensando se ele tinha errado, talvez...
Lib fez um sinal afirmativo com a cabeça.
— Vai ver que Deus levou o Pat por causa do que ele fez. Mas aí não é justo, dona Lib, porque o Pat está recebendo todo o castigo.

Lib comprimiu os lábios, para que a menina continuasse a falar.

— E aí, na missão — Anna deixou escapar um único soluço áspero —, o padre belga, no sermão dele, disse que irmão e irmã era pecado mortal, a segunda pior das seis espécies de luxúria. O coitado do Pat nunca soube disso!

Ah, o *coitado do Pat* sabia o bastante para tecer uma história toda radiosa em torno do que fazia com a irmãzinha, noite após noite.

— Ele morreu tão depressa — lamentou a menina — que nem teve chance de se confessar. Pode ser que tenha ido direto para o inferno. — Os olhos marejados pareceram esverdear-se sob a luz do lampião, e as palavras saíam às golfadas. — No inferno, as chamas não são para limpar, são para machucar, e isso não tem fim.

— Anna. — Lib tinha ouvido o bastante.

— Não sei se eu o posso tirar de lá, mas tenho que tentar. Com certeza, Deus deve poder pegar alguém...

— Anna! Você não fez nada de errado.

— Fiz, sim.

— Você não sabia — insistiu Lib. — Isso foi um erro que o seu irmão cometeu com você.

Anna abanou a cabeça.

— Eu também gostava dele em dobro.

Lib não conseguiu dizer palavra.

— Se Deus quiser, logo vamos estar juntos de novo, mas sem corpo, desta vez. Sem casamento — implorou a menina. — Só irmão e irmã de novo.

— Anna, não consigo suportar isso, eu... — Agora Lib estava agachada na beirada da cama, cega, enquanto o quarto se transformava em água.

— Não chore, dona Lib. — Aqueles braços esqueléticos estenderam-se para ela, envolvendo-lhe a cabeça, puxando-a para baixo. — Querida dona Lib.

A enfermeira abafou o choro nas cobertas, nos ossos duros do peito da menina. Que coisa mais às avessas: ser consolada por uma criança, aquela criança, ainda por cima!

— Não fique aflita, está tudo bem — Anna murmurou.

— Não, não está!

— Está tudo bem. Tudo vai ficar bem.

Ajude-a, Lib se apanhou rezando para o Deus em que não acreditava. *Ajude-me. Ajude a nós todos.*

Ouviu apenas o silêncio.

No meio da noite — não foi possível esperar mais —, Lib tateou para atravessar a cozinha, passando pela forma da criada adormecida no banco. Ainda sentia a pele do rosto retesada e salgada das lágrimas. Quando seus dedos encontraram a cortina grosseira que isolava o puxado, ela murmurou:

— Sra. O'Donnell.

Um movimento.

— É a Anna? — perguntou Rosaleen, com a voz rouca.

— Não, ela está dormindo. Preciso falar com a senhora.

— O que é?

— Em particular — disse Lib. — Por favor.

Após longas horas remoendo as ideias, ela havia chegado à conclusão de que tinha de revelar o segredo de Anna. Mas somente a uma outra pessoa; perversamente, àquela em que Lib menos confiava: Rosaleen O'Donnell. Sua esperança era que essa revelação pudesse despertar em Rosaleen, finalmente, um sentimento de misericórdia para com a menina atormentada. Aquela era uma história de família, e a mãe de Pat e Anna tinha direito, mais do que qualquer um, a saber a verdade sobre o que um de seus filhos tinha infligido ao outro.

O hino a Maria cantou na cabeça de Lib: *Minha mãe, olha com bondade para mim*.

Rosaleen O'Donnell empurrou a cortina para o lado e saiu do quartinho. Seus olhos estavam estranhos sob a luz vermelha dos vestígios do fogo, coberto com cinzas para manter o braseiro aceso.

Lib fez um sinal, e Rosaleen a seguiu pelo chão de terra batida. A inglesa abriu a porta da frente e Rosaleen hesitou apenas por um momento, antes de segui-la.

Com a porta fechada às costas, Lib falou depressa, antes que pudesse perder a coragem:

— Sei tudo sobre o maná — começou, para assumir o controle da situação.

Rosaleen enfrentou seu olhar sem pestanejar.

— Mas não contei à comissão. O mundo não precisa de explicações sobre como Anna viveu todos esses meses. O importante é se ela continuará viva. Se a senhora ama sua filha, sra. O'Donnell, por que não faz tudo que está ao seu alcance para fazê-la comer?

Nem uma palavra, ainda. Depois, muito baixo:

— Foi escolha dela.

— Ela foi escolhida? — Lib repetiu, enojada. — Por Deus, a senhora diz? Convocada ao martírio aos onze anos de idade?

Rosaleen a corrigiu:

— Ela fez a escolha dela.

O absurdo daquilo deixou Lib engasgada:

— A senhora não compreende como Anna está desesperada, dilacerada pela culpa? Ela não está *escolhendo* nada, assim como não escolheria cair num buraco do pântano.

Nem uma palavra.

— Ela não está intocada. — O subterfúgio verbal de Lib soou-lhe absurdamente pudico.

Rosaleen apertou os olhos.

— Devo dizer-lhe que ela foi molestada, e por seu próprio filho. — As sílabas saíram claras e brutais. — O Pat começou a abusar dela quando Anna tinha apenas nove anos.

— Sra. Wright — disse a mulher —, não vou tolerar mais nenhum mexerico escandaloso da senhora.

Seria este horror inconcebível demais para que Rosaleen o absorvesse? Porventura ela precisava acreditar que Lib estava inventando aquilo?

— É a mesma falsidade imunda que a Anna inventou depois do enterro do Pat — continuou Rosaleen —, e eu disse para ela não ficar caluniando o pobre irmão.

Lib teve de se apoiar na parede áspera do casebre. Com que, então, aquilo não era nenhuma novidade para esta mulher. *Uma mãe entende o que o filho não fala*, não era isso que dizia o provérbio? Mas Anna *havia* falado. O luto pelo irmão morto lhe dera coragem para confessar toda aquela história vergonhosa à mãe, ainda em novembro. Rosaleen a havia chamado de mentirosa e continuava a sustentar isso, mesmo vendo a filha definhar.

— Nem mais uma palavra sua — rosnou Rosaleen —, e que o diabo a carregue.

E se precipitou para dentro de casa.

※

Logo depois das seis, na manhã de sábado, Lib enfiou um bilhete por baixo da porta de Byrne.

Em seguida, saiu da mercearia taberna e se afastou depressa pelo campo lamacento, sob uma lua que ia esmaecendo. Aquilo ali era o reino do inferno, desviando-se irresgatavelmente para fora da órbita do céu.

O pilriteiro junto ao pequeno poço sagrado ergueu-se diante dela, seus trapos em desintegração a dançar ao sopro do vento quente. Lib entendeu nessa hora o objetivo dessa superstição. Se existisse um ritual que pudesse praticar e que oferecesse uma chance de salvar Anna, ela não o tentaria? Seria capaz de se curvar diante de uma árvore, uma rocha ou um nabo entalhado, se fosse pelo bem da menina. Pensou em todas as pessoas que se haviam afastado daquela árvore, no decorrer dos séculos, tentando acreditar que haviam deixado para trás suas dores e tristezas. Anos depois, algumas lembravam a si mesmas: *Se continuo a sentir a dor, é só porque o trapo ainda não apodreceu até o fim.*

Anna queria largar seu corpo, despi-lo *feito um casaco velho*. Despir a pele enrugada, o nome, a história despedaçada; acabar com aquilo tudo. Sim, Lib gostaria disso para a menina, e mais até — que Anna nascesse de novo, como as pessoas do Extremo Oriente acreditavam ser possível. Despertar no dia seguinte e se descobrir outra pessoa. Uma meninazinha não submetida a nenhum abuso, sem dívidas a pagar, apta e livre para comer até a saciação.

E então veio uma silhueta apressada, em contraste com o céu que começava a clarear, e Lib sentiu no mesmo instante o que nunca soubera de verdade até o momento: as demandas do corpo eram inegáveis.

Os cachos de William Byrne enroscavam-se feito cobras, e os botões do casaco estavam nas casas erradas. Ele segurava o bilhete.

— Eu o acordei? — perguntou Lib, tolamente.

— Eu não estava dormindo — respondeu ele, segurando-a pela mão. Apesar de tudo, o calor se difundiu pelo corpo de Lib.

— Na mercearia do Ryan, ontem à noite — contou ele —, ninguém falava de outra coisa senão da Anna. Havia-se espalhado a notícia de que você tinha dito à comissão que ela estava piorando depressa. Acho que o vilarejo inteiro irá à missa.

Que loucura coletiva se haveria apoderado dos aldeões?

— Se eles estão preocupados com o fato de haver gente deixando uma criança se matar — questionou Lib —, por que não invadem o casebre?

Byrne encolheu os ombros num gesto enfático.

— Nós, irlandeses, temos o dom da resignação. Ou, dito de outra maneira, do fatalismo.

Prendeu o braço de Lib no dele e os dois foram caminhando sob as árvores. O sol havia despontado, e tudo indicava que seria outro dia horrivelmente adorável.

— Ontem eu fui a Athlone conversar com a polícia — disse ele. — Um policial, um tipo pomposo e apático, com seu chapéu e seu mosquete, ficou alisando o bigode e dizendo que era uma situação "de delicadeza considerável". Longe da polícia, disse ele, invadir um "santuário doméstico", na ausência de qualquer prova de que um crime foi cometido.

Lib assentiu com a cabeça. E, na verdade, o que a polícia poderia fazer? Ainda assim, ela agradeceu o impulso de Byrne de tentar fazer alguma coisa, qualquer coisa.

Como lhe agradaria poder contar a ele tudo o que ficara sabendo na noite anterior, e não só pelo alívio de compartilhar aquilo, mas também por ele se importar com Anna do mesmo modo que ela.

Não. Seria traição expor o segredo que a menina carregava em seu frágil corpo a um homem, qualquer homem, mesmo um que fosse defensor de Anna. Como é que Byrne poderia olhar da mesma forma para a menina inocente, depois de saber disso? Lib devia a Anna manter a boca fechada.

Também não poderia contar a mais ninguém. Se a própria mãe de Anna a havia chamado de mentirosa, o mais provável era que o mesmo fizesse o resto do mundo. Lib não poderia submeter a menina à violação de um exame médico; aquele corpo já havia suportado invasões demais. E, depois, mesmo que o fato pudesse ser provado, aquilo que Lib via como um estupro incestuoso seria chamado por outros de sedução. Em inúmeras situações, não era a mulher — por mais jovem que fosse — quem levava a culpa, por ter incitado seu molestador com um olhar?

— Cheguei a uma conclusão pavorosa — disse ela a Byrne. — A Anna não pode viver nessa família.

As sobrancelhas dele se contraíram.

— Mas eles são tudo o que ela tem. Tudo que ela conhece. O que é uma criança sem a família?

"O ninho é o quanto basta para o rouxinol", gabara-se Rosaleen O'Donnell. Mas, e se um filhote de rara plumagem se descobrisse no ninho errado, e se a mãe virasse seu bico afiado contra o filhotinho?

— Confie em mim, eles não são uma família — disse Lib. — Não querem levantar um dedo para salvar a menina.

Byrne assentiu com a cabeça.

Mas, será que estava convencido?

— Já vi uma criança morrer — disse ela — e não posso fazer isso outra vez.

— Na sua área de trabalho...

— Não. Você não entendeu. Uma criança *minha*. Minha filha.

Byrne a olhou fixamente. Seu braço estreitou mais o dela.

— Três semanas e três dias, foi isso que ela aguentou. — Choramingou, com uma tosse de cachorro. Deveria haver algo de azedo no leite de Lib, porque a neném virava a cara para ele ou o cuspia, e o pouco que engolia a fazia minguar como se aquilo fosse o oposto do alimento, uma poção mágica para encolher.

Byrne não disse "Essas coisas acontecem". Não assinalou que a perda de Lib era apenas uma gota no oceano da dor humana.

— Foi aí que o Wright saiu de casa?

Lib confirmou com a cabeça.

— Não havia nada por que ficar, foi assim que ele disse. — Em seguida, ela acrescentou: — Não que eu me importasse muito, àquela altura.

Um rosnado:

— Ele não a merecia.

Ah, mas nada daquilo fora uma questão de merecimento. Ela não *merecera* perder a filha; soubera disso, mesmo em seus dias mais sombrios. Não tinha feito nada que não devesse fazer, apesar de todas as insinuações sinistras do Wright; não deixara de fazer nada que devesse ser feito. O destino não tinha rosto, a vida era arbitrária, *uma história contada por um idiota*.

Exceto em raros momentos, como este, em que se vislumbrava um modo de lutar para lhe dar um formato melhor.

Em sua lembrança, a srta. N. perguntou: *Você é capaz de se lançar inteira na luta?*

Lib agarrou-se ao braço de Byrne como a uma corda. Descobriu que não havia, propriamente, tomado uma decisão até o presente minuto. E então lhe disse:

— Vou levar a Anna embora.

— Embora para onde?

— Qualquer lugar, menos aqui. — Seus olhos percorreram o horizonte plano. — Quanto mais longe, melhor.

Byrne virou-se de frente para ela.

— De que modo isso convenceria a menina a comer?

— Não sei ao certo e não consigo explicar, mas sei que ela tem que deixar este lugar e essa gente.

O tom dele foi irônico:

— Você vai comprar as malditas colheres.

Por um momento, Lib ficou confusa, depois se lembrou das cem colheres de Scutari e quase sorriu.

— Sejamos claros — disse ele, novamente cortês. — Você pretende sequestrar a menina.

— Suponho que este é o nome que dariam — retrucou Lib, com a voz rouca de pavor. — Mas eu jamais a obrigaria.

— Quer dizer que a Anna iria com você por vontade própria?

— Creio que sim, se eu conseguir expor-lhe a ideia da maneira certa.

Byrne teve o tato de não assinalar a improbabilidade disso.

— E como você propõe viajar? Contratar um cocheiro? Será apanhada antes de chegar ao condado vizinho.

De repente, Lib sentiu o cansaço alcançá-la.

— O provável é que eu acabe na prisão, a Anna morra e nada disto faça a menor diferença.

— Mesmo assim, você pretende tentar.

Ela se esforçou para responder:

— "É melhor o afogamento nas ondas da rebentação do que a inércia na praia." — Era absurdo citar a srta. N., que ficaria horrorizada ao saber que uma de suas enfermeiras tinha sido presa por sequestrar uma criança. Às vezes, porém, o ensinamento continha mais do que o mestre sabia.

O que Byrne disse a seguir deixou-a perplexa:

— Então, tem de ser esta noite.

❦

Quando Lib chegou para o plantão, à uma hora da tarde de sábado, a porta do quarto estava fechada. A irmã Michael, Kitty e os O'Donnell estavam todos ajoelhados na cozinha; Malachy segurava o boné com uma das mãos.

Lib foi girar a maçaneta da porta.

— Não abra — disse Rosaleen em tom ríspido. — O sr. Thaddeus está no meio do sacramento da penitência para a Anna.

Penitência; esta era outra palavra para designar a confissão, não era?

— Parte dos ritos finais — murmurou a irmã Michael para Lib.

Anna estava morrendo? Lib bambeou sobre os pés e achou que iria cair.

— Não é só para ajudar um paciente a ter uma *bona mors* — garantiu-lhe a freira.

— Uma o quê?

— Uma boa morte, digo. Também é para qualquer pessoa que esteja em perigo. Até se tem notícia de ele restabelecer a saúde, se for da vontade de Deus.

Mais contos de fada.

Uma sineta aguda soou no quarto, e o sr. Thaddeus abriu a porta.

— Todos podem entrar para a unção.

O grupo ajoelhado levantou-se e entrou, arrastando os pés atrás de Lib.

Anna estava deitada sem os cobertores. A cômoda fora coberta por uma toalha branca, sobre a qual havia uma vela branca e grossa, um crucifixo, uns pratos dourados, uma espécie de folha seca, umas bolinhas brancas, um pedaço de pão, pratos com água e óleo, e um pó branco.

O sr. Thaddeus molhou o polegar direito no óleo.

— *Per istam sanctam unctionem et suam piissima misericordiam* — entoou — *indulgeat tibi Dominus quidquid per visum, auditum, gustum, odoratum, tactum et locutionem, gressum deliquisti.* — Tocou as pálpebras, orelhas, lábios, nariz e mãos de Anna e, por fim, as solas de seus pés deformados.

— O que ele está fazendo? — cochichou Lib para a irmã Michael.

— Retirando as máculas. Os pecados que ela cometeu com cada parte do corpo — respondeu a freira a seu ouvido, ainda com o olhar fielmente pousado no padre.

A raiva cresceu em Lib. *E quanto aos pecados cometidos* contra *a Anna?*

Em seguida, o padre pegou o prato com as bolinhas brancas e secou cada ponto do óleo com uma delas: algodão? Depôs o prato, esfregou o polegar no pão.

— Que esta santa unção traga consolo e bem-estar — disse aos familiares. — Lembrem-se, *Deus lhes enxugará dos olhos toda lágrima.*

— Deus o abençoe, sr. Thaddeus! — exclamou Rosaleen O'Donnell.

— Seja em pouco tempo, seja daqui a muitos anos — a voz dele era acalentadoramente musical —, todos nos reencontraremos para nunca mais nos separarmos, num mundo em que a tristeza e a separação haverão terminado.

— *Amém.*

Ele lavou as mãos no prato de água e as enxugou na toalha.

Malachy O'Donnell aproximou-se da filha e se curvou, como que para beijá-la na testa. Mas se deteve, como se agora Anna estivesse santificada demais para ser tocada.

— Precisa de alguma coisa, filhota?

— Só dos cobertores, por favor, papai — ela lhe disse, batendo os dentes.

Ele os puxou e a cobriu até o queixo.

O sr. Thaddeus guardou todo o equipamento na maleta, e Rosaleen o conduziu à porta.

— Espere, por favor — Lib o chamou, atravessando o cômodo. — Preciso falar com o senhor.

Rosaleen O'Donnell segurou com tanta força a manga de Lib que um ponto da costura arrebentou.

— Não se detém um padre com conversas fúteis quando ele está carregando a Santa Eucaristia.

Lib soltou-se dela e correu atrás do padre. No terreiro, chamou-o:

— Sr. Thaddeus!

— O que é? — O homem parou e chutou uma galinha que ciscava.

Lib tinha que descobrir se Anna acabara de lhe falar do seu plano de resgatar Pat com a própria morte.

— A Anna lhe falou do irmão dela?

O rosto liso do sacerdote crispou-se.

— Sra. Wright, só a sua ignorância sobre a nossa religião perdoa sua tentativa de me induzir a romper o sigilo da confissão.

— Então, o senhor sabe.

— Essas calamidades devem ser mantidas na família — retrucou ele —, não espalhadas como boatos. Anna nunca deveria ter falado deste assunto com a senhora.

— Mas, se o senhor ponderar com ela, se lhe explicar que Deus jamais..

O padre abafou a voz:

— Há meses venho dizendo àquela pobre menina que seus pecados foram perdoados e, além disso, não se deve falar nada senão boas coisas sobre os mortos.

Lib o encarou. *Os mortos.* Ele não estava falando do plano de Anna de trocar sua vida pela redenção do irmão. *Os pecados dela.* O sr. Thaddeus estava falando do que Pat tinha feito com ela. *Há meses venho dizendo àquela pobre menina.* Isso só poderia significar que, depois da missão, ainda na primavera, Anna havia aberto o coração com o padre de sua paróquia, falara-lhe de toda a sua confusão sobre o casamento secreto, de toda a sua mortificação. E, ao contrário de Rosaleen O'Donnell, ele tivera lucidez suficiente para acreditar na menina. Mas o único consolo que lhe oferecera tinha sido dizer-lhe que seus pecados estavam perdoados e que ela nunca mais deveria mencionar o assunto!

O padre já havia percorrido metade da ruela quando Lib se recuperou. Ela o viu desaparecer, contornando a sebe. Sobre quantas dessas *calamidades*, em quantas outras famílias, o sr. Thaddeus teria estendido um véu? Era só isso que sabia fazer com o sofrimento de uma criança?

No interior do casebre fumarento, Kitty estava despejando o conteúdo dos pratinhos no fogo: o sal, o pão, até a água, que crepitou furiosamente.

— O que está fazendo? — perguntou Lib.

— Eles ainda têm restos do óleo sagrado — respondeu a criada —, por isso têm de ser enterrados, ou queimados.

Só naquele país alguém queimaria água.

Rosaleen O'Donnell estava pondo latas de chá e de açúcar num armário de parede forrado de papel.

— E o dr. McBrearty — indagou Lib —, a senhora pensou em mandar chamá-lo antes do padre?

— E ele não veio hoje de manhã? — respondeu Rosaleen, sem se virar.

Kitty atarefou-se, raspando mingau queimado e o despejando numa bacia. Lib insistiu:

— E o que ele disse sobre a Anna?

— Que agora ela está nas mãos de Deus.

Um som miúdo vindo de Kitty; seria um soluço?

— Como todos estamos — resmungou Rosaleen.

O ódio perpassou Lib como um choque elétrico, ódio do médico, da mãe, da criada e dos homens da comissão.

Mas, lembrou a si mesma, ela se encarregara de uma missão e não podia deixar nada desviá-la disso.

— Essa missa especial de hoje à noite, às oito e meia — disse a Kitty, com a voz mais calma que conseguiu emitir —, quanto tempo duram essas cerimônias?

— Não sei dizer.

— Mais que numa ocasião comum?

— Ah, muito mais — disse Kitty. — Duas horas, talvez, ou três.

Lib meneou a cabeça afirmativamente, como se ficasse impressionada.

— Estive pensando que hoje eu deveria ficar até mais tarde, para que a irmã Michael possa acompanhar vocês todos à missa.

— Não há necessidade — disse a freira, aparecendo na porta do quarto.

— Mas, irmã... — Pânico na garganta de Lib. Improvisando, ela se virou para Malachy O'Donnell, que remoía ideias com um jornal na mão, junto à lareira: — A irmã Michael não deveria ir também, já que a menina gosta tanto dela?

— Deveria, sim.

A freira hesitou, franzindo o cenho.

— Sim, a senhora deve estar lá conosco, irmã — concordou Rosaleen O'Donnell —, para nos dar apoio.

— Com prazer — disse a religiosa, com os olhos ainda intrigados.

Lib apressou-se a entrar no quarto, antes que eles mudassem de ideia.

— Boa tarde, Anna. — Tinha a voz estranhamente animada, pelo alívio por ter ao menos conseguido providenciar para ficar até mais tarde.

O rosto abatido da menina, macilento.

— Boa tarde, dona Lib. — Inerte, como se os tornozelos inchados a agrilhoassem na cama, exceto por um tremor de quando em quando. A respiração era ruidosa.

— Um pouquinho d'água?

Ela abanou a cabeça.

Lib chamou Kitty e lhe pediu para trazer mais um cobertor. O rosto da criada estava rígido quando ela o entregou.

Aguente firme, Lib teve vontade de cochichar no ouvido de Anna. *Espere só mais um pouco, só até logo à noite.* Mas não podia se arriscar a pronunciar palavra, ainda não.

Foi o dia mais lento que Lib já vivera. A casa, porém, estava numa espécie de febre baixa. Os O'Donnell e sua criada ficaram pela cozinha, conversando em murmúrios pesarosos, vez por outra dando uma espiada na Anna. Lib cuidou de suas tarefas, escorando a menina nos travesseiros, umedecendo seus lábios com um pedaço de pano. Sua própria respiração estava curta e acelerada.

Às quatro horas, Kitty trouxe uma tigela com uma espécie de purê de legumes. Lib se forçou a comê-lo às colheradas.

— Quer alguma coisa, meu bem? — perguntou a criada à menina, num tom incongruentemente animado. — O seu trequinho? — Levantou o taumatrópio.

— Me mostre, Kitty.

Assim, a criada puxou as cordas e fez o passarinho aparecer na gaiola, depois sair voando, livre.

Anna deu um suspiro arfante.

— Pode ficar com ele.

A moça fez uma expressão desolada. Mas não perguntou o que Anna queria dizer, apenas depôs o brinquedo.

— Quer que eu ponha sua caixa dos tesouros no seu colo?

Anna abanou a cabeça.

Lib ajudou a menina a levantar um pouco mais o tronco nos travesseiros.

— Água?

Outro abanar de cabeça.

Na janela, Kitty disse:

— É aquele moço da fotografia outra vez.

Lib levantou-se de um salto e olhou por cima do ombro da criada. REILLY & FILHOS, FOTÓGRAFOS, dizia a carroça. Ela não ouvira o cavalo parar. Era fácil imaginar com que talento artístico Reilly disporia as figuras para a cena junto ao leito de morte: a luz lateral suave, a família ajoelhada ao redor de Anna, a enfermeira uniformizada ao fundo, de cabeça baixa.

— Diga-lhe para sumir daqui.

Kitty pareceu assustar-se, mas não discutiu; retirou-se do quarto.

— Meus santinhos e livros e coisas — murmurou Anna, baixando os olhos para o peito.

— Você gostaria de vê-los? — indagou Lib.

Ela abanou a cabeça.

— São para a mamãe. Depois.

Lib assentiu com a cabeça. Havia nisso uma espécie de justiça poética: santinhos de papel em lugar de uma filha de carne e osso. Então Rosaleen O'Donnell não estivera cutucando Anna em direção à sepultura, o tempo todo, talvez desde a morte de Pat, em novembro do ano anterior?

Depois que perdesse Anna, talvez a mulher conseguisse amá-la sem esforço. Ao contrário de uma filha viva, uma filha morta seria impecável. Era o que Rosaleen O'Donnell havia escolhido, disse Lib a si mesma: ser a mãe tristonha e orgulhosa de dois anjos.

Cinco minutos depois, a carroça de Reilly afastou-se lentamente. Olhando pela janela, Lib pensou: *Ele volta*. Imaginou que uma composição póstuma seria ainda mais fácil de arranjar.

Passada uma hora, Malachy O'Donnell entrou e se ajoelhou pesadamente junto à cama em que a filha cochilava. Juntou as mãos — os nós dos dedos criando manchas brancas na pele vermelha — e murmurou um padre-nosso.

Ao ver a cabeça grisalha e curvada, Lib relutou. Aquele homem não tinha nada da malignidade de sua mulher e amava Anna à sua maneira passiva. Se ao menos fosse possível despertá-lo do seu estupor, fazê-lo lutar pela filha.. Talvez Lib lhe devesse uma última chance, não?

Obrigou-se a contornar a cama e a se curvar até o ouvido dele.

— Quando sua filha acordar — disse —, peça-lhe para comer, pelo bem do senhor.

Malachy não protestou, apenas abanou a cabeça.

— Ela se engasgaria, com certeza.

— Um gole de leite a deixaria engasgada? Mas ele tem a mesma consistência da água...

— Eu não poderia fazer isso.

— Por que não? — insistiu Lib.

— A senhora não entenderia, moça.

— Então, me faça entender!

Malachy soltou um suspiro longo e entrecortado.

— Eu prometi a ela.

Lib ficou olhando.

— Que não lhe pediria para comer? Quando foi isso?

— Faz meses.

Menina esperta; Anna havia atado as mãos do pai carinhoso.

— Mas isso foi quando o senhor acreditava que ela poderia viver sem comer, correto?

Um aceno lúgubre com a cabeça.

— Ela estava bem de saúde, na época. Olhe para ela agora — disse a enfermeira.

— Eu sei — lastimou-se Malachy O'Donnell. — Eu sei. Mesmo assim, prometi que nunca pediria isso.

Quem senão um idiota teria assumido um compromisso destes? Mas de nada adiantaria insultar o homem, Lib lembrou a si mesma. Era melhor concentrar-se no presente.

— Agora a sua promessa a está matando. Isso certamente a anula, não é?

Ele se contraiu.

— Foi um voto secreto e solene, feito sobre a Bíblia, sra. Wright. Só estou lhe contando para a senhora não me culpar.

— Mas eu o culpo — retrucou Lib. — Culpo todos vocês.

A cabeça de Malachy pendeu como se fosse pesada demais para o pescoço. Um touro castrado, aturdido.

Valente à sua maneira bronca, ele preferiria arriscar qualquer consequência a quebrar a palavra dada à filha, percebeu Lib. Preferiria ver Anna morrer a desapontá-la.

Uma lágrima rolou pela face barbada.

— Claro, eu ainda tenho esperança.

Que esperança: a de que Anna pedisse para comer, de repente?

— Houve uma outra garota; estava mortinha na cama, uma menina de onze anos

Seria uma vizinha?, pensou Lib. *Ou uma história tirada do jornal?*

— E sabe o que Nosso Senhor disse ao pai? — continuou Malachy, quase sorridente. — *Não temas. Não temas; crê somente, e ela será salva.*

Lib desviou o rosto, enojada.

— Jesus disse que ela só estava dormindo e a pegou pela mão — prosseguiu Malachy —, e não é que ela se levantou e foi fazer sua refeição?

O homem estava sonhando num sono tão profundo que Lib não conseguiria acordá-lo. Agarrava-se a sua inocência, recusando-se a saber, perguntar, pensar, questionar o juramento que fizera a Anna, fazer qualquer coisa. Ser pai ou mãe significava agir, acertada ou erroneamente, e não esperar um milagre, não é? Tal como a esposa, de quem era tão diferente, concluiu Lib, Malachy merecia perder a filha.

O sol pálido foi baixando mais no céu. Não se poria nunca? Oito horas. Anna estava trêmula. *Quanto tempo*, ficava murmurando. *Faça-se em mim. Faça-se em mim.*

Lib mandou Kitty aquecer flanelas no fogo da cozinha e as estendeu sobre Anna, prendendo-as bem de ambos os lados. Sentiu um cheiro azedo. *Você*, pensou, *cada parte defeituosa, mirrada ou inchada, cada pedacinho da menina real, mortal, eu valorizo você como um tesouro.*

— Você vai ficar bem se formos à missa votiva, filhota? — perguntou Rosaleen O'Donnell, entrando e avultando sobre a filha.

Anna fez que sim com a cabeça.

— Tem certeza? — perguntou o pai à porta.

— Vão — sussurrou a menina.

Saiam, saiam, pensou Lib.

Mas, então, depois que o casal se retirou, a inglesa correu atrás dos dois.

— Digam adeus — falou, num grasnido rouco e baixo.

Os O'Donnell arregalaram os olhos para ela.

Lib sussurrou:

— Agora, pode acontecer a qualquer momento.

— Mas...

— Nem sempre se tem um aviso.

O rosto de Rosaleen era uma máscara dilacerada. Ela voltou à cabeceira da cama.

— Acho que talvez a gente não deva sair esta noite, filhota.

Neste momento, Lib maldisse a si mesma. Sua única chance, a única hora possível para pôr em ação seu plano mirabolante, e ela a havia jogado fora. Era coragem que lhe faltava, seria isso?

Não; era uma questão de culpa, em função do que ela estava prestes a tentar. Tudo o que sabia era que tinha de deixar os O'Donnell se despedirem da filha de maneira adequada.

— Vá, mamãe. — Anna levantou a cabeça da cama com esforço. — Vá à missa por mim.

— Devemos ir?

— Um beijo. — Suas mãos inchadas estenderam-se para a cabeça da mãe. Rosaleen deixou-se puxar para baixo. Depositou um beijo na testa da filha.

— Então, até logo, amorzinho.

Lib permaneceu sentada, virando às cegas as páginas da revista *All the Year Round*, para que nenhum deles adivinhasse quanto queria ver aquilo terminar.

Malachy inclinou-se sobre a mulher e a filha.

— Reze por mim, papai.

— Sempre — disse ele, com a voz embargada. — Até logo mais.

Anna meneou a cabeça numa afirmação, depois a deixou cair sobre o travesseiro.

Lib esperou que eles fossem para a cozinha. Suas vozes, a da Kitty. Depois, a batida da porta da frente. Bendito silêncio.

Agora ia começar.

Ela observou o peito estreito de Anna subir e descer. Escutou o pequeno chiado dos pulmões.

Correu até a cozinha vazia e encontrou uma lata de leite. Cheirou-o, para se certificar de que era bem fresco, e achou uma garrafa limpa. Encheu-a de leite até a metade, fechou-a com uma rolha e escolheu uma colher de osso. Havia também uma bolacha de aveia descartada; Lib partiu um pedaço. Embrulhou tudo num guardanapo.

De volta ao quarto, pôs a cadeira bem perto de Anna. Seria pura arrogância acreditar que ela conseguiria obter sucesso onde todos os outros haviam falhado? Desejou ter mais tempo, mais poderes de persuasão. *Ah, Deus, se por acaso existe um Deus, ensine-me a falar a língua dos anjos.*

— Anna — disse —, escute. Eu tenho um recado para você.

— De quem?

Lib apontou para cima. Seus olhos também se ergueram, como se ela contemplasse visões no teto.

— Mas a senhora não acredita — disse Anna.

— Você me modificou — respondeu Lib, com bastante sinceridade. — Você não me disse, um dia, que ele pode escolher qualquer um?

— É verdade.

— O recado é este: e se você pudesse ser outra menina, em vez de você mesma?

Os olhos se arregalaram.

— Se você pudesse acordar amanhã e descobrir que é outra pessoa, uma menina que nunca fez nada errado, você gostaria?

Anna assentiu com a cabeça, como uma criança muito pequena.

— Bem, isto aqui é leite sagrado. — Lib levantou a garrafa com toda a solenidade de um padre diante do altar. — Uma dádiva especial de Deus.

A menina não piscou.

O que deu convicção a Lib foi o fato de ser tudo verdade: acaso a divina luz do sol não inundava o capim divino, a vaca divina não comia o capim divino e não dava o leite divino pelo bem de seus bezerros divinos? Que era tudo isso senão dádivas? No fundo dos próprios seios, Lib se lembrava de como o leite havia corrido, toda vez que ela ouvia o miado da filha.

— Se você beber isto — prosseguiu —, não será mais Anna O'Donnell. A Anna morrerá esta noite, e Deus aceitará o sacrifício dela e a acolherá junto com o Pat, no céu.

A menina não moveu um músculo. Seu rosto era uma tela em branco.

— Você será outra garotinha. Uma nova menina. No instante em que tomar uma colherada deste leite sagrado, o poder dele é tão grande que sua vida recomeçará do zero — afirmou Lib. A esta altura, falava tão depressa que tropeçava nas palavras. — Você será uma menina chamada Nan, que tem só oito anos e mora muito, muito longe daqui.

O olhar de Anna era sombrio.

Aí é que tudo iria desmoronar. É claro que a menina era inteligente o bastante para não se deixar enganar por aquela ficção, se quisesse. Lib podia apenas apostar em sua intuição de que Anna deveria estar desesperada por uma saída, ansiando por uma história diferente, inclinada a tentar algo tão improvável quanto amarrar um trapo numa árvore milagrosa.

Passou-se um momento. Outro. Mais outro. Lib nem respirava. Por fim, os olhos opacos acenderam-se como fogos de artifício.

— Sim.

— Você está pronta?

— A Anna vai morrer? — Um sussurro. — É uma promessa?

Lib fez que sim.

— Anna O'Donnell morre esta noite.

Ocorreu-lhe que a menina, que era tão racional à sua maneira, talvez achasse que a enfermeira iria lhe dar veneno.

— O Pat e a Anna juntos, no céu?

— Sim — confirmou Lib. O que fora ele, afinal, senão um menino ignorante e solitário? *Os degredados filhos de Eva.*

— Nan — disse Anna, repetindo a sílaba com um prazer grave. — Oito anos de idade. Muito, muito longe.

— Sim. — Lib tinha plena consciência de estar-se aproveitando de uma criança em seu leito de morte. Ela não era a amiga da menina nesse momento; estava mais para uma estranha professora. — Confie em mim.

Quando apresentou a garrafa de leite e encheu a colher, Anna se retraiu um pouco.

Nada de tranquilização agora, apenas rigor.

— Esta é a única maneira. — O que tinha dito Byrne a respeito da emigração? "O preço de uma vida nova." — Deixe-me alimentá-la. Abra a boca. — Lib era a tentadora, a poluidora, a bruxa. Quanto mal faria esse gole de leite a Anna, tornando a agrilhoar seu espírito ao corpo! Tanta necessidade, tantos anseios e dores, riscos e pesares, toda a confusão profana da vida.

— Espere. — A menina ergueu uma das mãos.

Lib tremia de pavor. *Agora e na hora da nossa morte.*

— Graças — disse Anna. — Primeiro preciso dar graças.

A graça de ingerir o alimento. Lib lembrou-se do padre rezando por isso. *Concedei-lhe a graça.*

Anna curvou a cabeça.

— *Abençoa-nos, ó Senhor, e abençoa estas dádivas que estamos prestes a receber da tua generosidade, amém.*

Em seguida, os lábios rachados, simplesmente, abriram-se para a colher. Lib não disse uma palavra enquanto virava o líquido na boca da menina. Observou sua garganta mover-se como uma onda. Ela estava pronta para se engasgar, ter ânsias de vômito, cólicas ou espasmos.

Anna engoliu. Sem maior cerimônia, quebrou-se o jejum.

— Agora, uma migalha de bolacha de aveia. — Apenas o que Lib pudesse segurar entre o polegar e o indicador. Depositou-a na língua arroxeada e esperou até ela ser deglutida.

— Morta — sussurrou Anna.

— Sim. A Anna está morta.

Num impulso, Lib baixou a palma da mão, cobriu o rosto da menina e fechou suas pálpebras inchadas.

Esperou um bom momento. E então:

— Acorde, Nan. É hora de começar sua nova vida.

Os olhos úmidos da menina piscaram e se abriram.

Minha culpa, minha culpa, minha máxima culpa. Era Lib quem arcaria com toda a culpa por atrair de novo essa menina brilhante para a terra do exílio. Puxando seu espírito para baixo outra vez, ancorando-a na terra maculada.

Lib gostaria de lhe dar mais comida logo de uma vez, de encher aquele corpo encolhido com quatro meses de refeições. Mas conhecia o perigo de exigir demais do estômago. Assim, guardou a garrafa e a colher no avental, com o pedaço de bolacha de aveia embrulhado no guardanapo. Aos pouquinhos; o caminho da saída da mina era tão longo quanto o da entrada. Lib afagou muito de leve a testa da menina.

— Agora, precisamos ir.

Um tremor. Pensando na família que estava deixando para trás? Em seguida, um meneio afirmativo de cabeça.

Lib embrulhou a menina na capa quente da cômoda, calçou dois pares de meias nos pés deformados, assim como as botas do irmão, pôs luvas nas mãos dela e a envolveu em três xales, transformando-a numa trouxa escura.

Abriu a porta da cozinha, depois as duas metades da porta da frente do casebre. Sol vermelho-sangue no poente. A noite estava quente, e uma galinha solitária cacarejou no terreiro.

Lib voltou ao quarto e a levantou no colo. Nem um pouco pesada. (Pensou na própria neném, naquele peso diminuto em seus braços, leve como um pão.) No entanto, ao carregar a menina em torno da lateral da casa, sentiu as próprias pernas tremerem.

E então, lá estava William Byrne segurando sua égua, avultando na escuridão. Embora o estivesse esperando, Lib sobressaltou-se. Teria perdido a confiança em que ele estaria lá, como havia prometido?

Ele disse:

— Boa noite, menina...

— Nan — Lib o interrompeu, antes que ele estragasse tudo, dizendo o nome antigo. — Esta é a Nan. — Agora não havia como voltar atrás.

— Boa noite, Nan — disse Byrne, entendendo depressa. — Vamos dar uma volta com a Polly. Você deve conhecer a Polly, eu acho. Não vai se assustar.

Olhos arregalados, a menina não disse nada, apenas deu um chiado ofegante e se agarrou aos ombros de Lib.

— Está tudo bem, Nan — disse a enfermeira. — Podemos confiar no sr. Byrne. — Fitou os olhos dele. — Ele vai levá-la para um lugar seguro e esperar com você, e eu chego daqui a pouquinho.

Seria verdade? Era o que pretendia, se é que isso bastava; era o que desejava com todas as forças.

Byrne pulou para a sela e se inclinou para pegar a menina. Lib aspirou o cheiro do animal.

— Viram você partir hoje à tarde? — perguntou, atrasando-os por mais um momento.

Ele fez que sim, dando um tapinha em sua sacola.

— Quando estava preparando a sela, reclamei com o Ryan por ter sido chamado de volta a Dublin com extrema urgência.

Lib, finalmente, entregou seu fardo.

A menina se agarrou com força a ela, antes de soltá-la.

Byrne acomodou-a à sua frente, na sela.

— Está tudo bem, Nan.

Segurou as rédeas numa das mãos e fixou os olhos em Lib de um jeito curioso, como se nunca a tivesse visto até então. Não, pensou ela, como se a estivesse vendo pela última vez e memorizando suas feições. Se o plano dos dois desse errado, talvez eles nunca mais se encontrassem.

Pôs a comida na sacola de Byrne.

Ela comeu?; ele movera os lábios, sem emitir nenhum som. Lib confirmou com a cabeça.

O sorriso do jornalista iluminou o céu que escurecia.

— Outra colherada daqui a uma hora — ela murmurou. Depois, ficou na ponta dos pés e beijou a única parte dele que pôde alcançar: o dorso morno da mão. Deu um tapinha na menina por cima do cobertor.

— Logo, logo, Nan.

E fez meia-volta.

Quando Byrne estalou a língua e Polly partiu pela campina, rumando para longe do vilarejo, Lib olhou para trás e, por um momento, viu a cena como se fosse uma pintura. Cavalo e cavaleiros, as árvores, as riscas de luz que esmaeciam no oeste. Até o charco com seus sulcos de água. Ali, bem no centro do país, uma espécie de beleza.

Apressou-se a voltar ao casebre, apalpando o avental, para ter certeza de que sua agenda continuava nele.

Primeiro, derrubou as duas cadeiras do quarto. Em seguida, a própria maleta com seu equipamento; chutou-a em direção às cadeiras. Pegou seu exemplar das *Notas sobre enfermagem* e se obrigou a jogá-lo na pilha, onde ele aterrissou, aberto como as asas de um pássaro. Nada poderia ser poupado, para que sua história fosse convincente. Isso era o oposto de cuidar: um trabalho rápido e eficiente de criar o caos.

Em seguida, foi à cozinha e pegou a garrafa de uísque no nicho ao lado do fogo. Derramou o líquido nos travesseiros e deixou cair a garrafa. Apanhou a lata de líquido combustível e sacudiu uma quantidade por cima da cama, do piso, das paredes, da cômoda com sua caixinha aberta, expondo seus tesouros. Repôs a tampa na lata, bem frouxa.

Agora suas mãos fediam a combustível; como iria explicar isso, mais tarde? Esfregou-as com força no avental. O depois não importava. Estava tudo pronto?

Não temas; crê somente, e ela será salva.

Pegou um santinho debruado de renda na caixa dos tesouros — um santo que ela não conhecia — e o acendeu na chaminé do lampião. Ele se inflamou, a figura sagrada aureolada pelas chamas.

Purgado pelo fogo, só pelo fogo.

Lib encostou o santinho no colchão, que, num sopro, ganhou vida, a palha velha numa crepitação sibilante. Uma cama em chamas, como um milagre em luminosos tons pastel. A onda de calor no rosto lhe trouxe à lembrança as fogueiras da Noite de Guy Fawkes.

Mas será que o quarto inteiro pegaria fogo? Esta era a única e mísera chance de eles se safarem depois da fraude. O telhado de colmos estaria suficientemente seco, após três dias de sol? Lib olhou com raiva para o teto baixo. As antigas vigas pareciam parrudas demais, as paredes grossas, fortes demais. Não havia mais nada a fazer; o lampião balançava em sua mão e ela o atirou nos caibros.

Chuva de vidro e fogo.

Lib correu pelo terreiro com o avental em chamas no rosto, um dragão de que não conseguia escapar. Bateu no fogo com as mãos. Veio um guincho que soou como se saísse de outra boca. Ela se desviou da ruela aos tropeços e se atirou no abraço molhado do charco.

Chovera a noite toda. A polícia havia mandado dois homens de Athlone, embora fosse sábado; no momento, eles estavam vasculhando os restos imundos e enlameados do casebre dos O'Donnell.

Lib estava esperando no corredor atrás da mercearia-taberna, as mãos queimadas enfaixadas em ataduras, cheirando a unguento. Tudo dependia da chuva, pensou ela, entre ondas de exaustão. Da hora em que a chuva tinha começado na noite anterior. Teria extinguido o fogo antes que as vigas pudessem cair? Estaria o quarto estreito reduzido a cinzas indecifráveis, ou será que revelava, clara como água, a história de uma criança desaparecida?

Dor. Mas não era isso que mantinha Lib aprisionada. Medo — por ela mesma, é claro, mas também pela menina. (Nan, chamou-a mentalmente, procurando acostumar-se ao novo nome.) Havia um estágio da inanição do qual a recuperação era impossível. O corpo esquecia como lidar com o alimento; os órgãos se atrofiavam. Ou, talvez, os pulmões da menina tivessem sido sobrecarregados por muito tempo, ou desgastado seu coração. *Por favor, permita que ela acorde hoje de manhã.* William Byrne estaria lá para cuidar dela, na hospedaria mais anônima que conhecia nas ruelas de Athlone. Era só até ali que ele e Lib haviam planejado. *Por favor, Nan, tome outro gole, coma outra migalha.*

Ocorreu a Lib que a quinzena havia terminado. O domingo sempre fora designado como o dia em que as enfermeiras fariam seus relatórios à comissão. Duas semanas antes, recém-chegada, ela se imaginara impressionando os residentes locais com sua exposição meticulosa do desmascaramento de uma farsa. Não com esta aparência: riscada pelas cinzas, incapacitada, trêmula.

Não tinha ilusões sobre as conclusões a que os membros da comissão tenderiam a chegar. Fariam da estrangeira um bode expiatório, se pudessem. Mas qual seria a acusação, exatamente? Negligência? Incêndio premeditado? Homicídio? Ou — se a polícia percebesse que não havia vestígio de cadáver na mistura de brasa e lama —, sequestro e fraude.

Amanhã ou depois de amanhã, eu me encontro com vocês em Athlone, tinha dito a Byrne. Será que sua fala confiante o havia enganado? Ela tendia a achar que não. Tal como Lib, ele tentara parecer confiante, mas sabia haver uma forte possibilidade de que ela acabasse atrás das grades. Ele e a menina embarcariam num navio como pai e filha, e Lib jamais diria uma palavra sobre o destino dos dois.

Verificou sua agenda de capa enegrecida. Seriam plausíveis os detalhes finais?

Sábado, 20 de agosto, 20h32min
Pulso: 139.
Pulmões: 35 respirações; crepitação úmida.
Nenhuma urina durante o dia inteiro.
Nenhuma ingestão de água.
Inanição.
20h47min: delírio.
20h59min: respiração agônica, batimentos cardíacos irregulares.
21h07min: óbito.

— Sra. Wright.

Lib fechou a agenda de qualquer jeito.

A freira estava a seu lado, olheiras fundas sob os olhos.

— Como estão suas queimaduras hoje?

— Elas não têm importância — respondeu Lib.

Tinha sido a irmã Michael, voltando da missa votiva, quem havia encontrado Lib na noite anterior, quem a tinha arrastado para fora do charco, reconduzindo-a ao vilarejo e enfaixando suas mãos. Lib encontrava-se num estado tal que nenhuma encenação tinha sido necessária.

— Irmã, não sei como lhe agradecer.

Um abanar da cabeça, olhos baixos.

Uma das muitas coisas que pesavam na consciência de Lib era estar retribuindo os cuidados da freira com a crueldade. A irmã Michael passaria o resto da vida convencida de que elas duas haviam acarretado, ou, pelo menos, deixado de prevenir a morte de Anna O'Donnell.

Bem, não havia nada que se pudesse fazer. Tudo o que importava era a menina.

Pela primeira vez, Lib compreendeu a ferocidade lupina das mães. Ocorreu-lhe que, se por um milagre ela atravessasse as provações desse dia e chegasse àquele quarto em Athlone, onde William Byrne a esperava, ela se tornaria mãe da menina, ou o que fosse mais próximo disso.

Digna-te, ó digna-te aceitar-me como tua filha, era assim que dizia o hino? No futuro, quando Nan-que-um-dia-foi-Anna culpasse alguém, seria Lib. Isso fazia parte da maternidade, ela supôs: arcar com a responsabilidade por ter forçado a criança a sair da cálida escuridão para a pavorosa luminosidade de uma vida nova.

O sr. Thaddeus passou por elas acompanhado de O'Flaherty, nesse momento. O brilho fora retirado do padre, que deixava transparecer a idade. Ele cumprimentou as enfermeiras com um meneio da cabeça, soturnamente distraído.

— Não é preciso a senhora ser interrogada pela comissão — disse Lib à freira. — A senhora não sabe nada. — Aquilo soou muito brusco. — Digo, a senhora não estava lá no final, estava na capela.

A irmã Michael se benzeu.

— Que Deus a tenha, pobrezinha.

As duas se afastaram para dar passagem ao baronete.

— Não devo fazê-los esperar — disse Lib, começando a se dirigir à sala dos fundos.

Mas a freira pôs a mão em seu braço, acima da atadura.

— É melhor não fazer nem dizer nada até que a chamem. Humildade, sra. Wright, e penitência.

Lib pestanejou.

— Penitência? — A voz saiu muito alta. — Não deveriam ser eles a fazer penitência?

A irmã Michael a silenciou com um sinal.

— Bem-aventurados são os mansos.

— Mas eu *disse* a eles, três dias atrás...

A freira chegou mais perto, quase encostando a boca no ouvido de Lib.

— Seja mansa, sra. Wright, e, quem sabe, talvez eles a deixem ir embora.

Era um conselho sensato; Lib calou a boca.

John Flynn passou por elas, o rosto fixado numa expressão severa.

E que consolo poderia Lib oferecer à irmã Michael, a título de retribuição?

— A Anna teve... como foi que a senhora disse, outro dia? Teve uma boa morte.

— Ela partiu de bom grado? Sem resistir?

Havia algo inquieto naqueles olhos grandes, a não ser que Lib estivesse imaginando coisas. Algo mais que sofrimento. Dúvida? Suspeita, até?

Lib sentiu um aperto na garganta.

— De muito bom grado — assegurou à freira. — Estava pronta para ir.

O dr. McBrearty passou apressado pelo corredor, rosto encovado, arfando como se tivesse corrido. Mal olhou de relance para as enfermeiras, ao passar.

— Eu sinto muito, irmã — disse Lib, com voz hesitante —, sinto muitíssimo.

— *Pssiu* — tornou a fazer a freira, como se falasse com uma criança. — Cá entre nós, sra. Wright, eu tive uma visão.

— Uma visão?

— Uma espécie de devaneio. Saí cedo da capela, sabe, porque temia pela Anna.

O coração de Lib começou a disparar.

— Estava andando pela viela, quando pensei ver... pareceu-me ver um anjo fugindo com a criança.

Emudecida de susto. *Ela sabe.* Soando alto na cabeça de Lib. *Ela está com nosso destino nas mãos.* A irmã Michael tinha feito um voto de obediência; como poderia não confessar à comissão o que tinha visto?

— Foi uma visão verdadeira, a senhora diria? — indagou a freira, o olhar queimando Lib.

Tudo que esta conseguiu fazer foi um sinal afirmativo com a cabeça.

Um silêncio terrível. Depois:

— Os desígnios d'Ele são misteriosos.

— São — concordou Lib, a voz rouca.

— A menina foi para um lugar melhor? Isto a senhora pode jurar?

Mais um aceno da cabeça.

— Sra. Wright. — Era Ryan, balançando o polegar. — Está na hora.

Lib deixou a freira sem uma palavra de despedida. Mal podia acreditar. Ainda estava preparada para a possibilidade de uma acusação feita aos gritos, mas não houve nenhuma. Ela não pôde impedir-se de dar uma olhadela para trás. A freira estava de mãos postas e cabeça baixa. *Ela está nos libertando.*

Na sala dos fundos, havia um banquinho colocado defronte das mesas de armar às quais se sentava a comissão, mas Lib ficou em pé à frente dele, para parecer mais humilde, como a aconselhara a irmã Michael.

McBrearty fechou a porta atrás de si.

— Sir Otway? — Era o taberneiro, deferente.

O baronete fez um gesto frouxo.

— Já que não estou aqui como magistrado residente, mas apenas como cidadão particular...

— Eu começo, então. — Era Flynn, falando em seu tom abrutalhado. — Enfermeira Wright.

— Senhores. — A voz de Lib era quase inaudível. Ela não precisou forçá-la a soar trêmula.

— Pelas chamas do inferno, que foi que aconteceu ontem à noite?

Chamas? Por um momento, ela teve medo de cair na gargalhada; será que Flynn nem tinha escutado o trocadilho?

Lib ajeitou uma das ataduras, num ponto em que ela fazia pressão sobre o pulso, e a fisgada de dor desanuviou-lhe as ideias. Fechou os olhos e curvou a cabeça, como que arrasada, e produziu uma série de soluços torturados.

— A senhora não se fará bem algum entregando os pontos dessa maneira. — A voz do baronete soou mal-humorada.

Não faria bem em termos legais, ou ele se referia apenas à saúde dela?

— Só nos conte o que aconteceu com a garotinha — disse Flynn.

Lib respondeu, em tom de lamúria:

— A Anna, ela não... à noite, ela foi ficando cada vez mais fraca. Minhas anotações. — Investiu contra McBrearty e depositou a agenda diante dele, aberta no ponto em que as palavras e os números acabavam. — Nunca pensei que ela partisse tão depressa. Estremeceu e fez força para respirar... até que, de repente, parou.

Lib ofegou. Os seis homens que tratassem de pensar no som do último suspiro de uma criança.

— Eu gritei por socorro, mas acho que não havia ninguém que pudesse me ouvir. Os vizinhos deviam estar na igreja. Tentei fazê-la engolir um pouco de uísque. Estava desnorteada, correndo para lá e para cá feito louca.

Se eles soubessem alguma coisa sobre as enfermeiras treinadas por Florence Nightingale, reconheceriam a improbabilidade disso. Lib acelerou a fala:

— Por último, tentei levantá-la e colocá-la na cadeira para banho de sol, com rodas, para poder empurrá-la até o vilarejo e procurar o senhor, dr. McBrearty, para ver se era possível reanimá-la. — Fixou os olhos nos dele, e então se deu conta do que havia acabado de dizer. — Quer dizer, ela estava completamente sem vida, mas eu continuava a esperar, mesmo já não havendo esperança.

O velho cobriu a boca com a mão, como se estivesse prestes a vomitar.

— Mas o lampião... minha saia deve tê-lo derrubado. Só percebi que eu estava pegando fogo quando as chamas chegaram a minha cintura. — As mãos mumificadas de Lib latejavam e ela as levantou, à guisa de prova. — Mas, então, um dos cobertores havia pegado fogo. Arrastei o corpo dela para fora da cama, porém foi demais para mim. Vi as chamas lamberem a lata...

— Que lata? — perguntou O'Flaherty.

— O líquido combustível — disse-lhe o sr. Thaddeus.

— Coisa letal — grunhiu Flynn. — Eu não teria aquilo dentro de casa.

— Eu tinha reposto combustível no lampião, para manter o quarto iluminado e poder enxergar. Para poder observá-la a cada minuto. — A esta altura, Lib chorava para valer. Estranho ter sido esse o detalhe que não suportou lembrar: a luz constante sobre a menininha adormecida. — Vi que a lata ia explodir, por isso saí correndo. Deus me perdoe — acrescentou, de quebra. As lágrimas lhe escorriam do queixo, verdade e mentiras tão misturadas que ela não saberia distingui-las. — Corri para fora do casebre. Ouvi-o explodir atrás de mim, com um estrondo medonho, e não parei para olhar, apenas corri para salvar minha vida.

A cena era tão vívida em sua mente que Lib teve a impressão de tê-la vivido de verdade. Mas aqueles homens acreditariam em suas palavras?

Cobriu o rosto e se preparou para a resposta. Oxalá a polícia não estivesse vasculhando os caibros enegrecidos neste momento, nem examinando a madeira da cama ou da cômoda, nem revirando aquela confusão cheia de cinzas. Que eles fossem preguiçosos e resignados. Que chegassem à conclusão de que aqueles ossinhos carbonizados deveriam ficar irrecuperavelmente enterrados nas ruínas.

Foi Sir Otway quem se manifestou:

— Se a senhora não tivesse sido de um relaxamento tão chocante, sra. Wright, poderíamos ao menos ter chegado ao fundo da questão.

Relaxamento — seria esta a única acusação a ser enfrentada por Lib? *A questão* — com isso se referia à morte de uma criança?

— O exame *post mortem* certamente determinaria se os intestinos continham algum alimento parcialmente digerido — acrescentou o baronete. — Correto, doutor?

Portanto, o verdadeiro problema era não haver uma garotinha que eles pudessem retalhar, para satisfazer a curiosidade geral.

McBrearty apenas assentiu com a cabeça, como se não pudesse falar.

— É claro que teria havido *algum* alimento — resmungou Ryan. — Toda essa história de milagre era um disparate.

— Ao contrário, quando não se achasse nada nos intestinos da Anna — explodiu John Flynn —, o nome dos O'Donnell estaria limpo. Um par de bons cristãos perdeu seu último filho, uma pequena mártir!, e esta imbecil destruiu todas as provas da inocência deles.

Lib manteve a cabeça baixa.

— Mas as enfermeiras não têm nenhuma responsabilidade pela morte da criança. — Era o sr. Thaddeus, finalmente se manifestando.

— Decerto que não. — O sr. McBrearty encontrara sua voz. — Elas eram apenas servidoras desta comissão, trabalhando sob a minha autoridade, como médico da menina.

O padre e o médico pareciam estar tentando livrar Lib e a freira da culpa, chamando-as de serviçais desprovidas de cérebro. Ela mordeu a língua, porque agora isso não tinha importância.

— Mas essa aí não deve receber pagamento integral, por causa do incêndio — disse o mestre-escola.

Lib quase deu um grito. Se esses homens lhe oferecessem até mesmo uma moeda de Judas, ela a jogaria na cara deles.

— Não mereço pagamento algum, senhores.

A COMPANHIA ANGLO-IRLANDESA DE TELÉGRAFO MAGNÉTICO recebeu a seguinte mensagem, no dia 23 de agosto de 1859:

De: William Byrne
Para: Editor do *Irish Times*
Segue matéria final correio pt aceitei cargo secretário particular cavalheiro destinado ao Cáucaso pt lamento falta aviso prévio pt mudança de emprego tão revigorante quanto repouso etc. vg não sem gratidão
W B

Eis a última reportagem deste correspondente sobre a Menina Jejuadora da Irlanda:

Às nove horas e sete minutos da noite do último sábado, enquanto praticamente toda a população católica romana do vilarejo em que morava comprimia-se na pequena capela branca para rezar por ela, Anna O'Donnell faleceu — de simples inanição, pode-se presumir. A causa fisiológica exata desse óbito não pode ser determinada por uma autópsia, em função da estarrecedora coda dessa história, da qual este correspondente soube por uma pessoa que esteve presente na última reunião da comissão.

Naturalmente, a enfermeira encarregada afligiu-se com a morte súbita da criança e tentou medidas extraordinárias para reanimá-la, e, no curso destas, derrubou acidentalmente um lampião. Dispositivo tosco, obtido por empréstimo com um vizinho, este fora adaptado para funcionar não com óleo de baleia, porém com um produto mais barato, conhecido como líquido combustível ou canfeno. (Essa mistura — álcool adulterado por terebintina, numa proporção de quatro partes para uma, acrescido de um pouco de éter — é notoriamente inflamável, e dizem que teria causado mais mortes nos Estados Unidos do que a soma de todos os acidentes em barcos a vapor com os acidentes ferroviários.)

Uma vez quebrado o lampião no piso, as chamas tragaram a roupa de cama e o cadáver da menina, e, embora a enfermeira tenha feito valentes tentativas de extingui-las, ferindo-se gravemente nesse processo, de nada adiantou. A lata inteira de fluido combustível inflamou-se numa explosão, e a enfermeira foi obrigada a fugir do incêndio.

No dia seguinte, Anna O'Donnell foi declarada morta *in absentia*, uma vez que seus restos mortais não puderam ser escavados das ruínas. De acordo com a polícia, não foram nem tenderão a ser apresentadas acusações formais.

Isso não encerra o assunto. É de crime que convém chamar a situação em que uma menina que não sofre de nenhuma doença orgânica é autorizada — não, é incitada pela superstição popular — a jejuar até morrer de fome, em meio à fartura do próspero reino da rainha Vitória, e ninguém é punido ou sequer responsabilizado. Nem o pai, que repudiou sua responsabilidade legal e moral, nem a mãe, que violou a lei da natureza, ao permanecer inerte — para dizer o mínimo — enquanto sua filha se debilitava. Com certeza, não o excêntrico médico septuagenário sob cujos chamados cuidados Anna O'Donnell definhou. Não o padre de sua paróquia, que não usou os poderes do cargo para dissuadir a menina de seu jejum fatal. E não qualquer outro membro da autodesignada comissão de supervisão, que recebeu provas de que a menina estava em seu leito de morte e se recusou a lhes dar crédito.

Ninguém é tão cego quanto os que se recusam a ver. O mesmo se poderia dizer dos muitos habitantes do lugar, que, ao depositarem flores e outros tributos nos restos carbonizados do casebre, nos últimos dias, parecem expressar a ingênua convicção de que o que se passou ali foi a apoteose de uma santa local, e não o assassinato ilegal de uma criança.

O que ninguém pode contestar é que a vigília instituída havia quinze dias acelerou o relógio da morte, muito provavelmente por ter impedido uma forma sigilosa de alimentação, e contribuiu para a destruição da menina que ela fora encarregada de estudar. O último ato da comissão, antes de se dissolver, foi declarar que a morte foi um *ato de Deus*, decorrente de *causas naturais*. Nem o Criador nem a Natureza, entretanto, devem ser responsabilizados pelo que foi criado por mãos humanas.

Prezada Enfermeira-Chefe,

 Talvez a senhora tenha sabido, a esta altura, do trágico desfecho do meu emprego recente. Devo confessar-me tão abalada — com todo o meu organismo tão combalido — que não regressarei ao hospital, num futuro próximo. Aceitei um convite para permanecer com os parentes que me restam no norte.

          Cordialmente,
          Elizabeth Wright

ANNA MARY O'DONNELL
7 DE ABRIL DE 1848 — 20 DE AGOSTO DE 1859
FOI PARA CASA

EPÍLOGO

Sessenta graus abaixo do equador, ao sol ameno do fim de outubro, a sra. Eliza Raitt soletrou seu nome para o capelão. Ajeitou as luvas que sempre usava nas mãos cheias de cicatrizes.

Ele passou à linha seguinte de seu formulário.

— Wilkie Burns. Ocupação?

— Até recentemente, gerente de uma tipografia — ela lhe disse.

— Ele tem intenção de fundar uma gráfica em Nova Gales do Sul e, quem sabe, publicar um jornal para os operários das minas?

Ela encolheu os ombros, num gesto refinado.

— Eu não ficaria nada surpresa.

— Uma viúva e um viúvo — murmurou o capelão, enquanto escrevia. Deu uma olhada para o leste, sobre as ondas. — *Sacudir a poeira da tristeza em novas paragens* — foi sua citação pomposa.

Eliza fez que sim com um meio sorriso.

— Súditos britânicos, Igreja anglicana...

— O sr. Burns e a filha são católicos romanos — Eliza o corrigiu. — Faremos outra cerimônia na Igreja deles, ao aportarmos.

Ela havia achado que o capelão torceria o nariz para isso, mas ele fez um aceno bondoso com a cabeça. Por cima do ombro, ela o viu anotar o nome do navio, a data e a latitude e longitude exatas. (Lembrou-se de ter deixado sua agenda cair nas ondas, fazia um mês.) O que estaria fazendo os outros dois demorarem?

— E a Nan Burns — perguntou o capelão —, ela ainda tem sofrido com as dores de estômago e a melancolia?

— O ar marinho já lhe tem feito algum bem — ela lhe assegurou.

— Já não é órfã de mãe! É encantadora essa história de como a senhora e a menina travaram conhecimento, acidentalmente, na biblioteca do navio, da forma descontraída que os costumes permitem no mar, e de tudo que se seguiu...

Eliza sorriu, num silêncio recatado.

Lá estavam eles chegando ao convés, o irlandês barbudo, de cabelo ruivo cortado rente, de mãos dadas com a menina. Nan segurava um rosário de contas de vidro e um buquê de flores de papel que ela mesma devia ter feito, com a tinta ainda molhada.

Eliza achou que iria chorar. *Nada de lágrimas*, disse a si mesma, *hoje não*.

O capelão elevou a voz:

— Primeiro, permita-me cumprimentá-la, srta. Nan.

Tímida, a menina escondeu o rosto no vestido de Eliza.

A moça a abraçou com força, cônscia de que daria a Nan a pele do próprio corpo, se fosse preciso, os ossos das próprias pernas.

— Tem-se divertido muito neste grande veleiro? — perguntou o capelão à menina. Apontou para o alto, acima da cabeça deles. — Onze mil metros de vela, imagine só! E duzentas e cinquenta almas a bordo.

Nan fez que sim.

— Mas talvez você esteja ansiosa pelo seu futuro lar. O que mais a atrai na Austrália?

Eliza murmurou, na orelha pequenina:

— Você pode dizer a ele?

— As novas estrelas — disse Nan.

Isso agradou ao capelão.

Wilkie tomou a mão livre de Eliza em sua mão calorosa. Muito ansioso, porém não mais do que ela. Com sede de futuro.

— Eu estava dizendo a sua noiva, sr. Burns, que há um verdadeiro encanto nesse romance da sua pequena família a bordo do navio. O senhor poderia até pensar em divulgá-lo na imprensa!

O noivo abanou a cabeça, com um sorriso.

— De modo geral — disse Eliza —, preferimos que nossos dias não sejam registrados.

E Wilkie, baixando os olhos para encontrar os da menina, depois tornando a pousá-los novamente em Eliza, perguntou:

— Vamos começar?

NOTA DA AUTORA

O milagre é uma história inventada. Contudo, inspirou-se em quase cinquenta casos das chamadas Santas Jejuadoras — enaltecidas por sobreviverem sem alimento durante longos períodos — das Ilhas Britânicas, da Europa Ocidental e da América do Norte, nos séculos XVI e XVII. Havia, entre essas meninas e mulheres, uma grande variação etária e de origem e formação. Algumas (fossem protestantes ou católicas) alegavam motivos religiosos, porém muitas não o faziam. Também houve casos masculinos, embora em número muito menor. Algumas jejuadoras foram postas sob vigilância durante semanas a fio; umas recomeçaram a comer, voluntariamente ou depois de ser coagidas, detidas, hospitalizadas ou alimentadas à força; umas morreram; outras viveram durante décadas, sempre afirmando não necessitar de alimento.

Um agradecimento por sugestões cruciais vai para minhas agentes, Kathleen Anderson e Caroline Davidson, e para meus editores, Iris Tupholme, da Harper Collins Canada, Judy Clain, da Little, Brown, e Paul Baggaley, da Picador. Tana Wollen e Cormac Kinsella tiveram a bondade de me ajudar a manter a correção de meu inglês hibérnico e do britânico, e o trabalho de copidesque de Tracy Roe, como sempre, foi inestimável, nos dois sentidos. A dra. Lisa Godson, do National College of Art and Design, em Dublin, partilhou seus conhecimentos sobre os objetos devocionais católicos do século XIX. Minhas amigas Sinéad McBrearty e Katherine O'Donnell cederam seus sobrenomes a alguns de meus personagens, e outra recebeu seu nome em homenagem à generosa Maggie Ryan, como angariadora de fundos da Kaleidoscope Trust.

NOTA DA TRADUTORA

Como outros escritores de talento, Emma Donoghue sabe fazer poesia em prosa. Exemplo disto é o leque semântico dos títulos que anunciam os capítulos deste livro, todos múltiplos em suas acepções, todas as acepções condensadas numa só e mesma palavra de variadas classes e funções.

Em todos os títulos, o termo inglês usado é nome e ação, substantivo e verbo. Menos o do capítulo 4, que nem por ser apenas substantivo perde a polissemia. O do capítulo 3, para compensar — *fast* —, é substantivo e adjetivo, verbo e advérbio. Nem é preciso dizer que não encontrei em nossa língua traduções desses termos em palavras homônimas que reproduzissem a mesma abrangência semântica e gramatical. Na tradução, todos os meus títulos de capítulos são apenas substantivos, representando a opção que adotei, calcada na aparência inicial dos títulos originais de Donoghue.

Também não foi simples encontrar maneiras de adaptar — não necessariamente traduzir — as numerosas confusões, dubiedades, equívocos e trocadilhos propiciados pelas diferenças (e coincidências) vocabulares entre o inglês da Irlanda e o da Inglaterra, e não apenas por elas. Propiciados também pelas distinções de pronúncia, ou até pelas diferentes visões de mundo dos vários personagens, conforme suas convicções e práticas religiosas — católicas, protestantes ou ateias.

Destaco apenas três desses muitos pontos de "confusão":

Na página 129, Anna se refere a Rumpelstiltskin como o "homenzinho amarrotado", engano que adviria de sua suposição de que o nome do personagem dos Grimm começaria pelo adjetivo *rumpled*. É que o nome alemão evoca, na língua inglesa — por um erro de compreensão ou tradução, decorrente de uma homofonia quase perfeita —, imagens de um homem amarrotado, andando sobre pernas de pau: "*a rumpled man on stilts*".

Na página 130, a confusão é de Lib, que toma o diminutivo Bet usado por Anna por seu homófono *bet* (aposta/aposto).

E na página 148, Lib toma as iniciais *IHS*, de *Iesu Homini Salvatore* (Jesus Salvador dos Homens), por uma sigla da frase *I Have Suffered* — Eu sofri. Intraduzível.

Só me resta esperar que as soluções que encontrei não retirem dos leitores o prazer e a possibilidade de saborear a poesia e a fecundidade da linguagem de Donoghue.

Vera Ribeiro
Abril de 2018

Impresso no Brasil pelo Sistema Cameron da Divisão Gráfica da
DISTRIBUIDORA RECORD DE SERVIÇOS DE IMPRENSA S.A.